C0-ANT-115

1781

Hans-Dietrich Genscher
Christian Lindner

Brückenschläge

Zwei Generationen, eine Leidenschaft

| Hoffmann und Campe |

Die Gespräche, moderiert von Gunter Hofmann, wurden zwischen Dezember 2012 und Februar 2013 in Bonn geführt.

Redaktionsschluss: 14. Februar 2013.

1. Auflage 2013

www.hoca.de
Satz: Dörlemann Satz, Lemförde
Druck und Bindung: Friedrich Pustet, Regensburg
Gesetzt aus der Sabon
Printed in Germany
ISBN 978-3-455-50296-1

Ein Unternehmen der
GANSKE VERLAGSGRUPPE

Inhalt

Ein Wort vorab

»Wir müssen reden« – so beginnen Gespräche, wenn es in einer Beziehung schwierig wird. »Wir müssen reden« – so haben auch oft unsere Gespräche in den vergangenen Monaten begonnen. Weil unsere Partei, die FDP, in Beziehungsschwierigkeiten steckte – intern, aber auch extern, denn viele Bürgerinnen und Bürger zweifeln an der liberalen Partei.

Die Gründe dafür haben wir am Telefon, bei Mittagessen oder am Rande von Veranstaltungen immer wieder diskutiert. Dabei haben wir zurückgeschaut, vor allem aber haben wir den Blick nach vorn gerichtet: auf die Aufgaben, die Deutschland bewältigen muss – hierzulande, in Europa und in einer neuen Weltordnung. Bei diesen Gelegenheiten entstand die Idee, andere an unserem Austausch teilhaben zu lassen: durch dieses Buch.

Mancher behauptet, der Liberalismus habe sich zu Tode gesiegt. Das Thema des 21. Jahrhunderts sei nicht mehr die Freiheit, sondern die Begrenzung der Freiheiten. Wir setzen dem entgegen, dass die Übernahme von individueller und gemeinsamer Verantwortung in Freiheit das humanste Prinzip ist, menschliche Gesellschaften zu gestalten. Gerade in einer globalisierten Welt darf der Einzelne im Wirtschaftlichen, Gesellschaftlichen und Privaten nicht vergessen werden. Die Hinwendung zum Menschen und zu seinen Chancen auf ein gelingendes Leben, das ist die bleibende Aufgabe des Liberalismus. Er erkaltet eben nicht in technokratischen Operationen, sondern macht die realisierbaren Lebenschancen zu seinem Maßstab. In diesem Sinne soll dieses Buch ein Brückenschlag sein – hin zu den Bürgerinnen und Bürgern.

Unsere Gedanken erheben weder den Anspruch, ein Grundsatzprogramm zu sein, noch sollen sie als Handlungsanweisungen für unsere Partei verstanden werden. Im besten Fall ist dieser Gesprächsband der Anstoß zu einer Diskussion. In jedem Fall aber ist er eine Einladung, sich mit den Überzeugungen und Überlegungen zweier Freidemokraten aus zwei Generationen auseinanderzusetzen. Auch in diesem Sinne sind die folgenden Kapitel ein Brückenschlag – zwischen einem 85-Jährigen und einem 34-Jährigen, zwischen erlebter Nachkriegsgeschichte und gedachter Zukunft, zwischen Tradition und Erneuerung.

Die FDP hat alle Grundentscheidungen der Bundesrepublik Deutschland mitverantwortet und mitgestaltet – für die Soziale Marktwirtschaft, die Westintegration, die Europäische Einigung und die Ostpolitik zur Überwindung der Spaltung Deutschlands und Europas. Immer war unsere Partei dabei Anwalt neuen Denkens. Mehr als einmal haben die Liberalen für ihre Überzeugungen ihre politische Existenz aufs Spiel gesetzt. Diese Tradition, die der Ältere von uns beiden mitgeprägt hat, gibt der FDP das Selbstbewusstsein, auch vor den Herausforderungen der Gegenwart und Zukunft bestehen zu können.

Der Jüngere und seine Generation stehen nun vor historischen Wendepunkten, die weit über die deutschen Grenzen hinausreichen. Die Neudurchsetzung der Sozialen Marktwirtschaft als Idee einer Verantwortungswirtschaft, faire Aufstiegschancen durch Bildung, die Fortentwicklung der Europäischen Union, die Wahrung der Bürgerrechte in einer digitalisierten Gesellschaft, die Schonung der natürlichen Lebensgrundlagen ohne autoritäre Gebote und die Mitwirkung an einer globalen Kooperationsordnung, die von allen als gerecht empfunden werden kann – über diese Themen sprechen wir, aus unterschiedlichen Perspektiven mit einer gemeinsamen Leidenschaft für die Freiheit. Sie ist unser Brückenschlag.

Hans-Dietrich Genscher
Christian Lindner

im Februar 2013

»Wir sind beide Kinder unserer Zeit«

Lindner: Der 8. Mai 1945 gilt als Stunde Null der späteren Bundesrepublik, Richard von Weizsäcker hat ihn in seiner berühmten Rede von 1985 einen »Tag der Befreiung« genannt. Wie haben Sie diesen Tag erlebt, wo waren Sie, was fühlten Sie?

Genscher: Für mich war bereits der 7. Mai 1945 meine Stunde Null. Ich war wenige Wochen zuvor erst achtzehn geworden, hatte aber schon mehr als zwei Jahre militärischen Dienst hinter mir, erst als Luftwaffenhelfer, später dann bei der Wehrmacht als Pionier. Ich gehörte zur Armee Wenck, einem General, der in der letzten Kriegsphase den Auftrag hatte, mit seinen Truppen Hitler in Berlin zu befreien. Doch er hielt sich nicht an diesen Befehl, sagte seinen Offizieren: »Ich werde nicht Zehntausende von jungen Soldaten, die mir anvertraut sind, in eine sinnlose Schlacht führen. Ich führe die Armee nach Westen und hoffe, dass wir in amerikanische Gefangenschaft kommen.«

Lindner: Befreiung durch Gefangenschaft, harte Zukunftsaussichten für einen 18-Jährigen.

Genscher: Natürlich fragten wir damals, was nun werden wird. Wir wussten ja, dass der Krieg verloren war und dass er sehr bald zu Ende gehen würde. Meine Mutter hatte mich noch an meinem Geburtstag, am 21. März 1945, da wurde ich 18 Jahre alt, in der Kaserne in Wittenberg besucht. Als ich sie zum Bahnhof brachte, sagte ich zu ihr: »Ich vermute mal, dass wir uns jetzt eine ganze Weile nicht sehen werden. Wir werden jetzt zum Einsatz kommen. Aber ich habe im Gefühl« – damit wollte ich sie beruhigen –, »ich werde es überleben. Eigentlich geht es nur darum, in welche Gefangenschaft ich komme.«

Ja, und dann war es so weit. Die letzte Nacht, vom 6. auf den 7. Mai, übernachteten wir auf einem Gutshof in der Nähe der Elbe bei Tangermünde auf dem Ostufer. Auf diesem Gutshof wurde Bismarck geboren, und wir lagen nun dort in der Scheune. Wir wussten, dass wir am nächsten Tag wohl die Elbe nach Westen überschreiten würden. Seit Tagen schon zog die Armee über die Trümmer einer Brücke. Sie müssen sich vorstellen, wie lange das dauert, wenn achtzigtausend Mann über einen Holzsteg marschieren. Als wir da also abends im Stroh lagen, sagte ich: »Leute, wir werden das jetzt ja packen, wahrscheinlich, dann könnt ihr später euren Kindern und Enkeln sagen, die letzte Nacht des Krieges habt ihr bei Bismarck übernachtet. Ihr müsst ja nicht sagen, dass es in der Scheune war.«

Was wir nicht ahnten: Am nächsten Tag sollte uns noch ein schwerer Kampfeinsatz bevorstehen. Wir mussten den Brückenkopf verteidigen gegen die nachrückenden Russen, die uns diese Fluchtmöglichkeit abschneiden wollten. Wir befanden uns in einem kleinen Ort namens Wust; das ist der Ort, in dem der unglückliche Leutnant von Katte, der Erzieher Friedrichs des Großen, geboren worden war. Seine Familie stammte aus Wust, und er wurde dort auch nach der Hinrichtung in Küstrin beigesetzt.

Lindner: Waren Sie selbst auch in die Kampfhandlungen verwickelt?

Genscher: Ja, sicher, ganz massiv. Das Schwierigste war, sich vom Gegner abzusetzen, ohne dass er es bemerkt. Wir hatten den Auftrag, mit unserem Bataillon den Ort Wust bis 15.30 Uhr am 7. Mai zu verteidigen. Am Ende waren wir nur noch zehn Mann. Dann wurden die Nächsten abgezogen, schließlich waren wir nur noch zu dritt …

Lindner: Und Sie dabei?

Genscher: Ich war einer von den dreien. Am Westrand des Ortes, auf einer kleinen Anhöhe, schossen wir dann in alle Richtungen, um den Russen, die oben aus den Dachfenstern der Häuser rausguckten, vorzutäuschen, dass wir noch viele sind. So wollten wir Luft nach hinten schaffen. Dann wurde einer von uns letzten drei durch ein Explosivgeschoss verwundet, sein Arm hing herunter, sodass ich dem anderen sagte: »Zieh ihn zurück, ich halte die Stellung.« Da lag ich dann, allein, mit dem Gedanken, wenn ich jetzt einen Schuss ins Bein kriege, komme ich hier nicht mehr weg. Aber es ging gut. Ich kam tatsächlich bis an die Elbe. Dort wartete eine große Zahl von deutschen und amerikanischen Sanitätskraftwagen, Krankenschwestern, Sanitätern, Ärzten. »Verwundete rechts raus«, hieß es – und plötzlich war der Krieg von einer Minute auf die andere beendet.

Lindner: Solche Erfahrungen vergisst man wohl nie.

Genscher: Ja, wenngleich das tiefgehendste Erlebnis da schon zwei, drei Wochen zurücklag. Ich war nachts allein auf dem Weg zum Gefechtsstand unseres Bataillons, der sich in einem kleinen Dorf befand. Eine durchgehende Frontlinie gab es schon nicht mehr. Beide Seiten tasteten sich vor allem nachts ab. Als ich im Dunkeln in einem Bauernhof stand und mich zu orientieren suchte, öffnete sich unmittelbar neben mir leise und behutsam die Hoftür neben dem großen Hoftor. Die Maschinenpistole hatte ich schussbereit. Da blickte ich auf eine Entfernung von ein, zwei Metern in das angsterfüllte Kindergesicht, das mit weit aufgerissenen Augen unter dem russischen Stahlhelm hervorblickte. Seine Kalaschnikow hatte er genauso schussbereit wie ich meine Maschinenpistole. Sein Entsetzen war wohl nicht geringer als das meine. Reglos standen wir uns gegenüber. Eine Sekunde oder vielleicht auch drei oder fünf. Ich kann es nicht mehr sagen. Aber keiner von uns war in der Lage, auf den Menschen zu schießen, dem er Auge in Auge gegenüberstand. Es war der Zeitpunkt, da sich zwei junge Menschen, ein Russe und ein Deutscher, gegenseitig das Leben schenkten. Dann machte ich einen Sprung nach vorn und schlug die offen stehende Tür zurück und mit ihr mein Gegenüber. In diesem Moment schon erschienen über dem Hoftor vier, fünf russische Stahlhelme. Der russische Angriff hatte begonnen. Ich schlug Alarm und konnte im Dunkel der Nacht den Schüssen der in den Hof eindringenden Rotarmisten entgehen. Geblieben ist die Erinnerung an den jungen Russen, mit dem ich wenige Sekunden meines Lebens schicksalhaft verbunden war und den ich nun als meinen »Iwan« immer in meinem Bewusstsein haben würde, auch als ständige Mahnung.

Lindner: Fühlten Sie sich besiegt oder befreit?

Genscher: Ich fühlte Dankbarkeit. Dankbarkeit, überlebt zu haben. Dankbarkeit, nicht in russische, sondern in amerikanische Gefangenschaft geraten zu sein. Dankbarkeit, dass Hitler-Deutschland nun vorbei war, insoweit auch befreit. Damals ahnte ich noch nicht, dass es schon wenige Tage später eine sowjetische Besatzungszone geben würde, für die galt: befreit ohne frei zu sein.

Lindner: In diesem Moment hat für Sie schon ein neues Deutschland begonnen?

Genscher: Das haben wir so gespürt, ja. Als wir kurz zuvor südlich von Berlin nach Westen marschierten – immer nur nachts, weil die russischen Jagdbomber am Tage die Straßen beherrschten –, mussten wir plötzlich anhalten. Ein Motorradfahrer kam mit einer Meldung an unseren Kommandeur, das Bataillon – noch etwa 80 Mann – stand um ihn herum. Wir wurden informiert, dass Hitler tot war. Wenck teilte uns das nicht so schwülstig mit wie Dönitz es getan hatte, der vom Führer sprach, der mit der Waffe in der Hand bis zum letzten Atemzug kämpfend gestorben sei. Wencks Tagesbefehl lautete: »Soldaten der 12. Armee: Der Führer ist tot. Ab heute wird die Ehrenbezeigung wieder durch Anlegen der rechten Hand an die Kopfbedeckung erwiesen. Wenck, General der Panzertruppen.«

Man muss dazu wissen, dass nach dem Attentat vom 20. Juli die Wehrmacht mit dem Hitlergruß salutieren musste, was als Demütigung gedacht war. Jetzt werde wieder richtig gegrüßt, das war Wencks einzige Bemerkung zu Hitlers Tod. Das zeigte, was der Mann dachte. Mir hat das einen unglaublichen Vertrauensschub gegeben – einer wie er, der wird es schaffen, uns hier rauszuholen. Trotzdem, die Gefühle waren gemischt, was wird aus uns, was aus unserem Land? Schließlich wussten wir, dass in Deutschland Schreckliches geschehen war.

Lindner: Richard von Weizsäcker hat in seiner Rede auch gesagt: Wer sich Augen und Ohren nicht zuhielt, wusste, »dass Deportationszüge rollen«. Wussten Sie das auch?

Genscher: Sie müssen sich vorstellen, Herr Lindner: Ich hatte damals das Wort Auschwitz noch nicht gehört, aber »Judenverfolgung« reichte ja auch. Es reichte, was wir gesehen hatten: Menschen, die mit einem Stern gebrandmarkt wurden. Menschen, die weggebracht wurden, weil sie Juden waren. Es reichte, was wir hörten: von den Zuständen an der russischen Front, zum Beispiel. Von den Gefangenenlagern, in denen in den ersten Kriegsjahren viele russische Kriegsgefangene verhungerten. Wir hatten selbst die russischen Kriegsgefangenen erlebt, die sich freiwillig zur Flak gemeldet hatten, um dem Hungertod zu entgehen. Was muss die Menschen dazu bewegt haben ... Ich habe verstanden, dass so etwas Rachegefühle hervorrufen wird. Aber was würde das konkret bedeuten? Ich konnte mir sicher nicht vorstellen, dass es zu einer Teilung Deutschlands führen würde. Für mich war das *ein* Land.

Wir gehörten nicht zur Kategorie der Verantwortlichen im Dritten Reich, aber wir fühlten uns in der Verantwortung unseres Volkes stehend – im Guten, aber auch im Schlechten, in dem unendlich Schlechten. Und uns erfasste die Gewissheit, dass unser Land jetzt zur Rechenschaft gezogen werde, wie immer die ausfallen würde. Es gab für mich persönlich aber auch einen Moment großer Erleichterung, als ich durch einen Zufall erfuhr, dass Halle von den Amerikanern besetzt worden war …

Lindner: Und nicht von den Russen …

Genscher: … in dem Moment wusste ich, meine Mutter war nicht dem ausgesetzt, was viele andere Frauen bei der Besetzung durch die Rote Armee erleiden mussten. Aber hatte sie die Kampfhandlungen überhaupt überlebt? Die Frage nach ihrem Schicksal ließ mich nicht los. Und eine andere Frage auch nicht: Ist es möglich, hier abzuhauen? Wir marschierten durch Tangermünde in die Gefangenschaft, rechts und links amerikanische Soldaten. Aber wenn sich eine Armee auflöst, herrscht auch totales Chaos. Das war eine Chance. Ein Kamerad, der neben mir lief und mit dem ich von Anfang an auf einer Stube gewesen war, fragte mich: »Du bist so nachdenklich, was geht dir durch den Kopf?«

»Ich habe gerade zwei Entscheidungen getroffen«, sagte ich.

»Und welche sind das?«

»Erstens: Ich haue hier so schnell wie möglich ab.«

Er antwortete: »Da komme ich mit. Und die zweite?«

»Ab sofort mache ich nur noch, was ich gerne mache.« Das hieß, ich will nicht mehr geschoben werden, Luftwaffenhelfer, Reichsarbeitsdienst, Wehrmachtssoldat – jetzt will ich tun, was ich will. Das habe ich weitgehend durchgehalten. Heute würde ich sagen, jetzt will ich für mich

Verantwortung übernehmen. Das ist es ja, was den Liberalen ausmacht: Freiheit wollen, auch um selbstverantwortlich handeln zu können. Freiheit ohne Verantwortung bedeutet Zügellosigkeit. Das Bewusstsein, dass Freiheit und Verantwortung siamesische Zwillinge sind oder auch zwei Seiten derselben Sache, bedeutet die ständige Herausforderung zum verantwortlichen Handeln in Freiheit.

Lindner: Nicht nur Befehle empfangen, sondern selbst über sein Leben bestimmen. War das vielleicht der Moment, in dem sie nicht nur zu einem selbstbestimmten, sondern auch zu einem politischen jungen Mann geworden sind?

Genscher: Nein, nicht bewusst, das wäre falsch. Gestatten Sie mir eine Rückblende in die Zeit, als ich ein kleiner Junge war und in das Milieu, in dem ich aufgewachsen bin. Mein Großvater war für mich Vaterersatz, denn mein Vater starb, als ich neun Jahre alt war. Der Großvater war mit dem Dorfpfarrer verbunden und der gehörte zur Bekennenden Kirche. Auf dem Dorf hatte das eine große Bedeutung. Immer wieder wurde dieser Pfarrer von der Gestapo vernommen und manchmal auch für kürzere oder längere Zeit inhaftiert. Das ständige Bemühen meines Großvaters als verantwortlicher Laie in der Gemeinde um die Freilassung des Pfarrers hat auch meine Familie geprägt. An meinem ersten Schultag – nach Ostern 1933 – verlangte der Lehrer, der sich schnell umgestellt hatte: »Jetzt treten wir mal an wie die Hitler-Jugend!« Mit meinen sechs Jahren erwiderte ich: »Da kann ich nicht mitmachen, wir sind deutsch-national.« Woraufhin der Mitschüler neben mir rief: »Da kann ich auch nicht mitmachen, wir sind Kommune.« Der Vater war Kommunist.

Am Abend bekam mein Vater im Kegelclub vom Lehrer zu hören: »Deinen Sohn hast du aber schon ganz schön indoktriniert. Der hat sich heute geweigert, mitzumarschieren wie die Hitler-Jugend.« In der Nacht kam mein Vater vom Kegeln zurück, weckte mich und drückte mir einen

»Kanaldeckel« in die Hand. Das war ein Fünfmarkstück, die nannte er so, es war die höchste Auszeichnung, die in der Familie verliehen werden konnte. Zu mir sagte er nur: »Hier haste einen Kanaldeckel für das, was du heute in der Schule zum Lehrer gesagt hast.«

So war mein Vater. Von meinem Großvater habe ich meine Verbundenheit zu Frankreich. Er hat dort Ende des 19. Jahrhunderts seinen Wehrdienst abgeleistet, im lothringischen Dietenhofen. Seitdem bewunderte er die französische Kultur und litt darunter, dass er als Ältester den Bauernhof übernehmen musste. Er hätte lieber studiert, musste aber mit dem »Einjährigen« von der Schule abgehen, weil der Urgroßvater festgelegt hatte: »Es ist bei uns Sitte, dass der Älteste den Hof übernimmt.«

Mein Großvater ist 1947 gestorben. Ich erinnere mich, dass ich ihn am 1. Januar 1946 auf dem Land besucht habe, um ihm zum neuen Jahr alles Gute zu wünschen. Ein sowjetischer Major – ein Studienrat für Germanistik in Leningrad, der sehr gut Deutsch sprach – war mit drei Mann bei meinem Großvater einquartiert worden. Als der Major es nicht hören konnte, sagte ich: »Hoffentlich hauen die bald ab!«

»Mein Junge, die bleiben fünfzig Jahre«, erwiderte mir mein Großvater.

»Das kann ich mir nicht vorstellen«, sagte ich.

»Warte ab«, gab er zurück. Er hat fast recht behalten.

Ich denke manchmal, vielleicht sieht er, dass ich ein wenig dazu beigetragen habe, dass es nicht ganz fünfzig Jahre geworden sind.

Lindner: Noch einmal zurück zu 1945: An den »Endsieg« haben Sie nicht geglaubt?

Genscher: Ich erzähle Ihnen eine Geschichte aus dem Jahr 1944. Damals hatte ich beim Arbeitsdienst einen Kameraden, dem wir den Spitznamen »Stalin« gegeben hatten wegen seines Bürstenschnitts. Er trug sein schwarzes Haar stoppelig kurz, so wie Stalin. Der Kamerad war meist sehr in sich gekehrt, an den Gesprächen beteiligte er sich kaum. Ich hatte immer Stubendienst mit ihm, und an einem Abend, als wir beim Essen saßen, erzählte ein Kamerad aus Berlin: »Ich habe heute einen Brief bekommen von meiner Mutter. Mein Vater hat sich freiwillig zur Wehrmacht gemeldet.« Das war, wie gesagt, im Oktober 1944.

»Ganz schön dumm«, entgegnete ich.

»Nein, nicht wie du denkst«, sagte er.

»Na, wie denn dann?«

Seine Antwort: »Mein Vater ist Rechtsanwalt, und er sollte als Pflichtverteidiger vor dem Volksgerichtshof auftreten. Da hat meine Mutter zu ihm gesagt, ein anständiger deutscher Rechtsanwalt tritt vor diesem Blutgericht nicht auf.«

Ich erwiderte daraufhin: »Dann ziehe ich vor deinen Eltern den Hut.«

Danach trug ich mit meinem »Stalin« die Schüsseln zur Küche, und da wandte er sich an mich: »Das hat mir gut gefallen, was du vorhin gesagt hast.«

»Bist du auch dagegen?« Das war ein Schlüsselwort – man sagte »dagegen« und konnte sich immer noch herausreden, wenn es ganz ernst wurde.

Er bekannte: »Ich bin Kommunist.«

»Ist das denn besser?«, fragte ich.

»Ja! Der Kommunismus ist die Zukunft. Ich will dir eines sagen: Wenn ich an die Front komme, ich laufe zu den Russen über. Bei ihnen ist die Zukunft.«

»Und woher weißt du das?«, frage ich.

»Von meinem Vater.«

»Und wieso?«

»Mein Vater war als kommunistischer Funktionär zur Ausbildung in den zwanziger Jahren in der Sowjetunion. Und du, was denkst du mit deinen bürgerlichen Vorurteilen?«, wollte er wissen.

»Die Zukunft? Ich stelle sie mir wie in England oder Amerika vor.«

»Ach, das ist alles von gestern«, hielt er mir entgegen, »der Kommunismus ist die Zukunft.«

Nur sieben Wochen verbrachten wir gemeinsam beim Arbeitsdienst, danach hörte ich nichts mehr von ihm. Eines Tages las ich, dass »mein« Stalin, der in Wirklichkeit Werner Jarowinzky hieß, Mitglied des Politbüros der SED geworden war. Er hat dann später den Ständigen Vertreter der BRD, Hans Otto Bräutigam, bei einem offiziellen Essen gefragt: »Sehen Sie den Herrn Genscher gelegentlich in Bonn?«

»Ja.«

»Bestellen Sie ihm mal schöne Grüße.«

Bräutigam: »Kennen Sie Herrn Genscher?«

»Ja, aus alten Zeiten.«

Bräutigam sprach mich dann darauf an und dachte, wir hätten zusammen studiert. Aber ich erwiderte ihm: »Das waren noch ältere Zeiten.« Jarowinzky war, wie er später einem Journalisten erzählte, unsere Begegnung genauso in Erinnerung geblieben wie mir. Ich hätte ihn gern nach der Wende wieder getroffen, aber er ist Anfang 1990 gestorben.

Aber Sie sehen, aus den zwei Jungen von 1944, die ihre eigene Vorstellung von der Zeit danach hatten, sind zwei Männer geworden, die – jeder für sich – ihrer Vorstellung treu geblieben sind.

Lindner: Für uns heute ist das, was Sie in jungen Jahren erlebt haben, unvorstellbar. Getrennt von der Familie, Deutschland besetzt, die Zukunft nur eine vage Idee.

Genscher: Wir werden ja auch die Luftwaffenhelfer-Generation genannt. Mit 15 Jahren zum Kriegsdienst eingezogen zu werden, das macht etwas mit einem. Die ersten Luftwaffenhelfer gehörten den Jahrgängen 1926 und 1927 an. Einberufen wurden wir am 15. Februar 1945 als Reaktion auf die verlorene Schlacht von Stalingrad. Wir mussten die Plätze der Soldaten besetzen, die bei der Flak im Landesinneren dienten und jetzt an die Front geschickt wurden, wo man eine neue 6. Armee aufstellte. In dieser Generation ging wie ein Lauffeuer herum, was sich anbahnte. Nach unserer Entlassung aus dem Reichsarbeitsdienst Anfang Dezember 1944 und vor der Einberufung zur Wehrmacht Anfang 1945 trafen wir uns – meine Klassenkameraden und ich – am Silvestermorgen 1944. Wir wussten alle, jetzt müssen wir ran. Wir hatten einen Einberufungsbefehl für den 6. Januar, und wir wussten, in diesem Jahr wird die Sache beendet. Darin waren wir uns einig, und so haben wir uns im Januar 1945 verabredet, wann man sich wo trifft.

Einer fragte: »Was denkt ihr denn, wer als Erstes zurückkommt?« Und dann entschieden wir uns für einen Namen. Tatsächlich war er der erste, der zurückkam – können Sie sich das vorstellen? Ich war der dritte, der kam, am 7. Juli 1945.

Uns alle beherrschte das Gefühl: »Wir müssen jetzt etwas Neues, etwas Besseres machen.« Was dieses Neue sein würde, wussten wir selbst nicht genau. Klar war nur, keine Diktatur mehr. Und dennoch mussten wir gleichzeitig erleben, wie eine neue Diktatur bereits immer deutlicher ihr Gesicht zeigte ...

Lindner: Die ersten Konturen der DDR.

Genscher: Damals war es die sowjetische Besatzungszone. Im Juni wurden dort die Parteien zugelassen – vier: die Sozialdemokraten, die Kommunisten, die Christdemokratische Union und die Liberaldemokratische Partei –, und schon wenige Wochen später wurde deutlich: Die Kommunisten wollten eine Zwangsvereinigung.

Lindner: KPD und SPD wurden zur SED zusammengeschlossen.

Genscher: Ja, und das war dramatisch: Führende Sozialdemokraten gingen weg, weil sie damit nicht einverstanden waren, andere wurden verhaftet. Bald begann auch der Druck auf Missliebige in den anderen Parteien. Alles ging wieder von vorne los, wieder konnte man nicht sagen, was man wollte. Die Kritiker dieses Weges wurden als »faschistische Elemente« verunglimpft. Das waren sie natürlich nicht! Das hat politisiert.

Lindner: Dagegen wollten Sie Opposition machen.

Genscher: Richtig. Und in der Lage imponierten gerade die Redner, die sich besonders kritisch gegen die Besatzung und die SED äußerten. Je härter jemand auftrat, desto begeisterter waren wir. Damit ging der Kampf um die Hochschulen los. In den Betrieben hatten sich Betriebsgruppen der Parteien gebildet, an den Universitäten Hochschulgruppen der Parteien. Dort, an den Hochschulen, war die Liberaldemokratische Partei fast überall die mit Abstand stärkste. Ich erinnere mich an ein großes Idol, Wolfgang Natonek an der Universität Leipzig, der als rassisch Verfolgter bei den Nazis schon Zwangsarbeit leisten musste. Als NS-Verfolgter gab ihm das nach dem Krieg zunächst mehr Freiraum, offen auszusprechen, was er dachte und wollte. Diese Auseinandersetzungen um die Hochschulen spielten eine enorme Rolle, mich politisierte das immer mehr, machte aus mir einen kämpferischen jungen Mann, einen Liberalen. Bei der ersten Kommunalwahl in Halle – Wahlen waren relativ frei in den großen Städten – erhielt die Liberaldemokratische Partei die meisten Stimmen.

Lindner: In Ihrer Heimatstadt gab es offenbar auch ein entsprechend liberales Milieu.

Genscher: Ein sehr starkes! Die Sitzverteilung habe ich heute noch im Kopf, so sehr hat mich das Ergebnis beeindruckt: 29 LDP, 27 SED, 19 CDU. Damals hatten allerdings auch die Sozialdemokraten, die von dem Vereinigungsgerede nicht überzeugt waren, sehr stark die Liberaldemokratische Partei gewählt.

Lindner: Und der LPD sind Sie dann beigetreten.

Genscher: Das war das Ergebnis eines längeren Findungsprozesses. Die Kommunisten kamen für mich nicht infrage und die SPD, deren westdeutscher Vorsitzender Kurt Schumacher mir enorm imponierte, auch nicht, weil erkennbar war, dass es unter dem Druck der sowjetischen Besatzungsmacht zur Zwangsvereinigung zwischen SPD und KPD kommen würde. An den Christlichen Demokraten gefiel mir, dass sie die Konfessionen politisch zusammenführen wollten. Aber dann kam ich in eine Versammlung, in der ein Redner auftrat – ein unglaublich leidenschaftlicher Redner – und Folgendes formulierte: »Der Liberalismus ist die umfassendste Alternative zu jeder Form der Unfreiheit.« Da habe ich mir gedacht, das sind die richtigen Leute. Und so reifte mein Entschluss zugunsten der Liberalen Partei, deren Mitglied ich am 30. Januar 1946 wurde.

Lindner: Wären für Sie auch, wenn es damals weiterhin eine SPD gegeben hätte, die Sozialdemokraten als politische Heimat möglich gewesen?

Genscher: Wahrscheinlich nicht. Auch von der CDU hielt mich am Ende ab, dass in einem Wahlaufruf stand, sie wollten den Christlichen Sozialismus. Sozialismus, ob nun christlicher oder anderer Art, kam für mich nicht infrage. Zwei Leute bei der SPD allerdings beeindruckten mich, der eine war Kurt Schumacher. Er kämpfte gegen die Zwangsvereinigung, sah sich als Gegenspieler zu Otto Grotewohl, dem ersten Ministerpräsidenten der DDR, der aus der SPD kam, und sprach über die SED von den »rotlackierten Faschisten«. Rotlackierte Faschisten …

Lindner: Was für ein scharfes Wort …

Genscher: Das konnte nur einer so zuspitzen, der aus den Konzentrationslagern gekommen war. Dann begann in ganz Berlin der Kampf gegen die Zwangsvereinigung. Franz Neumann, ein richtiger Arbeiterführer, führte an der

Spitze der SPD einen äußerst mutigen Kampf gegen die Zwangsvereinigung in Berlin, lange Zeit bestand die SPD im Ostsektor ja noch fort. Sie stellte einen Abgeordneten im Bundestag in Bonn, der in Ostberlin wohnte. Mit der S-Bahn fuhr er nach Westberlin und flog dann zur Bundestagssitzung.

Lindner: Ist es Ihnen auch so ergangen wie manchen Ihrer Generation, dass Sie sich als missbraucht und verführt betrachteten?

Genscher: Nein, verführt nicht. Das familiäre Milieu bewahrte mich davor, und die Schule auch. Das ist mir sehr wichtig. Kurz bevor ich Luftwaffenhelfer wurde, mussten wir einen Aufsatz schreiben, fünf Stunden. Thema war ein Zitat aus Franz Grillparzers *Der Traum ein Leben*. Diese Worte habe ich nicht vergessen: »Eines nur ist Glück hienieden und des Innern stiller Frieden und die schuldbefreite Brust, und die Größe ist gefährlich, und der Ruhm ein leeres Spiel, was er gibt sind nicht'ge Schatten, was er nimmt, es ist so viel.« Eine Stunde kaute ich an meinem Federhalter. Dann kam der Durchbruch, und ich schrieb: Offenbar geht es Grillparzer um die inneren Werte und den Menschen, wie er ist. Jeder sei anders, aber es käme auf die inneren Werte an. Aber wenn das alles richtig sei, was Grillparzer schreibt, und ich sei der Meinung, das sei richtig, dann müsste ich mich fragen, warum bei uns alle Leute Uniformen tragen, wir seien ein uniformiertes Land. Anschließend zählte ich alle Uniformen auf.

Als der Lehrer die Arbeit zurückgab, bemerkte er – ich muss dazu sagen, der mochte mich auch sehr – Folgendes: »Ich habe das Gefühl, das Thema war doch ein bisschen zu schwierig.« Das heißt, es war kein vorgeschriebenes Thema, er hatte es selbst ausgesucht. »Im Grunde hat es nur einer verstanden: Genscher. Eigentlich hättest du eine Eins verdient, aber da du wie immer zwei Kommafehler gemacht hast, konnte ich dir nur eine Zwei plus geben.«

Er hatte eine Komma-Macke. Danach gab er allen ihre Arbeiten zurück, nur mir nicht. »Wo ist denn meine Arbeit?«, wollte ich wissen. »Ach«, erwiderte er, »ich vergaß das zu erwähnen, bei der Korrektur ist mir das Tintenfass umgefallen, und da habe ich deine Arbeit weggeworfen.« Als die Stunde zu Ende war und ich nach draußen ging, legte er seinen Arm um meine Schulter: »Nicht wahr, mein Junge, jetzt gibt es auf dieser ganzen großen Welt nur zwei Menschen, nämlich dich und mich, die wissen, warum es besser war, dass ich deine Arbeit weggeworfen habe.«

Wissen Sie, wenn Sie so etwas erleben … – ich war richtig glücklich!

Lindner: Da hatten Sie einen Verbündeten, aber Sie haben eben auch früh eine Erfahrung gemacht, die wir heute nicht mehr kennen – die einer großen Unfreiheit, wenn man mit der Interpretation eines Dichterworts schon ein Risiko eingeht.

Genscher: Ich sage Ihnen, ich fand die Reaktion von ihm einfach klasse! Ich habe es zu Hause gleich erzählt. Meine Mutter erwiderte daraufhin: »Ich habe dir doch immer schon gesagt, du musst ja nicht auch noch schreiben, was du denkst.«

Lindner: Sie haben später Politik zum Beruf gemacht. Politiker zu werden – haben Sie sich das schon zu dieser Zeit nach dem Kriegsende vorgenommen?

Genscher: Ach, überhaupt nicht! Ich hatte ein ganz anderes Berufsziel: Rechtsanwalt, als ich 1952 nach Westdeutschland kam. In der DDR, wo ich mein Jurastudium begann, wäre ich ohnehin nie Politiker geworden. Anwalt wollte ich werden, um selbständig zu sein. Mir imponierte, Leuten helfen zu können!

Lindner: Und wie wurde dann aus dem Anwalt ein Politiker?

Genscher: 1946, wie gesagt, bin ich Mitglied der LDP geworden. Ich erinnere mich, dass sich damit sehr bald eine Enttäuschung verknüpfte, weil mir die Parteiführung in Berlin nicht hart genug erschien. Sie erwarten doch als junger Mann, dass die der SED mal offen sagen, was Sache ist. Das wagte zwar Kurt Schumacher, aber aus dem sicheren Westen heraus. Ja, und dann bekam ich um die Weihnachtszeit 46/47 die Lungentuberkulose, die mich zunächst vollkommen aus dem Verkehr zog. Ich lag im Krankenhaus, und eines Tages setzte sich der Chefarzt zu mir aufs Bett: »Meine Oberärzte sagen dir, du hast eine feuchte Rippenfellentzündung und Lungenentzündung. Das stimmt, aber das ist nur die halbe Wahrheit. Du hast eine schwere beiderseitige Lungentuberkulose. Vier von fünf Lungenlappen sind befallen, und ich muss dir sagen, wir Ärzte können da gar nicht so viel machen. Mindestens 50 Prozent musst du selbst schaffen, du musst die Krankheit besiegen wollen.«

Und dann hielt er mir einen – ich würde heute sagen – Impulsvortrag. Nie dürfe ich eine Niederlage mit der Krankheit erklären. Der Beste müsse ich sein wollen im Studium. Ganz vorn müsse ich sein wollen, immer, auch bei den Weibern, sagte er – was meine Mutter unerhört fand, der ich das später erzählt habe. Die Worte dieses Arztes waren eine Stimulans, über die Krankheit hinaus. Nicht aufgeben – es ist zu packen! Damals hieß Tuberkulose, so wie ich sie hatte, vielleicht Tod, aber jedenfalls nie richtig arbeitsfähig. Also eine eigentlich total deprimierende Perspektive. Ich habe nach sechs Semestern das Referendarexamen abgelegt, verbrachte davon aber nur dreieinhalb Semester an der Uni. Im Krankenhaus habe ich weitergelernt. Politik stand da nicht mehr in der Mitte.

Lindner: Wann kehrte sie in die Mitte zurück?

Genscher: Im Jahr 1946 habe ich meinen ersten Wahlkampf noch mitgemacht – Kommunalwahlen und Landtagswahl. Hinterher hielt ich mich völlig zurück und blieb einfach still. Man blieb in der Partei, um zu zeigen, dass man nicht in der SED sein wollte, aber die Partei bot für mich keine politische Identität mehr. Innerlich war ich auf einem anderen politischen Ufer angelangt, weil inzwischen ja ein Gegenmodell entstand. Über das Radio konnte man sich darüber gut informieren. In Westdeutschland konnten sie in ihren Zeitungen schreiben, was sie wollten. Immer wieder mal fuhren Freunde nach West-Berlin; sie lasen Zeitungen – offen wurde dort die schärfste Auseinandersetzung mit der SED geführt. Wie Reliquien wurden Zeitungen bei uns in der Universität weitergegeben und gelesen, bald auch der *Spiegel*. Möglicherweise war ich über die Entwicklungen in der Bundesrepublik besser informiert als manche politisch nicht interessierten Kommilitonen in Westdeutschland.

Lindner: Die Bundesrepublik war also Ihr Staat, nicht die DDR. Und in diesen Staat, die gewählte politische Heimat, machten Sie sich dann auf.

Genscher: Zunächst nach West-Berlin und dann nach Bremen, um die Ausbildung als Referendar fortzusetzen und abzuschließen. Meine Mutter blieb zunächst noch in Halle. Ich ging am 20. August 1952 von dort weg. Ich kam am Anhalter Bahnhof in Berlin an. Besser gesagt, in seinen Trümmern. Der Bahnhof war Territorium der DDR. Wenn man zwei Stufen nach unten ging, stand man im englischen Sektor von Berlin. Als ich meinen Fuß von der letzten Stufe herunter auf den Erdboden setzte, wusste ich, jetzt bist du im Westen angekommen.

Nachdem ich in Bremen Fuß gefasst hatte und auch bei einem Anwalt arbeiten konnte, sodass ich also über eine gewisse materielle Grundlage verfügte, kam meine Mutter nach. Sie traf gerade in Bremen ein, als sie noch im Zug hörte: Stalin ist tot. Als sie mich sah, fragte sie mich zweifelnd: »Ja, hab ich denn was falsch gemacht, dass ich ausgerechnet jetzt weggegangen bin, wo er doch nun tot ist?«

Lindner: Vielleicht wird es drüben besser …

Genscher: Ich habe ihr widersprochen: »Es war bestimmt

richtig, dass du gekommen bist, denn ich kann mir nicht vorstellen, dass sich da viel ändern wird.« Geändert hat sich auch nichts, aber natürlich war die Reaktion verständlich.

Lindner: Kommen wir noch einmal zurück nach Bremen, denn dort wurden Sie in der FDP aktiv, sozusagen Ihr zweiter Schritt in die Politik.

Genscher: Und zwar sofort. Für mich war es die liberale Partei, die ich wirklich wollte. Also ging ich in Bremen zur Geschäftsstelle und erklärte denen, ich wolle meine Mitgliedschaft fortsetzen.

Lindner: Und dann? Viele Ihrer Generation wandten sich damals enttäuscht oder verbittert ab von der Politik.

Genscher: Bei manchen Kommilitonen habe ich das erlebt. Aber die, die aus dem Osten kamen, waren doch stärker politisiert. Für das eigene Land etwas tun, sich mitverantwortlich fühlen, das war für viele ein Motiv. Auch ich empfand das schon 1945 so: Wir müssen jetzt etwas Neues machen, und zwar wir selber. Für mich kam als zweites politisches Motiv der Wunsch hinzu, die Vereinigung des geteilten Landes zu erreichen. Deshalb habe ich Leute vor allem danach beurteilt, wie sie zur Frage der deutschen Teilung standen. Ich war zum Beispiel zur Ausbildung bei der Staatsanwaltschaft; in Halle gab es nur noch einen Volljuristen als Staatsanwalt, alle anderen waren »Volksstaatsanwälte«. Ich erreichte es, dass ich zu ihm kam: Dr. Geissler, ehemals Oberbürgermeister von Gleiwitz, bis die Nazis kamen, ein Zentrums-Mann. »Mit Konrad Adenauer, Herr Genscher, müssen wir vorsichtig sein«, sagte er mir, »der hat mit uns im Osten nichts zu tun.«

Immerhin war Dr. Geissler CDU-Mitglied. Und er kannte Adenauer von der Zusammenkunft der Zentrumsoberbürgermeister im preußischen Staatsrat. Das machte mich hellhörig: Wenn der so über den eigenen Mann an der Spitze denkt, muss etwas dran sein, dachte ich. Später folgte die große Debatte über die Teilung und was zu tun sei. Ich kann mich noch an die Nacht erinnern, als Thomas Dehler und Gustav Heinemann mit Konrad Adenauer in der Vereinigungsfrage abrechneten. Am Radio zu Hause bin ich fast verrückt geworden. Ich hätte Dehler umarmen können!

Lindner: Da wussten Sie, dass Sie in der richtigen Partei waren.

Genscher: Sie müssen sich vorstellen, die FDP in Bremen war eine recht moderne Partei. In der FDP gehörten die hanseatischen Liberalen zum liberalen Flügel, ich meine sowohl die Hamburger wie die Bremer. Mit den Baden-Württembergern und den Bayern zusammen bildeten sie das liberale Lager, auf der anderen Seite stand die FDP Nordrhein-Westfalen …

Lindner: … die damals Züge einer nationalen Sammelbewegung hatte.

Genscher: Bürgermeister Spitta in Bremen, zum Beispiel, hatte drei Mal die Bremer Verfassung entworfen – einmal im Kaiserreich, einmal zu Beginn der Republik und dann im Auftrag der Amerikaner nach dem Zweiten Weltkrieg. Er war eine der Traditionsfiguren. Ich trat dort also der FDP und den Jungdemokraten bei und wurde rasch stellvertretender Landesvorsitzender der Jungdemokraten, aber das war es zunächst auch. Ein einziges Mal habe ich für die Bürgerschaft kandidiert – als Zählkandidat auf einem aussichtslosen Platz.

Lindner: Auf den ersten Blick ist das eine gewisse Paradoxie – Halle und die Einheit bleiben Basis und politisches Ziel, die Chiffren, die man mit Ihnen verbindet. Gleichwohl sind Sie nicht bei den Nationalliberalen gelandet.

Genscher: Ganz eindeutig! Ich hatte das Gefühl, das Nationalliberale zementiert eher und verschließt Möglichkeiten, statt Wege zur Einheit zu öffnen.

In Bremen legte ich das zweite Staatsexamen ab, damals musste man noch ein halbes Jahr als Anwaltsassessor arbeiten, dann wurde ich als Rechtsanwalt zugelassen, zunächst arbeitete ich als angestellter Rechtsanwalt. Später fing ich mit einem Kollegen neu an. Der Landesgeschäftsführer, der mich im Herbst 1955 aufgenommen hatte, berichtete mir eines Tages, er habe eine Anfrage, wonach die Bonner Bundestagsfraktion einen Volljuristen als wissenschaftlichen Assistenten suche. »Wäre das was für Sie?« Zufällig hatte ich vorher einen großen Zeitungsartikel gelesen über die Arbeitsweise des amerikanischen Senats und wie so ein Senator ausgestattet war – also über das Hilfspersonal, das ihm zur Verfügung stand. Daher hatte ich eine Vorstellung von der mir angebotenen Arbeit und dachte, das macht einen ja nicht dümmer, das könnte ich zwei, drei Jahre probieren. Ich wurde zum Bewerbungsgespräch eingeladen. Die Fraktion bildete eine Kommission aus drei Leuten, die mich befragten, schließlich musste ich mich der Fraktion vorstellen, mit Thomas Dehler als Fraktionsvorsitzendem, bis die alte Marie-Elisabeth Lüders einfach entschied: »Der kommt aus Halle, den nehmen wir.« Damals ging das.

Lindner: Ab da befanden Sie sich im Treibsand.

Genscher: Damit war ich dann mitten drin, ohne doch wirklich zu ahnen, dass Politik mein Beruf auf Lebenszeit werden würde.

Lindner: Aber diese Entwicklung passt zu einem wie Ihnen, der stets der Erste und Beste sein will, wie es der Arzt dem Tuberkulose-Patienten empfahl. Ich muss immer noch an Ihre Bemerkung denken, dass Sie so beeindruckt waren von diesem Redner, der davon sprach, Liberalismus sei die umfassendste Alternative zu jeder Form der Unfreiheit …

Genscher: … verstehen Sie, das war ein Politikum. Denn das bedeutete, Alternative nicht nur zu den Nazis, sondern zu jeder Form der Unfreiheit, also auch gegen die Unfreiheit von damals in der sowjetischen Besatzungszone. Heute würden Zuhörer das völlig anders verstehen als in Halle am Ende des Jahres 1945. Da wusste jeder, der meint auch die jetzigen Herren.

Lindner: Darauf will ich hinaus.

Genscher: Damals hieß es: Was ist des Deutschen in der sowjetischen Besatzungszone Nachtgebet? Herr Gott, gib uns das fünfte Reich, das vierte ist dem dritten gleich. Das war ein tödlicher Spruch, aber traf natürlich voll in das Lebensgefühl der Menschen. Aber noch mal zurück ins Jahr 1956. Ich kam also nach Bonn, nicht um Berufspolitiker zu werden, sondern weil ich es spannend fand, im Gesetzgebungsapparat und dem politischen Apparat eines großen Parlaments mitwirken zu können. Das war es, was mich reizte. Ich dachte, das bringt dich weiter, und vieles wirst du auch als Anwalt brauchen können. Je tiefer ich eintauchte, desto mehr ergriff mich, womit ich mich da befasste. Plötzlich rückte ich auf den Stuhl des Bundesgeschäftsführers vor, als Karl-Hermann Flach wegging. Zuerst hieß es, das solle ich interimsweise machen, es werde noch jemand gesucht. Gefunden wurde tatsächlich Hans Friderichs, der später Bundeswirtschaftsminister wurde.

Ich fuhr mit Erich Mende – dem damaligen Partei- und Fraktionsvorsitzenden – zum Landeshauptausschuss Rheinland-Pfalz nach Mainz, das Parteigremium tagte, und dort hielt ein junger Mann eine flammende Rede. Spontan habe ich zu Erich Mende gesagt: »Den lasse ich kommen, der kann den Bundesgeschäftsführer machen.«

»Meinen Sie?«, erwiderte der vorsichtig. Und so kam Hans Friderichs, damals Geschäftsführer der Industrie- und Handelskammer, zur FDP nach Bonn. Ich wollte eigentlich bald zurück nach Bremen, aber dann kam Willy Weyer und drängte, es würde jetzt höchste Zeit, ich müsste direkt in die Politik einsteigen. Ich spreche vom Jahr 1962,

Adenauer war noch Kanzler, CDU/CSU und FDP waren Koalitionspartner. »Sie müssen beim nächsten Mal ins Parlament. Ich habe auch schon einen Wahlkreis: Wuppertal. Da kenne ich den Kreisvorsitzenden.« Bis dahin war ich noch nie in Wuppertal gewesen, als ich mich dort vorstellte beim Kreisvorstand, betrat ich also zum ersten Mal Wuppertaler Boden. So ging das damals zu in der Politik. Vieles war möglich, vieles war unkompliziert.

Heute, in Ihrer Zeit, ist das anders. Und Ihr Weg in die Politik ist wohl auch ein anderer gewesen. Wie also fing es bei Ihnen an, Herr Lindner?

»Ich wollte mich einmischen«

Lindner: Angefangen hat es mit dem Gefühl, mich einmischen zu wollen. Ich war in der Schülervertretung und wollte mehr. Also habe ich mir die Parteien in meiner Heimatstadt Wermelskirchen angesehen. Bei der SPD tummelten sich meine Lehrer. Die Junge Union hat sich vor allem zum Biertrinken getroffen – Freunde hatte ich aber schon, dafür brauchte ich keine Partei. Die Grünen, soweit es sie gab, erschienen mir nicht unkonventionell und liberal, sondern eher spaßfrei und pessimistisch. Bei der FDP trafen sich der Forstwirt, der Handwerksmeister, die Friseurin, der pensionierte Lehrer, der Jurist – zupackende, offene Menschen, die Freude hatten an ihrem Beruf, aber sich damit nicht zufriedengegeben, sondern sich für ihre Stadt nach Feierabend engagiert haben. Ich fand, die Liberalen hatten das positivste Menschenbild von allen, weil sie jedem einzelnen Menschen etwas zutrauen und ihm damit auch vertrauen.

In dieser Zeit hat mein Vater ein Exemplar der Freiburger Thesen, die in den siebziger Jahren als Rowohlt-Bändchen erschienen waren, aus dem Regal gezogen und mir zu lesen gegeben. Er war übrigens kein Parteigänger, sondern nur interessierter Beobachter. Dieses Parteiprogramm hat mich gefesselt – ich denke an den Kernsatz: »Nicht nur auf Freiheiten und Rechte als bloß formale Garantien des Bürgers gegenüber dem Staat, sondern auf die soziale Chance in der alltäglichen Wirklichkeit der Gesellschaft kommt es an.« Ich glaube, bis heute handelt es sich um eines der besten Dokumente, um einen zeitgemäßen Liberalismus darzustellen. Insbesondere übrigens die Einleitung von Werner Maihofer.

Genscher: Dem stimme ich zu …

Lindner: Sie haben eben den schönen Satz zitiert, der Sie als jungen Mann beeindruckt hat: Liberalismus sei die umfassendste Alternative zu jeder Form der Unfreiheit. Wenn man dies auf die Gegenwart überträgt, würde ich heute sagen: Es ist nicht mehr wie damals der totalitäre Staat, der dem einzelnen Menschen den Stiefel ins Gesicht drückt und ihn zum Untertanen degradiert – Gott sei Dank. Selbstbestimmung geht heute beispielsweise verloren, wenn in unzureichend geordneten Märkten private Spieler unkontrolliert Macht über Menschen ausüben können. Da ist der liberale Rechtsstaat Garant der Freiheit. Andererseits kann doch auch vom überfürsorglichen Wohlfahrtsstaat eine Freiheitseinschränkung ausgehen, weil er unser Leben in politisch genehme Schablonen zwingt. Paradox ist, dass auch individualisierte Gesellschaften einen Zug zur Gleichförmigkeit haben, da materielle Unterschiede und vom Ideal der guten Lebensführung abweichende Biographien von gewissen Tugendwächtern kaum ausgehalten werden. Ich spüre eine bequeme Form der Selbstentmündigung, wenn Menschen heute nach Gesetzen, nach Verboten, gar nach Lenkung regelrecht verlangen. Auch die Verliebtheit in den Status quo, der fehlende Gestaltungswille ist eine Bedrohung der Freiheit, weil Strukturen dann verkrusten.

Genscher: Man kann sagen: Die Bedrohungen sind subtiler geworden.

Lindner: Oder in den Worten von Karl-Hermann Flach: »Die Freiheit stirbt scheibchenweise!«

Genscher: Recht hatte er.

Lindner: Und insofern ist, auch wenn wir in einem liberalen, starken, toleranten, offenen Land leben, wie wir beide finden, die FDP als liberale Kraft unverzichtbar. Genau das wurde aber Mitte der neunziger Jahre, als ich mich zu engagieren begonnen habe, infrage gestellt. Ich erinnere mich daran, dass in unserer Schule der *Rheinische Merkur* auslag. Auf der Titelseite war eine Karikatur, die ich noch vor Augen habe. Die FDP schrieb sich damals ja noch mit Punkten – F. D. P. –, und die Punkte waren ersetzt durch Totenköpfe. So viel Zukunft wurde der FDP noch zugetraut. Übrigens ist der *Rheinische Merkur* heute nur noch eine Beilage der *Zeit* – uns gibt es nach wie vor. Jedenfalls hatte ich das Gefühl, da musst du jetzt hin, es steht etwas auf dem Spiel.

Genscher: Was Sie gerade gesagt haben, Herr Lindner, zeigt ja, wir sind beide Kinder unserer Zeit. Mein erster politischer Impuls war damals: Das, was war, darf sich nicht wiederholen, wir müssen jetzt das Neue anfangen. Der zweite Impuls war die sich abzeichnende, immer stärkere Teilung Deutschlands, die mussten wir überwinden. Das waren für mich die beiden großen Impulse, die erklären, warum ich mich zunächst für Politik interessierte und dann versuchte, sie auch selbst mitzugestalten. Sie beschreiben die Herausforderungen Ihrer Zeit, Ihren Zugang zur Politik mit ganz anderen Motiven, die aber dieselbe Ursache, dieselbe Grundidee haben: Freiheit. Das ist bei uns beiden wichtig. Aber da die Freiheitsbedrohung eine andere ist, ist auch die Einstellung dazu eine andere.

Lindner: Das ist ja auch die Aufgabe einer liberalen Partei: aus der Perspektive der Freiheit Antworten auf die Fragen der Zeit zu geben. Liberalismus darf nicht erstarren zu einer Buchreligion.

Genscher: Was mich aber noch interessiert: Bei Ihrer Entscheidung für unsere Partei, haben da Personen eine Rolle gespielt? Verstehen Sie, weil das für mich, für meinen Weg wichtig war – fasziniert war ich von zwei Leuten, der eine war Thomas Dehler, der andere war Reinhold Maier. Nicht Theodor Heuss, sondern Dehler und Maier. Dehler wegen seiner klaren rechtsstaatlichen Position und wegen seines großen Engagements für die Wiedervereinigung. Maier, weil er für mich darüber hinaus verkörperte, wie ich mir die Grundhaltung einer liberalen Partei vorstelle. Das waren für mich Leuchtfiguren – und dann kommt für mich noch Wolfgang Döring in Nordrhein-Westfalen hinzu.

Lindner: Wir haben gerade dessen fünfzigstem Todestag gedacht.

Genscher: Ein liberaler Kämpfer war das, der in der Stunde der Bewährung – der *Spiegel*-Krise 1962 – Mut und Courage bewies. Er stand nämlich menschlich zu seinem Freund Augstein und sprach von »meinem Freund Augstein«. Man muss bedenken, wir saßen ja noch in einer Koalition mit der CDU und Kanzler Adenauer, der ebenso wie Franz Josef Strauß die Verhaftung Augsteins und die Durchsuchung der *Spiegel*-Redaktion gutgeheißen beziehungsweise betrieben hatte. Adenauer sprach von Landesverrat. Zugleich aber zog Döring eine Linie zu der jüdischen Familie seiner Frau und fügte hinzu: »Weil das so war, und das darf nie wieder passieren, darf auch dieser Versuch, den *Spiegel* mundtot zu machen, nicht akzeptiert werden.« Das heißt, er zog eine Linie von dem Ereignis der *Spiegel*-Strauß-Krise hin zu dem, was in Deutschland geschehen war. Daran sehen Sie, das war ein anderer Typ der Kriegsgeneration als beispielsweise Erich Mende; obwohl sie beide ähnliche Erfahrungen gesammelt hatten, war er ein völlig anderer Mensch. Er war der Antipode auch zu jenen »von gestern«, die in der nordrhein-westfälischen FDP Unterschlupf gefunden hatten. Er war wirklich der Repräsentant eines Liberalismus in sozialer Verantwortung. Also, welche Rolle haben für Sie Personen gespielt?

Lindner: Natürlich haben auch mich Personen beeindruckt. Sie zum Beispiel, weil Sie als Außenminister Geschichte geschrieben haben. Damals hätte ich mir nie träumen lassen, dass ich mir eines Tages mit Ihnen Geschichten erzählen würde. Und jetzt sitzen wir hier ... Damals gab es auch einen jungen Mann, der zu uns jungen Liberalen gehörte, der auf Erneuerung und Generationengerechtigkeit angesichts einer festgefahrenen schwarz-gelben Koalition drängte und der griffiger als andere formulieren konnte – Guido Westerwelle. Grundmotiv für mein Engagement war allerdings der politische Liberalismus an sich. Deshalb habe ich mich für Karl-Hermann Flachs Schriften, für Ralf Dahrendorf und für Friedrich-August von Hayek interessiert. Die Frage, ob ich selbst den Weg in die Berufspolitik nehme, hat sich mir zu dieser Zeit überhaupt nicht gestellt. Das war für mich eine Welt fernab von meiner Wirklichkeit. Ich wollte einfach nur ein Liberaler sein.

Genscher: In dem Sinne hat Walter Scheel einmal wunderbar formuliert: »Wer zu uns kommt, ist früher an den Fleischtöpfen der großen Parteien vorbeigegangen und wusste, dass er sich auf eine schwierige Sache einlässt.«

Lindner: Das kann man wohl sagen. Mein erster Bundestagswahlkampf war dann 1994. Damals haben wir auf dem Wochenmarkt in Wermelskirchen gestanden, die Stimmung gedrückt. Die Botschaft lautete: FDP wählen, damit Kohl Kanzler bleibt. Die meisten sind an unserem Stand vorbeigegangen, die wollten noch nicht einmal Kulis oder Luftballons von uns annehmen. Irgendwann ist dann die CDU-Vorsitzende zu uns gekommen, mit heißem Kaffee und mitleidigem Blick. Das ist mir im Gedächtnis geblieben und erinnert mich bis heute immer wieder daran, dass wir als FDP unsere Eigenständigkeit bewahren müssen – auch in Koalitionen. Sie sehen also, um Karriere zu machen, war die FDP damals sicherlich nicht die erste Adresse.

Genscher: Was war denn Ihr Berufsziel?

Lindner: Ich hatte keinen Reißbrettplan, es war mehr mein Drang zur Unabhängigkeit, der mich getrieben hat. Ich ging noch zur Schule, als ich in eine eigene Wohnung gezogen bin. Unabhängig zu sein, das hieß für mich auch damals schon, mein Leben selbst zu bezahlen. Aus meinem Elternhaus wegzuziehen und gleichzeitig von meinem Elternhaus finanziert zu werden, das kam für mich nicht in Frage. Also habe ich ein Gewerbe angemeldet und eine Werbeagentur gegründet. Der Anstoß kam von einem Schüler-Job, den ich zuvor hatte. Ein Unternehmen hat für ein Café, in dem Kunden als Werbemaßnahme zum Surfen im Internet eingeladen wurden, Betreuer gesucht. Das habe ich dann gemacht. Aber es kamen keine Besucher. Da habe ich dem Unternehmen vorgeschlagen, eine kleine Kampagne zu starten, um das Angebot bekannt zu machen. Das hat gut geklappt – und ich dachte, das kannst du auch für andere machen.

Ich habe dann sieben Jahre – bis Ende 2004 – in dieser Branche gearbeitet, auch mit namhaften Kunden und professionellen Etats. Eine Zeit lang sogar neben Studium und Politik. Ich war parallel ein paar Monate an einem Internet-Unternehmen der sogenannten New Economy beteiligt. Als wir – drei Partner und ich – begannen, stand der DAX bei 8000 Punkten. Als wir dann mit unserem Angebot an den Markt wollten, stand er bei 2000 Punkten – der Höhenflug war beendet. Unsere potenziellen Kunden – andere Internet-Unternehmen – und die Budgets hatten sich zwischenzeitlich in Luft aufgelöst. Und später auch unser Unternehmen. Also, ein Engagement in der freien Wirtschaft war erfolgreich, ein anderes nur lehrreich.

Genscher: Haben Sie das als Scheitern begriffen?

Lindner: Natürlich waren wir sehr enttäuscht. Wir hatten ein Team von Mitarbeitern, einen privaten Investor mit den üblichen Fördermitteln, viel Herzblut – aber eben keinen Markt mehr. Bemerkenswert finde ich allerdings, dass ich selten auf mein über Jahre erfolgreiches unternehmerisches Engagement angesprochen werde. Einige Monate Beteiligung an einem am Ende nicht erfolgreichen Projekt sind für politische Mitbewerber und Beobachter dagegen eine gern genutzte Angriffsfläche. Ich selbst kann damit umgehen, aber ich frage mich, welchen Eindruck das auf junge Menschen macht, die auch den Schritt in eine Selbständigkeit mit allen ihren Risiken erwägen: Bei Erfolg darf ich mich auf Neid, bei Misserfolg auf Spott gefasst machen? Da werbe ich für ein realistischeres Bild und eine andere Mentalität.

Genscher: Das teile ich. Und wie kam es dann zur Politik? Ich habe Sie 1998 zum ersten Mal als Landesvorstandsmitglied wahrgenommen, als ich noch Bundestagsabgeordneter war.

Lindner: Vielleicht erinnern Sie sich noch, im Frühjahr 1998 wollten Studierende die FDP übernehmen – das »Projekt Absolute Mehrheit«. Für die einen war das sicher nur ein Happening, die anderen wollten wirklich etwas verändern. Das wurde teilweise in der Partei äußerst kritisch gesehen. Seinerzeit hieß es, wir dürften uns nicht majorisieren lassen. Ich fand das bemerkenswert: Da wünschten viele junge Menschen zur FDP zu kommen, sie wollten sich für Bildungspolitik einsetzen und verkündeten, »wir machen die FDP zu unserer Partei«, bei uns aber setzte eine Abschottungsbewegung gegen diese Basisinitiative ein. Sicherlich waren darunter auch Störer, Protestler und Irrläufer – aber doch nicht alle. So dachte ich zumindest. Als 19-Jähriger hielt ich nun auf dem Landesparteitag meine erste Rede und argumentierte: Wenn die versuchen, die FDP zu übernehmen und uns umdrehen wollen –

warum machen wir es nicht umgekehrt? Wenn junge Menschen zu uns drängen, weil sie etwas in der Bildungspolitik erreichen wollen, warum überzeugen wir sie nicht vom Liberalismus und nutzen dieses Potenzial? Später an diesem Tag habe ich dann beschlossen, für den Landesvorstand zu kandidieren, spontan und ohne die sonst üblichen Absprachen. Das war erfolgreich, wenn auch nur knapp. Ab diesem Moment war ich drin und wollte mehr, wollte dann auch für die Landtagswahl 2000 kandidieren. Ich hatte Gegenkandidaten im Kreis, im Bezirk, im Landesvorstand, aber ich habe mir auf dem Landesparteitag Listenplatz 19 erkämpft, auch wenn von dem niemand glaubte, dass er tatsächlich ins Parlament führen würde. Wir standen in den Umfragen bei vier Prozent. Am Wahltag, dem 14. Mai 2000, haben wir dann 9,8 Prozent erreicht, und ich war plötzlich Landtagsabgeordneter.

Genscher: Ich erinnere mich an diesen Wahlkampf. Der Erfolg im Mai 2000 war ein Wendepunkt für die FDP, die nach dem Ausscheiden aus der Bundesregierung 1998 noch nicht recht Tritt gefasst hatte.

Lindner: Ja, in Nordrhein-Westfalen gab es eine rot-grüne Streitkoalition, unter der Ministerpräsident Wolfgang Clement zu leiden hatte. Die Union war durch ihre Spendenaffäre geschwächt. Unser Spitzenkandidat Jürgen Möllemann hat das geschickt genutzt, indem er die FDP unabhängig als Gegenpol zu den Grünen positioniert hat. Wir waren in der außerparlamentarischen Opposition, aber er hat mit einem leichteren, humorvollen Zugang zu politischen Fragen die Aufmerksamkeit der Menschen und Medien gewinnen können. Dieses »Projekt 8« war der Vorläufer des späteren »Projekt 18« der Bundespartei. Das bewerte ich im nachhinein allerdings kritisch, denn es ließ den Eindruck zu, es gehe der FDP nur um sich selbst und ihr eigenes Wachstum als Partei – und nicht um das Land. Damit wich die FDP von ihrer Tradition als staatstragende Partei und als selbständige, ernsthafte Alternative zu den Volksparteien ab.

Genscher: Richtig, aber das haben damals in der Situation nur wenige gesehen. So etwas entwickelt eine Eigendynamik. Aber für Sie als neuer Abgeordneter in einer völlig neuen Fraktion, wie fühlte sich dieser Schritt in die Berufspolitik an?

Lindner: Ich war recht nassforsch, wie ich in der Retrospektive einräume. Ich dachte, die in der Fraktion hätten alle auf mich gewartet. Ich wollte Hochschulpolitik machen, schließlich war ich Student und fand, dass ich meine praktischen Eindrücke der Situation an den Universitäten gut in den zuständigen Landtagsausschuss einbringen könnte. Also habe ich mich um diese Aufgabe in der Fraktion beworben. Und dann rief mich Möllemann an dem Tag, an dem die Sprecher gewählt wurden, morgens um 6.30 Uhr an. Dazu muss man wissen, Möllemann arbeitete morgens zwischen 6.30 Uhr und 9.00 Uhr seine Telefonliste ab, je später man angerufen wurde, desto höher stand man in seiner Gunst. Mich rief er wie gesagt um 6.30 Uhr an. »Lindner, ich habe gehört, Sie wollen sich mit den Universitäten beschäftigen.«

»Jawohl, Herr Möllemann.«

»Als jüngster Landtagsabgeordneter stehen Sie, Bambi, biographisch aber eigentlich nicht den Hochschulen nahe, sondern eher den Kindergärten …«

Genscher: (*lacht*) … immerhin ein Thema mit mindestens genauso viel Zukunft!

Lindner: Damals hatte Gerhard Schröder gerade erklärt, Familienpolitik sei »Gedöns«. So war auch mein anfängliches Gefühl. Aber ich habe mir dann gedacht, jetzt machst du das Beste daraus. Die nordrhein-westfälische FDP hatte in der Kinder-, Jugend- und Familienpolitik damals so gut wie kein Profil und kein Programm. Also habe ich mich in das Thema hineingekniet, Literatur gewälzt, unzählige Anfragen an die Landesregierung gestellt – und vor allem Einrichtungen besucht. Da habe ich am meisten über das wirkliche Leben und die Bedürfnisse von Familien, Alleinerziehenden und von Kindern gelernt. Die Besuche in Jugendzentren oder in Kindertageseinrichtungen haben oft ein anderes Bild als die Aktenlage gezeigt. Seitdem bin ich übrigens auch ziemlich gut im Malen mit Wachsstiften.

»Möllemanns Schicksal bewegt mich bis heute«

Genscher: Wie haben Sie denn Möllemann als Fraktionsvorsitzenden erlebt?

Lindner: Er hatte eine enorme Präsenz. Und er hat die Fraktion, die ihm ja den Einzug in den Landtag zu verdanken hatte, in Atem gehalten. Damals gab es ja immer noch die Phantasie einer sozialliberalen Koalition mit der SPD von Wolfgang Clement. In jeder unserer Sitzungen hat Möllemann spitzbübische Andeutungen von angeblichen Geheimtreffen und Gesprächen gemacht: »Ich ahne, dass bald manches möglich werden könnte.« Das konnte man nur mit einer Fraktion von Parlamentsneulingen machen. Ihr besonderes Verhältnis, Herr Genscher, zu ihm war übrigens auch für Außenstehende spürbar. Ich war einmal mit ihm in Prag auf einer Reise, und während dieser Reise – das muss 2001 gewesen sein – haben Sie Möllemann angerufen. Obwohl Sie sich so lange kannten, hat er sich dann in unserem Bus zur Delegation umgedreht und verraten: »Ich hatte gerade Hans-Dietrich am Telefon.«

Genscher: Ich hatte tatsächlich eine gute politische, menschliche und freundschaftliche Verbindung zu ihm. Er war – und sein Schicksal bewegt mich bis heute – für lange Zeit ein überzeugender liberaler Kämpfer.

Lindner: Möllemanns weitere Entwicklung hat für mich

Züge einer griechischen Tragödie. Ein Abgeordneter der Grünen, der Deutsch-Syrer Jamal Karsli, wollte 2002 seine Partei verlassen und sich der FDP anschließen. Jürgen Möllemann wollte Karsli den Weg bahnen – als weiteren Schritt zum Regierungseintritt. Dann stellte sich heraus, dass dieser Mann völlig inakzeptable Ansichten zum Konflikt zwischen Israel und Palästinensern vertreten hat. Plötzlich wurde das ein Thema für Jürgen Möllemann und den Landtag. Ich werde nie vergessen, wie sich Wolfgang Clement als Ministerpräsident direkt an ihn wandte: »Herr Möllemann, Sie haben sich verrannt, bitte kehren Sie um.« Clement hat ohne Häme gesprochen, aber er hat Möllemann nicht erreicht. Der war berauscht von zahllosen Zuschriften nach dem Motto: »Man wird doch noch sagen dürfen ...« und hat das Thema dann wiederholt auch in den Bundestagswahlkampf eingebracht. Höhepunkt war schließlich dieses Flugblatt, das er an alle Haushalte Nordrhein-Westfalens verteilen ließ. In dem Flyer warf er Israels Ministerpräsidenten Sharon vor, Panzer in Flüchtlingslager zu schicken und attackierte Michel Friedmann, damals Vize-Vorsitzender des Zentralrats der Juden. Die deutsche Haltung zu Israel in eine innenpolitische Auseinandersetzung einzubeziehen, das war ein nicht hinnehmbarer Tabubruch.

Genscher: Wir haben uns beide aus demselben Anlass von Möllemann entfernt. Ich schrieb damals im *Tagesspiegel* einen Artikel mit der Botschaft: »Die Achse der Republik wird nicht verbogen.« Das war unmissverständlich gedacht als meine Absage an den neuen Kurs von Möllemann, den er mit Jamal Karsli durchzusetzen versuchte. Der Fall Karsli, das bedeutete den Bruch. Danach führte ich noch ein Telefongespräch mit Möllemann, ich hielt mich zu einer Fernsehaufnahme in Hamburg auf und hatte ein Tageszimmer reserviert, weil ich mich hinlegen wollte. Dort rief er mich an, und ich habe eineinhalb Stunden mit ihm telefoniert. Hinterher war ich geradezu körperlich erschöpft, weil ich so gebrüllt hatte – es handelte sich wirklich um eine sehr schwere Auseinandersetzung. Ich hielt und halte seinen Umgang mit Israel für grundfalsch. Allerdings ist mir bis heute nicht klar, was Möllemann damals dazu veranlasste, eine so radikale Positionsveränderung vorzunehmen. Und darum handelte es sich zweifellos! Dass er immer eine distanzierte Haltung hatte zum Nahostkonflikt und besonders zur israelischen Politik, ist eine andere Frage, aber diese innenpolitischen Einlassungen gegen Israel und das, was dahinter stand …

Lindner: Das waren dramatische Tage in der Schlussphase des Bundestagswahlkampfs 2002. Ich erinnere mich an die Abschlussveranstaltung in Bonn. Möllemann wollte kommen. Es war der Donnerstag vor der Wahl. Das waren also die letzten Fernsehbilder, es wäre der Eindruck entstanden, dass seine Positionen nun zum neuen Kurs der FDP avanciert wären. Also ist er ausgeladen worden. Wir hörten, wenn er dennoch teilnehmen wolle, verlassen Lambsdorff, Genscher und Westerwelle den Saal. Und dann fuhr er vor – ich habe das beobachtet –, ist ausgestiegen, hat noch mit ein paar Kamerateams vor der Halle gesprochen und ist wieder ins Auto gestiegen und abgefahren. Er hatte es bis zu seinem Eintreffen offenbar nicht für möglich gehalten, dass Sie ernst machen.

Genscher: Um es genau zu sagen: Weil ich nicht sicher war, ob alle rausgehen würden, hatte ich zu einem Gespräch in mein persönliches Büro eingeladen, nur ein paar hundert Meter von der Stadthalle entfernt. Dort waren wir versammelt. Wir wurden angerufen, und uns wurde gesagt, Möllemann sei eingetroffen, und dann haben sie ihm angekündigt, »die drei kommen nur, wenn Sie nicht erscheinen«. Daraufhin ist er abgefahren. Das war der Schnitt. Glauben Sie mir, mir ist das alles menschlich wirklich sehr, sehr schwergefallen – ich war später auch der einzige bekanntere Repräsentant der Partei, der an der Trauerfeier teilnahm. Da war ich ihm wieder ganz nahe.

Lindner: Am Montag nach der Bundestagswahl hat Andreas Pinkwart, damals stellvertretender Landesvorsitzender, erklärt, dass er die Ablösung von Jürgen Möllemann bei einem außerordentlichen Landesparteitag anstrebe. An dem Abend habe ich nach der Sitzung Pinkwart in einem Telefonat versichert, dass ich ihn unterstützen würde. Das war nicht trivial, denn Möllemann konnte und wollte kämpfen. Ich erinnere mich an ein distanzierendes Interview, das ich meiner Lokalzeitung irgendwann in dieser Zeit gegeben habe. Das erschien an einem Dienstag. Als ich mich in der Fraktionssitzung am Dienstagvormittag dann zu Wort gemeldet habe, hatte Möllemann dieses Interview schon vorliegen, zog es aus seiner Vorlagemappe, hat es vor versammelter Mannschaft süffisant vorgelesen und mir kräftig eins übergebraten. Allerdings hat er am Ende die Entschlossenheit in der Landespartei, sich nicht für seinen Kurs instrumentalisieren zu lassen, unterschätzt.

Genscher: Das hatte viel mit dem Einsatz von Andreas Pinkwart zu tun, der die nordrhein-westfälische FDP mit seiner integeren Art wieder zu einem akzeptierten Gesprächspartner gemacht hat.

Lindner: Pinkwart ist sicher eine besondere Persönlichkeit. Das zeigt ja auch die Tatsache, dass er nach dem Ausscheiden aus dem Regierungsamt in Nordrhein-Westfalen heute sehr erfolgreich als Rektor der Handelshochschule Leipzig ist. Ich habe Andreas Pinkwart viel zu verdanken. Damit meine ich nicht nur, dass er mich Ende 2004 als sehr jungen Abgeordneten zum Generalsekretär einer Regierungspartei auf Landesebene berufen hat. Seine grundsätzliche Herangehensweise an Probleme, die unideologische Betrachtung von Lösungsmöglichkeiten, Härte in der fachlichen Auseinandersetzung, aber ein persönlich fairer Umgang mit politischen Wettbewerbern – damit hat er schon meine Denk- und Arbeitsweise beeinflusst. Mit ihm waren es fünf bewegende, herausfordernde Jahre, mitunter auch schwierige. Ich erinnere mich daran, wie wir gemeinsam vorgeschlagen haben, die Schulstruktur in Nordrhein-Westfalen auf dem Gymnasium und einer zweiten, praxisorientierten Säule aufzubauen – zum Entsetzen des Koalitionspartners CDU, der an der Hauptschule auf Biegen und Brechen festhalten wollte, und angesichts auch großer Skepsis in unseren eigenen Reihen. Da folgten schwierige Monate der internen Beratung …

Im Landtag war ich hochschulpolitischer Sprecher unserer Fraktion – am Ende habe ich also dieses Feld doch bekommen, mit dem ich eigentlich starten wollte. Ein zentrales Vorhaben war unser Hochschulfreiheitsgesetz. Vorher waren die Hochschulen quasi nachgeordnete Behörden des Landes, wir haben die Hochschulautonomie gestärkt und sie in die Hände der Gesellschaft gegeben – und einen enormen Schub an Motivation, Kreativität und Öffnung in das regionale Umfeld erreicht. Also: Das waren tolle fünf Jahre, in denen ich viel lernen und mitgestalten konnte.

»Generalsekretär – traust du dir das zu?«

Genscher: Hat Ihnen diese Erfahrung geholfen, als Sie dann 2009 Bundesgeneralsekretär wurden?

Lindner: Ich hatte selbst nicht darauf spekuliert, Generalsekretär der Bundespartei zu werden. Sicher war ich von der Aufgabe fasziniert, zu der ja auch die Erarbeitung eines neuen Grundsatzprogramms zählen sollte. Aber ich habe mich trotz einiger Spekulationen in den Medien nicht zum Kreis der Kandidaten gerechnet. Mit mir hatte nämlich niemand gesprochen. Erst am Abend vor der Bundesvorstandssitzung, in der Guido Westerwelle den Vorschlag unterbreiten wollte, rief er bei mir an: »Traust du dir das zu? Weißt du, was auf dich zukommt? Und liegt etwas gegen dich vor?« Ich habe zweimal bejaht und einmal verneint – und dann war das Telefonat auch schon so gut wie beendet.

Genscher: Manche Dinge kann man nicht lange vorbereiten, aber dafür schnell entscheiden, wenn die Sache reif ist. Das kenne ich …

Lindner: Meine Antwort war zumindest in einer Hinsicht naiv: Ich wusste nicht, was auf mich zukommen würde. Die Konstellation und damit der Charakter des Amtes waren völlig anders als in Nordrhein-Westfalen. In Düsseldorf war ich eng eingebunden zunächst in die Koalitionsverhandlungen und dann später in das Tagesgeschäft, weil ich einen unmittelbaren Zugang zum Landesvorsitzenden Andreas Pinkwart und zum Fraktionsvorsitzenden Gerhard Papke hatte. In Berlin waren die Koalitionsverhandlungen dagegen längst abgeschlossen, Weichen gestellt, und die Entscheidungen im Tagesgeschäft wurden andernorts getroffen. Ich habe mich zeitweise mehr als Parteisprecher denn als Generalsekretär gefühlt, meine Möglichkeiten der Einflussnahme jedenfalls schienen mir in jeder Hinsicht beschnitten.

Leider hat sich auch nicht eine so enge Zusammenarbeit mit dem Parteivorsitzenden Guido Westerwelle ergeben. Von manchen Vorstößen – wie einem berüchtigten Beitrag mit der Formel »spätrömische Dekadenz« – habe ich morgens aus der Zeitung erfahren. Zu einem wirklichen persönlichen Austausch kam es erst, als er schon nicht mehr Parteivorsitzender und ich nicht mehr Generalsekretär war. Ich habe das bedauert. Aber das schmälert nicht seine Leistung an der Spitze der FDP. 17 Jahre Generalsekretär und Bundesvorsitzender mit Höhen und Tiefen – das ist eine Strecke! Insbesondere vor seinen Fähigkeiten als Debattenredner und als Wahlkämpfer habe ich unverändert großen Respekt.

Genscher: Ja, und mittlerweile hat Guido Westerwelle auch in seinem neuen Amt als Bundesaußenminister Tritt gefasst und mehr als das.

Lindner: Zweifellos. Dennoch war es richtig, dass es im Mai 2011 zu einem Wechsel in der Parteiführung gekommen ist. Man musste Guido Westerwelle dazu im übrigen nicht drängen, wie oft unterstellt oder kolportiert wird. Ich weiß, dass er ohnehin geplant hatte, sich wie Sie ab einem bestimmten Zeitpunkt auf sein Staatsamt zu konzentrieren. Bereits 2010 hat er davon gesprochen, schon in die Bundestagswahl 2013 mit einem Team zu gehen. Er hatte dann aber wie andere erkannt, dass es während der ersten Monate der Regierungsarbeit zu einem erheblichen Kompetenz- und Vertrauensverlust für die FDP gekommen war. Eine schnellere personelle Neuaufstellung erlaubt dann eine Justierung der politischen Ziele, eine Änderung des Stils und damit – so hofften viele, ich auch – eine neue Bewertung der FDP. Man schafft einen Anlass, damit die Menschen sich ein neues Bild machen können – Guido Westerwelle selbst hat den Weg dazu freigemacht.

Genscher: Wie war dann Ihr Verhältnis zum neuen Parteivorsitzenden Philipp Rösler? Sie gehören einer Generation an und waren – wenn ich es richtig sehe – befreundet?

Lindner: Ich kannte Philipp Rösler schon länger aus dem Bundesvorstand, wir haben einmal gemeinsam ein Buch herausgegeben. Nachdem wir 2009 beide nach Berlin gegangen sind – er kam ja wie ich aus der Landespolitik –, wurde unser Kontakt enger. Es war völlig klar, dass er mit seiner Regierungserfahrung und als Lebensälterer die Nachfolge von Guido Westerwelle antreten sollte. Gemeinsam mit Daniel Bahr, der dann ins Bundeskabinett eingetreten ist, wurden wir zu einer »Boygroup« erklärt. Ein Etikett, das genauso schädlich – die FDP ist nicht das

Projekt *einer* Generation – wie falsch war. Denn Rainer Brüderle hatte von Beginn an als Fraktionschef eine starke Stellung. Vielleicht hätte man seine Wirtschaftskompetenz noch besser nutzen sollen – das ist aber vergossene Milch.

Die Zusammenarbeit hat sich in den Monaten nach der Neuwahl der Führung jedenfalls anders entwickelt, als ich erhofft hatte. Es ist auch völlig legitim, dass man in Fragen der Strategie, der Priorität von Themen, des Stils unterschiedlicher Meinung sein kann. Ich will daran festhalten, diesbezüglich nicht in Einzelheiten zu gehen. Im Herbst ist jedenfalls meine Entscheidung gereift, dass ich mein Amt als Generalsekretär in die Hände der Partei zurückgebe. Während des damals laufenden Mitgliederentscheids zur Europapolitik war das nicht möglich, dessen Ergebnis wollte ich nicht tangieren, aber unmittelbar nach dem Einsendeschluss der Wahlunterlagen war für mich der Zeitpunkt gekommen. Das war der 14. Dezember 2011. An diesem Mittwochmorgen habe ich Philipp Rösler im Bundeswirtschaftsministerium aufgesucht und persönlich unterrichtet, danach habe ich unter anderem Rainer Brüderle und Sie angerufen, damit Sie von meiner Entscheidung nicht zuerst aus den Medien erfahren. Der Zufall wollte, dass dies auf den Tag genau zwei Jahre nach meinem Amtsantritt war. Daraus wurden dann teilweise Legenden gestrickt, ich wolle durch den Schritt eine Bewegung auslösen, um dann selbst Parteivorsitzender zu werden. Unsinn – wenn das mein Ziel gewesen wäre, hätte ich mich gleich um die Nachfolge von Guido Westerwelle bewerben können.

Genscher: Ich erinnere mich an dieses Telefonat. Ihren Schritt habe ich bedauert, aber solche Situationen gibt es. Das muss man mit sich selbst abmachen. Sie haben dann ja auch – zu Recht – viel Respekt dafür erfahren, dass Sie persönliche Überzeugungen wichtiger nehmen als politische Ämter. Imponiert hat mir auch, dass Sie danach keine weiteren Worte darüber verloren, sondern sich eingereiht und Ihre Facharbeit im Bundestag wieder aufgenommen haben.

Lindner: Ich wollte vor allem der FDP mit meinem Schritt nicht schaden. Breite öffentliche Debatten hätten nur Verlierer produziert. Im übrigen gab und gibt es kein menschliches Zerwürfnis.

Genscher: Eine besondere Fügung war, dass Sie kurz danach wieder in Verantwortung eintreten mussten. Ein Regisseur hätte es dramatischer kaum anlegen können.

Lindner: Im Frühjahr spitzte sich die Lage im Düsseldorfer Landtag zu. Die rot-grüne Minderheitskoalition von Hannelore Kraft hatte nicht damit gerechnet, dass sich die nordrhein-westfälische FDP – trotz mageren zwei Prozent in den Umfragen – dem Schuldenhaushalt verweigern und lieber einer Auflösung des Landtags zustimmen würde. Doch unsere Leute unter der couragierten Führung des damaligen Fraktionsvorsitzenden Gerhard Papke blieben standhaft – also kam es zu Neuwahlen. Diese Entscheidung wurde übrigens just an einem Tag, dem 14. März 2012, getroffen, als ich mich in Berlin gerade einer Augenoperation unterzogen habe – ich dachte eben, es würde eine ruhige sitzungsfreie Woche ... Meine alten Kolleginnen und Kollegen aus NRW, auch viele Wahlkämpfer von der Basis, haben mich gleich nach der Landtagssitzung telefonisch und mit Kurznachrichten bestürmt, als Spitzenkandidat anzutreten. Das war aber nicht mein Plan. Ich wollte in meine neue Aufgabe als technologiepolitischer Sprecher der Bundestagsfraktion eintauchen. Mit diesem festen Entschluss habe ich mich in Berlin dann am Folgetag auch von meiner Frau verabschiedet, um in Düsseldorf abends an einer Sondersitzung des Landesvorstands teilzunehmen. Aus diesem Termin bin ich dann – mit roten Augen noch von der Operation und in Jeans – als designierter Spitzenkandidat vor die Kameras getreten.

Genscher: Das war ein Wendepunkt für die Landespartei und darüber hinaus. Wer oder was hat Sie denn zu diesem Entschluss bewegt, der ja auch auf Ihr Privatleben über einige Jahre großen Einfluss hat?

Lindner: Wie gesagt, mich haben viele Freunde gebeten. Sogar die Mitarbeiter unserer Landtagsfraktion haben mir geschrieben, das hat mich schon bewegt. Vor der Sondersitzung des Landesvorstands haben mich dann der Landesvorsitzende Daniel Bahr und der Fraktionschef Gerhard Papke um noch ein Gespräch gebeten. Um 19 Uhr sollte der große Kreis tagen, der Parteivorsitzende Philipp Rösler war eigens angereist. Nach einer halben Stunde saßen wir immer noch zu dritt in einem Nebenraum. In einer so existenziellen Lage konnte und wollte ich mich am Ende nicht verweigern.

Schwierige Aufgaben scheue ich nicht, obwohl ich selbst nicht auf einen Erfolg gewettet hätte. Aber wenn ich wieder Führungsverantwortung übernehme, dann richtig und mit wirklichen Gestaltungsmöglichkeiten hinsichtlich der politischen Projekte, der Strategie und des Stils – das hatte ich mir nach der Berliner Erfahrung geschworen. Deshalb war mir wichtig, auch den Landesvorsitz zu beanspruchen, damit ich als Spitzenkandidat bereits im Wahlkampf auf Augenhöhe mit den Wettbewerbern agieren konnte. Das war in diesem Gespräch dann gegen 19:45 Uhr meine Bedingung. Ich habe großen Respekt davor, dass Daniel Bahr nach wenigen Minuten Bedenkzeit zugestimmt hat. Das war ein Beispiel für Fairplay.

Genscher: Mir fiel ein Stein vom Herzen, als ich den Anruf erhielt: »Lindner macht es!« Zum Wahlparteitag war ich nach Neuss gekommen, um mich auch öffentlich und klar zu Ihnen zu bekennen. Zu meiner Frau, die mich fragte, ob das nach dem Eingriff am Herzen sein müsse, sagte ich: »Der kann kämpfen, und dass ich das so sehe, will ich dort sagen. Denn das beeindruckt mich: Dass er die Verantwortung für diese wichtige Wahl in NRW übernahm, als die

Partei bei zwei Prozent stand. Dem geht es um die Sache – und das sollen die Leute wissen.«

Lindner: Entscheidend für den späteren Wahlerfolg war, dass wir »Lieber neue Wahlen als neue Schulden« plakatieren konnten. Das hat finanzpolitische Solidität zu einer Frage der Haltung, zu einer Charakterfrage gemacht. Für mich war das eine Prioritätenverschiebung der FDP: Erst muss der Staat raus aus den Schulden, dann kann man über neue Aufgaben für den Staat oder an sich wünschenswerte Entlastungen nachdenken. Das wurde von Beobachtern als überfällige Selbstkorrektur der FDP, als Einsicht in das ökonomisch Sinnvolle wahrgenommen. Daneben haben wir uns thematisch verbreitert – eine unideologische Bildungspolitik mit fairen Chancen auch für das von Rot-Grün vernachlässigte Gymnasium, eine stärker marktwirtschaftlich organisierte Energiewende, Verteidigung bürgerlicher Freiheiten gegen eine gouvernantenhafte Verbotspolitik. All das war ein neues Denken, das wir für die FDP reklamiert haben. Jetzt müssen wir daran arbeiten, dieses Denken über Nordrhein-Westfalen hinaus zu verbreitern.

Genscher: Wissen Sie, vor einem Jahr standen Sie auf dem Prüfstand. Gewogen und bestanden! Das bedeutet Anerkennung und Respekt, aber – Herr Lindner – es ist auch Verpflichtung. Die Partei braucht Sie. Im Land: als Vorsitzenden von Partei und Fraktion. Aber auch in der Verantwortung in der Führung der Bundespartei. Es ehrt Sie, dass Sie zu Ihrer Zusage stehen: Mein Platz ist in Nordrhein-Westfalen. Das schließt Mitverantwortung im Bund nicht aus, sondern angesichts des Gewichts von Nordrhein-Westfalen ein. Der nordrhein-westfälische Landesvorsitzende war eigentlich stets stellvertretender Bundesvorsitzender.

Für mich ist die liberale Partei mehr und mehr politische Heimat geworden. Und auch ein Teil meiner persönlichen

Identität. Dankbar empfinde ich, wie viel mir die Partei gegeben hat. Ich habe stets versucht, zurückzugeben. Oft auch zulasten meiner Familie. Meine Mutter, meine Frau und meine Tochter haben es nicht unternommen, mich zurückzuhalten, obwohl sie oft und meist zu Recht die Grenzen deutlicher gesehen haben als ich selbst. Die innere Verbundenheit mit der liberalen Partei lässt mich auch heute nicht los. Ich freue mich mit ihr, und ich leide mit ihr. Wenn ich mich auch jetzt noch in der einen oder anderen Weise engagiere, dann eben, weil mir die liberale Sache so viel bedeutet. So wird es wohl auch bleiben.

Zukunftswerkstatt Europa

Lindner: Herr Genscher, wir haben bei unserem letzten Treffen über unsere persönliche Geschichte gesprochen. Sie haben erzählt, wie der Zweite Weltkrieg ihr Leben geprägt hat. Europa ist seit mehr als 60 Jahren ein Garant für Frieden. Wenn aber heute von Europa die Rede ist, dann fast nur im Zusammenhang mit Krisen und Rettungspaketen. Europa, das sind für viele die Fernsehbilder der Gipfeltreffen, an die danach von Beobachtern ein Preisschild geklebt wird, wie viel Geld Deutschland nun beizusteuern habe. Ich stelle darüber eine gewisse Europamüdigkeit fest, auch in meiner Generation. Sie sprechen nach wie vor bei zahllosen Veranstaltungen über Europa. Ist auch Ihr Eindruck, dass es wenige Begeisterte, mehr Kritische und viele Desinteressierte gibt?

Genscher: Man muss immer wieder neu für die europäische Idee werben, insofern gebe ich Ihnen recht. Ich glaube aber nicht, dass die Leute sich generell abwenden, Herr Lindner. In meiner Gemeinde in Wachtberg mit 20000 Einwohnern habe ich gerade erlebt, wie es gehen kann. Anlässlich der Verleihung des Friedensnobelpreises für die Europäische Union wurde ein Bürgerfest gefeiert. Das fand vor ein paar Tagen in der großen Aula der Schule statt – und der Laden war voll. Eingeladen wurden auch die beiden Bürgermeister der Partnergemeinden in Italien und Frankreich, die gekommen sind und gesprochen haben. Dann haben Kinder gesungen, und der evangelische Pastor hat Persönliches zu Europa gesagt, er ist mit einer Französin verheiratet. Ich habe auch einen Part übernommen und die Gäste willkommen geheißen: »Ich begrüße Sie als europäische Deutsche, als europäische Franzosen und als europäische Italiener. Diese Gemeinde ist einzig, denn die Großkopferten der Europäischen Union haben sich in Oslo versammelt. Aber wir als Bürger feiern Europa hier in Wachtberg.« Alle waren begeistert über die Idee dieser Feier. So geht es doch auch.

Lindner: Ich hake dennoch nach. Befördert wird eine Distanz zum europäischen Projekt selbst bei denen, die im Prinzip europäisch denken, durch den Eindruck, es tauschten sich nur noch Eliten mit pathetischen Formulierungen und Rückgriffen auf die Geschichte untereinander über Europa aus, aber die realen Aufgaben würden nicht klar genug angesprochen. Dann heißt es, die Öffentlichkeit werde mit leeren Formeln beschwichtigt. Ich meine, wir sollten die Debatte offensiver führen. Das geeinte Europa ist längst unser Alltag: Europa ist das zollfreie Paket aus Paris, Europa ist die Reise ohne Schlagbaum und Geldumtausch nach Lissabon, Europa ist das Studium in Rom, Europa ist der Job in Warschau – Europa ist unser Leben. Wer wollte darauf verzichten? Pässe an der Grenze zeigen, Geld wechseln, Formalitäten beim Auslandsstudium oder dem beruflichen Auslandsaufenthalt, Besuche beim Zoll – wer will das zurück? Weil das alles inzwischen vielleicht zu selbstverständlich genommen wird, gibt es nur wenig Begeisterung. Im Gegenteil – deutschtümelnde Formeln garantieren schnellen Applaus.

Genscher: Ich fürchte, dass die aktuelle Diskussion über die Schuldenkrise in Europa wohl in allen Ländern den Skeptikern und den Rückwärtsgewandten, die die Sache unter vermeintlich nationalen Gesichtspunkten sehen, zu viel Raum gelassen hat. Eine offensive Diskussion über Ursachen und nötige Konsequenzen fand lange nicht statt. Ja, Sie haben recht: Fast wurde sogar beschwichtigt.

Lindner: Speziell bei uns gibt es ein Gefühl, Europa sei gewonnen, und jetzt könnten wir gefahrlos exklusiv unsere deutschen Interessen vertreten. Offensiv wird ja tatsächlich auch nicht erklärt, dass und wofür und welches Europa wir zukünftig brauchen. Die Bundeskanzlerin hat zwar gesagt, dass Europa scheitere, wenn der Euro scheitere – aber das wurde nach meinem Eindruck nicht ernst genug genommen, sondern teilweise sogar als Übertreibung abgehakt.

Genscher: Ich wünsche mir wie Sie eine offenere, aber auch im Sinne einer gemeinsamen europäischen Verantwortung geführte Diskussion. Darauf kommt es nach meiner Meinung an, wenn wir dieses Europa wieder mit der Popularität versehen wollen, die es am Anfang einmal gehabt hat. Was nicht voll entwickelt ist, ist die Fähigkeit, europäisch zu denken. Wir erleben tatsächlich einen Rückfall, und das wird besonders deutlich, wenn nationale Interessen in einen vermeintlichen Gegensatz zu europäischen Interessen gesetzt werden. Kann ich für die Deutschen eine Zukunft in Frieden und Wohlstand erhoffen, wenn die Franzosen und die Polen sie nicht erwarten können? Oder muss ich Europa nicht in seiner Zukunftsperspektive europäisch denken, und zwar in jeder Hinsicht? Heißt es: wir in Europa, oder heißt es: wir in Deutschland? Das ist entscheidend. Ich vermisse den permanenten Hinweis darauf, dass es um das europäische Schicksal geht.

Lindner: Es gibt den zuspitzenden Satz, Deutschland sei zu groß für Europa, aber zu klein für die Welt. Der britische Politologe Colin Crouch hat in diesem Zusammenhang neulich in einem bemerkenswerten Zeitungsbeitrag darauf aufmerksam gemacht, dass die durch Finanzmärkte und das Internet globalisierte Zivilisation in Netzwerken gestaltet wird. In diesen Netzwerken spielten einzelne europäische Nationen nur eine nachgeordnete Rolle, aber Europa gemeinsam könne nachhaltig Einfluss ausüben. Dieser Text war an die Europa-Skeptiker in Großbritannien adressiert, aber er lohnt sich auch für deutsche Leser.

Genscher: Diese Formel, Deutschland sei zu groß für Europa, aber zu klein für die Welt, ist zutreffend. Selbst wir als das größte Mitgliedsland würden tatsächlich nicht in der Lage sein, in einer zusammenwachsenden Weltordnung unsere Interessen zu vertreten. Es ist ein Denkfehler zu meinen, die deutschen Interessen seien besser wahrzunehmen, wenn das notfalls auch zulasten der polnischen oder französischen Interessen geschehe. Wenn wir nach der Sinnbestimmung der europäischen Einigung fragen, bleibt dennoch immer auch die friedenssichernde Funktion. Sie ist die Antwort auf die Irrwege der europäischen Geschichte mit ihren zahlreichen Bruderkriegen und den beiden Weltkriegen des 20. Jahrhunderts.

Lindner: Sicher. Wie die gegenwärtigen Interessengegensätze und ökonomischen Ungleichgewichte in Europa vor 80 Jahren aufgelöst worden wären, darüber will man gar nicht phantasieren. Insofern ist Europa ohne Zweifel ein zivilisatorischer Fortschritt. Allein für Jahrzehnte Frieden hätte es sich bereits gelohnt. Dennoch, Herr Genscher, ist dieses Motiv heute keine allein tragende Zweckbestimmung mehr. Ich wage die Behauptung: Von den Jüngeren kann sich niemand mehr vorstellen, dass von Deutschland aus Panzer nach Frankreich oder Polen rollen.

Genscher: Wieso empfinden beispielsweise Sie persönlich das Friedensmotiv nicht so stark?

Lindner: Ich will es so sagen: Für meine Großeltern war Europa Frieden, für meine Eltern war Europa Wohlstand, für mich ist Europa Freiheit. Meine Kommilitonen waren im Erasmus-Programm überall in Europa. Ich selbst war ein

Jahr lang fast jedes dritte Wochenende in Rom bei meiner damaligen Freundin, die dort studiert hat. Wir saßen dort an einem Tisch mit Studierenden aus ganz Europa und haben als Selbstverständlichkeit erlebt, ohne dass es ausgesprochen werden müsste: Die hören die gleiche Musik, die haben die gleichen Vorstellungen, die gleichen Ängste, die gleichen Hoffnungen. Einige Kontakte blieben bis heute, wenn auch nur auf *Facebook*. Das ist mein Bild des geeinten Europas: eine Gemeinschaft, die im täglichen Leben wächst, die einen politischen Rahmen für im Alltag gefundene Gemeinsamkeiten braucht. Ich will mit meinem eigenen Erleben gar nicht ausschließen, dass es in der Zukunft scharfe Auseinandersetzungen in Welthandelsfragen oder andere Formen der Rivalität geben könnte, wenn wir nicht durch Europa verbunden wären. Es gibt in Deutschland schließlich auch wieder Klagen gegen den Länderfinanzausgleich. Aber das ist ein anderer Charakter von Konflikt, als Sie ihn als Kriegsteilnehmer noch erlebt haben. Deshalb reicht das Friedensmotiv als Argument allein nicht mehr aus. Man muss unterstreichen: Europa ist unser gemeinsamer Lebensstil, unser *way of life* – und es ist eine langfristig lohnenswerte Investition.

Genscher: Fairerweise muss man hinzufügen, dass die Euphorie der Deutschen beim Entstehungsprozess der Europäischen Gemeinschaft besondere Gründe hatte. Uns erlaubte die Einladung, an der Gründung der Europäischen Gemeinschaft teilzunehmen, die Rückkehr an den Tisch der zivilisierten Völker. Das erklärt auch die gänzlich andere Haltung. Für Engländer kam die Mitgliedschaft in der Europäischen Gemeinschaft dem Ende des Weltreiches gleich, sie besiegelte dieses Ende. Für die Deutschen bedeutete es die Wiedereinbürgerung, wenn Sie so wollen, in die Demokratien dieser Welt. Das ist der Unterschied. Das heißt, wir sind auf unterschiedlichen Wegen an diesen europäischen Tisch gekommen.

Aber Sie haben es eben schon mit dem Verweis auf den britischen Politologen angesprochen: Die Gründerväter der europäischen Einigung konnten nicht wissen, dass sie mit der Europäischen Union auch eine Antwort auf die Globalisierung unserer Zeit geben würden. Es entsteht eine vollkommen neue Weltordnung, in der alle näher zusammenrücken und in der große Einheiten das Geschehen bestimmen. Aufgabe der Politik, aber auch der Eliten, müsste es sein, darauf hinzuweisen, dass dieses Europa bei der Gestaltung der neuen Weltordnung seine Verantwortung wahrzunehmen hat. Ich bin einmal in einer Veranstaltung danach gefragt worden, ob wir unsere Werte und Interessen nicht alleine besser vertreten könnten. Ich habe dann eine Rückfrage zu den letzten Olympischen Spielen in London gestellt: »Haben Sie es bedauert, dass wir nicht mehr Goldmedaillen errungen haben?« – »Ja«, hieß es. »Wieso?«, habe ich dann gefragt: »Die Chinesen hatten 38, die Amerikaner hatten 46, aber wir Europäer hatten 92.« Wenn wir uns unter diesem Gesichtspunkt mit der Europäischen Union befassen, wird auch etwas entstehen, das bisher fehlt, nämlich ein europäisches Wir-Gefühl. Derzeit dominiert das deutsche Wir-Gefühl, nämlich: Wir zahlen für Griechenland, aber was haben wir eigentlich davon? Es fehlt jedoch das Wichtigste: Wie ist das eigentlich mit Europa in dieser Welt, und haben wir eine Verantwortung für die künftige Weltordnung?

Lindner: Das europäische Wir-Gefühl wird in der Euro-Krise auf eine harte Probe gestellt. Es gibt nur Vorbehalte auf beiden Seiten: Die einen beklagen die Einschnitte, die Arbeitslosigkeit, den Verlust an – vorher sicher auf Pump finanziertem – Wohlstand: Bluten müssen für ein aus Deutschland importiertes Stabilitätsdiktat, um es etwas zu überspitzen. Gegenüber Deutschland gibt es die Erwartung, dass wir erheblich in Haftung gehen sollen. Wir haben ja bereits solidarisch gehandelt. Aber unsere Solidarität ist an Gegenleistungen gebunden, die von unseren Partnern oft harte Schnitte und Veränderungen verlangt. Und bei uns wächst bei manchen das Gefühl einer Überforderung oder gar Übervorteilung, weil die ökonomischen, kulturellen und politischen Vorteile der Europäischen Union vernachlässigt werden.

Genscher: Das ist eine Bewährungsprobe, ja. Die Solidarunion darf nicht in Zweifel gezogen werden. Zur Haftungsunion aber muss man sagen: Diese Frage stellt sich mit jedem weiteren Schritt zur Wirtschafts- und Währungsunion erneut, denn wenn man keinen Einfluss hat auf das wirtschaftliche, das finanz- und währungspolitische Verhalten anderer, dann können diese auch nicht erwarten, dass man für entstehende Verpflichtungen einsteht – also zahlt.

Solidarisch handeln dagegen heißt, die Umstände des Falles zu würdigen und selbst darüber zu entscheiden, wozu diese Solidarität verpflichtet. Um es noch einmal klar zu machen: Solidarische Hilfe ergibt sich aus dem Grundsatz, dass wir in einer Schicksalsgemeinschaft miteinander verbunden sind. Dieser Verantwortung ist Deutschland bis auf den heutigen Tag stets gerecht geworden. Eine weitergehende Verpflichtung in Richtung auf gemeinsame Haftung verlangt eine stärkere Vereinheitlichung von Wirtschafts-, Finanz-, Währungs- und Sozialpolitik. Hier liegt der Unterschied zwischen dem solidarischen Beistand einerseits und der im gemeinsamen Handeln begründeten gemeinsamen Verantwortung.

»Die politische Union scheiterte auch an den Deutschen«

Lindner: An dem, was Sie gerade ausgeführt haben, finde ich zwei Aspekte bemerkenswert. Zum einen haben Sie von Europa als »Schicksalsgemeinschaft« gesprochen. Diesen

Begriff hat man sonst immer im Zusammenhang mit der Nation verwendet – die Nation als historische Schicksalsgemeinschaft. Ich hebe das nicht hervor, um mich von Ihnen abzugrenzen, sondern nur um zu unterstreichen, dass der Gedanke der Schicksalsgemeinschaft heute über den nationalen Rahmen hinaus zu denken ist – von Brasilien, den USA oder China aus betrachtet teilen die Europäer eben dasselbe Schicksal. Zum anderen folgt aus Ihren Ausführungen, dass nach der Währungs- und Wirtschaftsunion auch die politische Union nachgeholt werden muss. Auch in der Regierungserklärung von Helmut Kohl 1991 hieß es bereits, unter Mitverantwortung von Hans-Dietrich Genscher, die politische Union und die Währungsunion seien zwei Seiten derselben Medaille. Fortschritte gab es jedoch nur in einem Bereich, bei der gemeinsamen Währung, im politischen Bereich hingegen nicht. In der Euro-Krise wurden wir brutal daran erinnert, dass es in der Hinsicht nicht die Verständigung gegeben hat, die es gebraucht hätte für eine politische Union.

Genscher: Heute wird gerne gesagt, der Geburtsfehler des Euro sei, dass man nicht zeitgleich die politische Union eingeführt habe. Sie haben es jetzt ja auch angesprochen. Zunächst einmal: Wir wissen, woran das Vorhaben damals gescheitert ist – auch an uns Deutschen. Ich sage das, damit keine Legenden aufkommen. Einflussreiche Kräfte hierzulande warnten davor, eine Wirtschaftsregierung anzustreben. Hinzu kam, dass man in manchen europäischen Ländern gedanklich einfach noch nicht so weit war. Vielleicht hat auch die Frage eine Rolle gespielt, wie sich das vereinte Deutschland verhalten werde in der Europäischen Union. Darauf konnte man zwei mögliche Antworten erwarten. Die eine lautete: Im Wege einer stärkeren Integration solle das vereinte Deutschland eingebunden werden. Die andere Erwartung, die in der Luft lag, drehte sich um die meist nicht laut ausgesprochene Sorge, dieses vereinte

Deutschland könne die gewohnte Politik der Zurückhaltung aufgeben.

Das kann man an einem Konflikt deutlich machen. Vor der deutschen Einheit verfügten Frankreich, England, Italien und Deutschland über die gleiche Anzahl von Abgeordneten. Mit nunmehr 80 Millionen Deutschen stellte sich diese Frage neu. Das erwies sich rasch als ein ganz großes Problem vor allem für die genannten Staaten, übrigens selbst für einen so überzeugten Europäer wie François Mitterrand.

Lindner: Das ist ein Problem, das in jeder Föderation auftaucht. Im Bundesrat haben wir eine solche Verzerrung und erst recht im amerikanischen Senat.

Genscher: Man stand damals vor der grundsätzlichen Frage, ob man die Einführung der Wirtschafts- und Währungsunion von der mangelnden Fähigkeit und Bereitschaft abhängig machen sollte, auch die Struktur der Union zu verändern und die Europäische Union weiter zu integrieren. Das war eine politische Entscheidung.

Lindner: Sie waren dagegen, auf eine politische Union zu warten.

Genscher: Ja. Mein Handeln war in der zweiten Hälfte der achtziger Jahre sehr stark bestimmt von politischen und von ökonomischen Erwägungen. Diese hielt ich für so schwerwiegend, dass ich mich entschloss, der Entwicklung hin zu Wirtschafts- und Währungsunion einen neuen Impuls zu geben. Zögerlichkeit gab es auf allen Seiten – auch in der Bundesrepublik Deutschland. Was waren meine Motive?

Erstens politisch: Die Ost-West-Annäherung in Europa machte immer größere und immer schnellere Fortschritte. Vergessen Sie nicht, dass es die gleiche Zeit war, in der im Westen auch in Deutschland darüber gestritten wurde, wie ernst es Gorbatschow wirklich mit seinen Erklärungen war. Bis in das Jahr 1989 hinein verlangten die Engländer, aber auch die Amerikaner und Teile der Bundesregierung die Modernisierung nuklearer Kurzstreckenwaffen. Ein solcher Schritt hätte sich wie ein eiskalter Tau auf das zarte Pflänzchen »europäisches Haus« gelegt. Ich dagegen vertraute Gorbatschow, hielt es aber für notwendig, unter der Ost-West-Annäherung die Integration Westeuropas nicht leiden zu lassen. Deshalb legte ich am 26. Februar 1988 ein Memorandum für die Wirtschafts- und Währungsunion vor. Ich unternahm diesen Schritt in eigener Verantwortung als Bundesminister des Auswärtigen, um in der deutschen Präsidentschaft in der EU im ersten Halbjahr 1988 unumkehrbare Fakten in Richtung Integration zu schaffen. Die Aktion gelang. Beim Europäischen Rat in Hannover im Mai 1988 wurden erste Beschlüsse in dieser Richtung gefasst. Zauderer und Bedenkenträger hatten das Nachsehen.

Und zweitens ökonomisch: Ich hatte die Sorge, wenn der gemeinsame Binnenmarkt entsteht und jedes Land seine eigene Zentralbank hat, dann wird die Auf- und Abwertung zunehmend zu einem Instrument der Marktverzerrung werden. Mangelnde Wettbewerbsfähigkeit würde sich ausgleichen lassen, indem die eigene Währung abgewertet wird …

Lindner: … ein Mechanismus, den manche heute als vermeintlich leichte Antwort auf die Euro-Krise schon wieder vermissen …

Genscher: Wir mussten und müssen aber daran interessiert sein, die Funktionsfähigkeit des Marktes und die europäische Wettbewerbsfähigkeit zu sichern. Das war nur möglich, wenn die Währung dem Markt folgt. Deshalb wollte ich keinen Aufschub bei der Währungsunion, obwohl es zu einer politischen Union nicht gekommen war. Wir vertrauten darauf, das eine werde sich aus dem anderen entwickeln.

Lindner: Wie haben Sie damals übrigens Helmut Kohl erlebt? Haben Sie in der Europapolitik an einem Strang gezogen?

Genscher: Es ist ja nicht unbemerkt geblieben, dass Helmut Kohl und ich trotz eines guten persönlichen Verhältnisses in außenpolitischen Fragen manchmal unterschiedliche Positionen vertreten haben. Das war anfänglich bei den Beziehungen zu Michail Gorbatschow so oder auch bei dem Abkommen über das Waffensystem Pershing 1a. In der Europapolitik aber haben Kohl und ich immer gemeinsame Sache gemacht. Ja, hier haben wir ebenso wie bei der Deutschen Einheit an einem Strang gezogen.

Lindner: Zurück zur Währungsunion: Für einen funktionierenden europäischen Binnenmarkt war der Maastricht-Vertrag ein wichtiger Schritt und kein schlechter, wie ich immer noch und trotz allem finde. Makroökonomische Leitplanken für die Währungsunion und Unabhängigkeit der Zentralbank nach dem Vorbild der Deutschen Bundesbank – die Papierform stimmt ja. Der Harvard-Finanzökonom Kenneth Rogoff hat insbesondere die Stabilitätskriterien einmal als brillante Erkenntnis bezeichnet. Das Problem sei nur gewesen, dass die Europäer die eigenen Ideen gerne verrieten. Das günstigere Zinsniveau nach Einführung des Euro haben Staaten wie Griechenland nicht genutzt, um bei der Entschuldung der eigenen Haushalte voranzukommen, sondern um erst recht die öffentlichen Leistungen mit günstigen Krediten kräftig auszudehnen – weit über die Tragfähigkeit der eigenen Volkswirtschaft hinaus.

Genscher: Und wir müssen festhalten, dass Deutschland und Frankreich mit die ersten waren, die das Stabilitätskriterium mit mehr als drei Prozent Haushaltsdefizit verletzt haben. Andere danach noch mehr, ja. Aber das kennt man. Einer fängt mit schlechtem Beispiel an, die anderen folgen, und zwar exzessiv.

Lindner: Vor allem hätte Griechenland nicht in die Währungsunion aufgenommen werden dürfen.

Genscher: Es war richtig, dass Griechenland Mitglied der Europäischen Gemeinschaft wurde. Die Aufnahme in die Währungsgemeinschaft war ein anderes Thema.

Lindner: Die Voraussetzungen waren nicht gegeben, die Zahlen, wie wir spätestens heute wissen, geschönt. Aber jetzt ist Griechenland drin – das ist eine Realität, mit der wir umgehen müssen. Dennoch wird immer wieder vorgeschlagen, Griechenland solle schnell aus der Eurozone aussteigen, um dann die neue Drachme abzuwerten. Glauben Sie, dass eine solche Operation ohne immense ökonomische Risiken ablaufen könnte?

Genscher: Nein. Solche Gedankenspiele sind unverantwortlich. Sie zerstören das sich langsam wieder entwickelnde Vertrauen. Solche Vorschläge unterschätzen auch die Anstrengungen, die in anderen Ländern derzeit unternommen werden. Die griechischen Bürger, die ihren Arbeitsplatz verloren haben, die Gehalts- und Rentenkürzungen verkraften müssen – denen kann man doch nicht vorwerfen, über ihre Verhältnisse zu leben. Ich sehe trotz aller Probleme in Griechenland eine große Reformbereitschaft und in Samaras einen entschlossenen griechischen Ministerpräsidenten.

Lindner: Ich halte die Folgen des Ausscheidens eines Mitglieds aus der Währungsunion auch für uns selbst alles andere als trivial. Niemand kann mit Sicherheit sagen, ob es nicht einen Domino-Effekt geben würde, in dessen Folge ein Staat und eine Bank nach der anderen in Schwierigkeiten gerieten. Dazu muss es nicht kommen, ausschließen kann man es aber nicht. Wie chaotisch die Prozesse dann ablaufen, hat der Fall Lehman Brothers gezeigt. Und wenn eine solche Ereigniskette in Gang kommt, dann gibt es kein Halten. Ganz abgesehen davon, dass zudem politische Risiken bestehen: Wie wären Auswirkungen auf den europäischen Integrationsfortschritt? Wie würde sich die politische Lage innerhalb Griechenlands entwickeln – als EU-Mitglied und NATO-Partner? Wollen wir Instabilität in Europa hinnehmen oder gar provozieren? Insofern kann man ein solches Szenario nicht wünschen.

Genscher: Wir sollten unsere griechischen Partner bei ihren Reformen unterstützen – auch im eigenen Interesse. Das alles mit Solidarität und mit Geduld, aber auch durch die Tat. Es fehlen dort noch immer administrative Strukturen, die bei uns selbstverständlich sind – ich denke an das Katasterwesen und eine funktionierende Steuerverwaltung. Es ist darüber hinaus nicht einzusehen, dass die Reeder durch die Verfassung von der Steuerpflicht befreit sind. Bei all diesen Fragen können wir helfen und zu mutigen Reformen ermuntern.

Lindner: Einverstanden. Beim Aufbau von Bürokratien macht uns Deutschen keiner etwas vor. Bei der Deutschen Einheit haben wir Erfahrungen gesammelt, die anderen helfen können. Dabei kommt es aber sehr auf das Fingerspitzengefühl an. Genauso wie bei uns die Ressentiments gegenüber Südeuropa wieder aufflammen, haben wir in Griechenland teils abstoßende Demonstrationen gegen Deutschland mit Nazi-Symbolen gesehen. Es darf nicht der Eindruck entstehen, wir wollten der Finanzbeamte, der Sparkommissar für ganz Europa werden. Dafür sitzen historische Vorbehalte nach wie vor zu tief.

Genscher: Dem ist nichts hinzuzufügen. Auch in einer Notlage darf man einem Volk nicht seinen Stolz, seine Würde nehmen. Daraus entsteht neues Misstrauen.

Lindner: Vom europäischen Wir-Gefühl, das Sie eben eingefordert haben, sind wir weiter entfernt denn je. Europa ist in mindestens drei Hinsichten gespalten: erstens in die Mitgliedsstaaten mit Euro und ohne Euro; zweitens in die Länder, die Solidarität üben, und jene, die auf Solidarität angewiesen sind; und drittens sehe ich Staaten, die rasch auf mehr Gemeinsamkeiten drängen, und wieder andere, die dieses Tempo nicht mitgehen können oder wollen. Hier könnten sich Fliehkräfte entwickeln.

Genscher: Wenn Sie sich einmal vor Augen führen, wie weit der Integrationsprozess seit Gründung der europäischen Gemeinschaft fortgeschritten ist, welche Hürden bereits überwunden worden sind, dann bin ich davon überzeugt, dass die europäische Staatskunst auch diese Probleme meistern kann. Sie dürfen nie vergessen, Herr Lindner: Der historische Prozess der europäischen Einigung ist ein Novum in der Menschheitsgeschichte, er ist ohne jedes Beispiel.

Lindner: Dennoch hat sich ein Europa der mindestens zwei Geschwindigkeiten gebildet. Manche wollen das sogar weiter institutionalisieren, wenn ich zum Beispiel an den Vorschlag nach einem Parlament der Euro-Mitgliedsstaaten denke. Ich bin nicht gegen eine differenzierte Zusammenarbeit – im Gegenteil kann es ja sogar sinnvoll sein, wenn einzelne Staaten in bestimmten Fragen vorangehen. Deutschland und Frankreich arbeiten beispielsweise an einer Harmonisierung der Körperschaftsteuer. Bedenken hätte ich allerdings, wenn es zu einer exklusiven Clubbildung innerhalb Europas käme.

Genscher: Ein Einigungsprozess kann nicht durch Gleichschaltung und Zwang funktionieren, das hat uns die Geschichte gelehrt. Wir müssen daher die unterschiedlichen Geschwindigkeiten als Teil des Prozesses sehen – sie haben beim Schengen-Abkommen ebenso existiert wie bei der Einführung des Euro. Wichtig ist, dass jedem Mitgliedsstaat grundsätzlich eine Teilnahme offensteht. Fliehkräfte entstehen nur dann, wenn sich diejenigen, die bereits vorangegangen sind, als geschlossene Gesellschaft verstehen und agieren.

Lindner: Wie beurteilen Sie in diesem Zusammenhang Großbritannien und die Rede von Premierminister Cameron zur EU?

Genscher: Ich gehörte von Anfang an zu den energischen Befürwortern einer EG-Mitgliedschaft Großbritanniens. Ich habe in meiner Amtszeit engagierte Europäer als Premierminister und als Außenminister getroffen. Aber ich habe auch Margaret Thatcher erlebt. Sie ist eine beeindruckende Persönlichkeit. Zu ihren historischen Verdiensten gehört die Modernisierung Englands. Das hat die Wettbewerbsfähigkeit Großbritanniens neu begründet. Margaret Thatcher stand aber mit einem Bein noch in der Vergangenheit. Sie hatte die politische Bedeutung der europäischen Einigung nicht erkannt. Ihr Widerstand gegen die deutsche Vereinigung war ein Ausdruck alten Denkens. Die Devise »teile und herrsche« war als politische Handlungsanleitung Vergangenheit. Den europäischen Einigungsprozess hat sie behindert. Den Versuch, das auch im Ost-West-Verhältnis zu erreichen, unter anderem mit einer Kurzstreckenraketenrüstung zur Unzeit, haben wir 1989 gottlob ausbremsen können.

Fast hat man den Eindruck, der jetzige Premierminister wolle noch einmal den Versuch eines Europa à la carte unternehmen. Ich bin der Auffassung, dass es das gemeinsame Bemühen sein sollte, Großbritannien in der EU zu halten, aber von Anfang an in einem Punkt Klarheit zu schaffen: Ein Preis wird nicht gezahlt werden, das ist der Preis, der Euro heißt, das ist der Preis der fortschreitenden Integration und der Fit-Machung Europas für die Zukunft. Wenn es Cameron allein um die Steigerung der Wettbewerbsfähigkeit gehen sollte, dann sollte er Deutschland an seiner Seite haben.

Die kommenden Jahre werden zeigen, dass in Großbritannien eine Debatte über den künftigen Standort beginnt. Sieht Großbritannien seine Zukunft in der EU? Sieht es diese Zukunft im Alleingang, oder sieht es diese Zukunft in einer immer engeren Verbindung mit den USA? Diese Debatte wird auch ausstrahlen auf die inneren Probleme Großbritanniens, das heißt auf die Autonomiebestrebungen, die an Intensität zunehmen werden. Um es noch einmal zu sagen: Von ganzem Herzen wünsche ich England in der EU. Aber ein Opfer, das da heißt Stillstand oder Rückschritt in der europäischen Vereinigung, kann und darf es nicht geben. Dieser Preis wäre zu hoch. Und in London sollte man auch erkennen, dass die britischen Autonomieprobleme nicht zulasten Europas gelöst werden können.

Lindner: Ich war zuletzt im Dezember vergangenen Jahres in London, um dort den britischen Vizepremierminister Nick Clegg zu treffen. Er spricht übrigens unter anderem Deutsch, was bereits für sich genommen ein Beleg für seine europäische Orientierung ist. Die Liberaldemokraten waren bei meinem Besuch sehr in Sorge vor der Rede Camerons, weil sie eine gegen Europa gerichtete Wende vermutet hatten. Ich muss sagen, dass ich einige Punkte der Rede für geeignet halte, eine Klärung über Großbritannien hinaus zu erreichen. Man muss Cameron ja zustimmen, dass Europa mehr Wettbewerbsfähigkeit, mehr Subsidiarität und mehr Demokratie benötigt.

Jetzt müssen wir auch über Frankreich sprechen. Wie beurteilen Sie die besonderen deutsch-französischen Beziehungen? Mit dem neuen Präsidenten Hollande hat sich der Kurs des Landes erheblich verändert … Von den ökonomischen Kennzahlen her ist unser Nachbar eher südeuropäisch. Der neue Außenminister sprach in einem Interview neulich recht kühl vom deutsch-französischen Verhältnis. Das hat mich irritiert.

Genscher: Da traf es sich gut, dass wir am 22. Januar den fünfzigsten Jahrestag der Unterzeichnung des Élysée-Vertrages gemeinsam mit unseren französischen Freunden in Berlin begehen konnten. Die Reden, die dabei gehalten wurden, waren deshalb so beeindruckend, weil sie auf Deklamationen weitgehend verzichteten, weil sie sehr realistisch waren und deshalb auch glaubwürdig. Da wurde ganz deutlich: Ja, wir gehören zusammen: wir, die europäischen Deutschen; wir, die europäischen Franzosen. Offen gesagt, ich hätte mir gerade an diesem Tag auch eine Hinwendung gewünscht nach Osten. Genauer gesagt, nach Warschau. Zu unserem großen Nachbarn Polen. Vielleicht wären sie ja dabei gewesen, die Polen – damals, vor 50 Jahren. Wenn ihnen nicht die sowjetische Vorherrschaft ihr System aufgezwungen hätte und ihre Außenpolitik auch.

Die deutsch-französische Freundschaft ist essenziell. Sie kann ihre volle Wirkung aber auf Dauer nur entfalten, wenn auch das große polnische Volk, das im 20. Jahrhundert unendlich gelitten hat und das für die Freiheit der Völker im sowjetischen Machtbereich so unendlich viel getan hat, Teil der deutsch-französischen Partnerschaft – ganz im Sinne des Weimarer Dreiecks – wird.

Lindner: Ich will die deutsch-französischen Beziehungen noch einmal vor dem Hintergrund der Entwicklung in Großbritannien hervorheben. Wenn es eine Debatte über Reformen der Europäischen Union gibt, dann kommt einer Verständigung von Deutschland, Frankreich und Großbritannien eine besondere Rolle zu. Nicht allein wegen der Größe, sondern weil alle drei unterschiedliche Leitbilder und Interessen vertreten. Wenn es gelingt, hier zu einem Konsens zu finden, dann hätte er eine Prägekraft für die gesamte EU.

Genscher: Mit dieser Vorstellung werden Sie der Besonderheit der deutsch-französischen Beziehung nicht gerecht, sie ist und bleibt herausragend in ihrer Bedeutung und lässt sich deshalb nicht einebnen, lieber Herr Lindner. Natürlich ist offenkundig, dass in wichtigen Fragen der Haushalts- und auch der Handelspolitik große Übereinstimmungen zwischen Frankreich, Deutschland und Großbritannien bestehen. Dennoch hat das deutsch-französische Verhältnis für Europa ein besonderes Gewicht. Das hat Winston Churchill schon 1946 in seiner berühmten Rede in Zürich deutlich gemacht.

Lindner: Die deutsch-französischen Beziehungen will ich gar nicht relativieren. Mir geht es nur um ein Gesprächsformat, in dem über Europas Zukunft gesprochen werden kann. Ihren Hinweis auf Churchill will ich aber noch in anderer Hinsicht aufnehmen: Er hat in ungleich schwierigeren Zeiten an die Vereinigten Staaten von Europa geglaubt, während heute spalterische Ideen offen geäußert werden. Denken Sie doch beispielsweise an den Vorschlag, einen Nord- und einen Süd-Euro einzuführen. Da bestehen nicht nur ökonomische Risiken, sondern auch politische. Vor allem Letztere scheinen mir die Unterstützer dieser Idee nicht wirklich bedacht zu haben. Streng genommen könnte Frankreich einer Nord-Eurozone mit den aktuellen Kennzahlen nicht angehören. Dann müssten Deutschland und Frankreich also wieder getrennte Wege gehen. Dieser Vorschlag ist unhistorisch und würde die gesamten Integrationsbemühungen um Jahrzehnte zurückwerfen.

»Stärkung europäischer Institutionen«

Genscher: Wenn es nicht sogar zu einem irreparablen Schaden für das Projekt Europa kommen würde. Die jetzige Vertrauenskrise muss überwunden werden, indem die Politik zu dem steht, was sie sich vorgenommen hat: die Stabilitätsunion Europa zu schaffen. Das bedeutet, den Stabilitätspakt einzuhalten in allen seinen Teilen, mit allen Regeln, ihn gleichzeitig zu verstärken – das ist der nächste Schritt. Dass es gelungen ist, im Fiskalvertrag Schuldenbremsen für alle Staaten der Eurozone zu verankern, ist ein großer Erfolg der deutschen Europapolitik. Aber es sollte nun weitergehen. Im Kern geht es darum, dass wir die Wirtschafts- und Finanzpolitik auf das engste und immer weiter zusammenführen. Das bedeutet auch Abgabe von Zuständigkeiten an die europäischen Institutionen.

Lindner: Da ist die Frage: welche?

Genscher: Während der zweiten Großen Koalition 2005 bis 2009 ging es zum Beispiel um die Frage, ob die Europäische Kommission das Recht erhalten solle, sich zu den Haushalten der nationalen Staaten zu äußern. Das ist damals von Deutschland abgelehnt worden mit dem Hinweis – und darin waren sich alle Europagegner einig, unbedarfte Europabefürworter haben das mitunterstützt –, dass die Rechte des Deutschen Bundestages nicht eingeschränkt werden dürfen. In Wahrheit hätte man folgendermaßen argumentieren müssen: Wenn die Kommission von solchem Recht Gebrauch macht und Stellung bezieht zu nationalen Haushalten, muss das Europäische Parlament die Kommission dabei kontrollieren können. Das wäre die richtige Antwort gewesen. Schade, dass es dazu nicht früher gekommen ist.

Lindner: Wolfgang Schäuble hat das ja erneut in die Diskussion gebracht. Die ablehnenden Reaktionen in Deutschland haben mich überrascht, muss ich sagen. Mit den starken Wettbewerbskommissaren gibt es ja positive Erfahrungswerte. Märkte sind geöffnet und liberalisiert, verzerrende Subventionen sind reduziert worden. Das hat manche Landesregierung in der Vergangenheit zugegebenermaßen geärgert, gerade hier in Nordrhein-Westfalen kann man im Zusammenhang mit der WestLB ein Lied davon singen. Dennoch ist die Bilanz für Europa und auch für Deutschland positiv. Für mich ist das eines der erfolgreichsten Gebiete europäischer Politik überhaupt. Das nun auf das Feld der Währungspolitik zu übertragen, ist für mich eine sinnvolle Ergänzung des Fiskalvertrags. Der Währungskommissar sollte nicht das Recht erhalten, die Struktur der öffentlichen Haushalte in einem Euro-Mitgliedsstaat zu bestimmen – also beispielsweise uns Deutschen Steuererhöhungen vorzugeben. Damit würde man die Haushaltssouveränität der nationalen Gesetzgeber entkernen. Dann wären auch Bedenken gerechtfertigt, ob diese Beschneidung der Rechte des Deutschen Bundestages mit dem Grundgesetz vereinbar wäre. Dafür sähe ich keine Mehrheit, nirgendwo. Das steht aber auch gar nicht zur Debatte. Der Währungskommissar ist Anwalt der Währungsstabilität – und muss in der Konsequenz Anwalt stabiler Staatsfinanzen sein. Er hätte auf das Defizit per saldo in den einzelnen Haushalten zu achten. Er würde in dieser Hinsicht die Zentralbank von tagespolitischen Äußerungen entlasten, die eigentlich nicht zu deren Auftrag gehören sollten. Nötigenfalls muss er einen Etatentwurf zurück in ein Parlament verweisen können, wenn es gegen die Stabilitätskriterien verstößt. Mittelbar hätte das sicher Auswirkungen auf die Sozial- und Steuerpolitik in Europa. Aber wollen wir da nicht zu einer Konvergenz zumindest der Kennzahlen kommen? Ist das nicht sogar ein Kernanliegen der Deutschen? Warum also diese Skepsis bei uns, wenn es ernsthaft darum geht, dem Stabilitäts- und Wachstumspakt in Europa Zähne zu geben?

Genscher: Von den Gegnern solcher Schritte wird bis heute gern das Verteidigungsargument zum Schutz des Status quo benutzt, das heißt »die Rechte des Deutschen Bundestages dürfen nicht ausgehöhlt werden!«. Und wenn man bedenkt, dass aus Karlsruhe Reden zu hören sind, wonach das Grundgesetz »Europa-offen« sei, dann weiß man schon, woher der Wind weht: Ich fürchte, das Grundgesetz wird nicht verstanden. Wir sind nicht nur Europa-offen, sondern wir sind Europa verpflichtet, das ist ein großer Unterschied. Die erste Forderung muss deshalb sein, die Rechte des Europäischen Parlaments zu stärken. Vollkommen klar muss sein, dass die parlamentarische Kontrolle politischer Entscheidungen nicht geringer wird. Die Frage ist aber nicht davon abhängig, wo sie stattfindet – ob in Berlin oder in Brüssel. Das Europäische Parlament ist vom demokratischen Gedanken heraus dem Deutschen Bundestag ebenbürtig. Wenn ich eine Zuständigkeit an die

Union übergebe, muss sie auch bei der Union parlamentarisch kontrolliert werden.

Lindner: Und es muss den Rechtsweg vor einem Europäischen Gerichtshof geben, so wie das in jeder Föderation möglich ist.

Genscher: Wie es bei uns auch möglich ist. Wir verkürzen nicht die parlamentarische Kontrolle, aber es kann in einem zusammenwachsenden Staatenverbund keine Schranke geben, die eine parlamentarische Kontrolle ausschließt.

Lindner: Ich will noch einmal einen Schritt zurück und auf die konkreten Konsequenzen aus der Eurokrise zurückkommen. Es gibt grundsätzliche Kritik an der bisherigen Strategie. Henry Kissinger hat beispielsweise in einem Interview Ende 2012 gesagt: »Was mich beunruhigt: Ich bin mir nicht sicher, ob ich verstehe, wie man durch eisernes Sparen Wachstum schaffen kann.«

Genscher: Das sagt nicht nur Kissinger, so lautet auch ein innenpolitischer Vorwurf, den die Opposition der Regierung macht. Aber man darf nicht übersehen, was in Europa allein mit den Fonds aus Brüssel verteilt wird. Das ist nicht wenig. Die Strukturreformen sollen nicht nur dazu beitragen, zu sparen und Schulden abzutragen in den betroffenen Ländern, sondern es geht zum Beispiel auch darum, diese EU-Mittel wachstumsfördernd einzusetzen. Man kann nicht sagen, dass die Bundesregierung Austeritätspolitik predige, aber Haushaltsverantwortung ist schon geboten und solide Staatsfinanzen sind es auch.

Lindner: Der Vorwurf, Deutschland dränge auf eine bestimmte Lösungsstrategie, ist dennoch ernst zu nehmen. Das Narrativ, dass Deutschland für Ordnung in Europa sorgt, ist auf Dauer schädlich und hat auch nicht die gewünschten Ergebnisse. Thomas Mann hat ja sehr treffend vom »europäischen Deutschland« im Gegensatz zu einem »deutschen Europa« gesprochen. Wir müssen also unsere Verantwortung wahrnehmen, ohne dass uns Dominanzansprüche vorgeworfen werden können. Säbelrasseln führt nur zur Frontbildung. Wir können unserer geschichtlichen Verantwortung nicht entfliehen, deshalb gelten für uns nach wie vor andere Benimmregeln auf dem internationalen Parkett und in Europa. Bestimmte Ressentiments gegenüber Deutschland oder auch Ressentiments im Land gegenüber europäischen Partnern sind noch nicht vollständig überwunden, und deshalb kann Deutschland nicht auftreten als Lehrer oder Aufseher über unsere europäischen Partner.

Genscher: Niemand kann in einem Europa der Gleichberechtigung und der Ebenbürtigkeit der Völker als Lehrer oder als Aufseher auftreten. Es geht um Partnerschaft und nicht um Vorherrschaft. Auch wenn Vorherrschaft in »netter Form« gemeint sein sollte. Die deutsche Verantwortung in und für Europa hat auch nicht nur ihre Wurzel in den Verbrechen des Dritten Reiches. Die deutsche Verantwortung ergibt sich aus der Größe unseres Landes, aus seiner geographischen Lage und aus seiner Stärke. Die Folge der Verbrechen Hitlers ist es und wird es bleiben, dass wir in besonderer Weise den Charakter einer Gemeinschaft von gleichberechtigten und ebenbürtigen Völkern Rechnung zu tragen haben. Ich denke, dass uns das bisher durchaus gelungen ist. Ich weiß aber auch, dass diejenigen, die Deutschland eine Rückwendung zu einer Politik vermeintlich nationaler Interessen veranlassen wollen, neues Misstrauen schüren. Das ist das Gefährliche an diesen Aktivitäten. Oft ist es schon die Sprache, die, nach allem, was war, bei unseren Nachbarn alte Fragen neu belebt.

Lindner: Mit dem gebotenen Fingerspitzengefühl muss man dennoch an die Ursachen der Krise heran, nicht an die Symptome. Ich sehe das Problem der Austerität: Griechenland kann gegenwärtig nicht an die Kapitalmärkte zurückkehren, weil Reformen und Einsparungen zu einer massiven Binnenrezession geführt haben, die wiederum das

Staatsdefizit belastet. Das ist das Problem der in einem gemeinsamen Währungsraum nötigen internen Abwertung, die ohne schmerzhafte Haushalts- und Lohnkürzungen nicht zu realisieren ist. Nur: Das in die andere Richtung zu versuchen, also durch europäische Ausgabenprogramme und Strohfeuer-Effekte, wird nicht sinnvoll sein. Es wird ohne Reformen nicht gehen. Wir können dabei auf unseren eigenen Weg verweisen. Schließlich waren wir vor einigen Jahren noch der »kranke Mann Europas«, bevor wir unsere Wettbewerbsfähigkeit durch die Agenda-Politik verbessert haben. In Südeuropa und auch in Frankreich sind beispielsweise die Arbeitsmärkte völlig inflexibel. Ein Arbeitsgerichtsprozess in Italien dauert im Durchschnitt 969 Tage. Wenn der Arbeitnehmer gewinnt, erhält er für zweieinhalb Jahre Lohn und muss wieder eingestellt werden. Selbst deutsche Gewerkschaften könnten da eine Reform nicht als Sozialabbau brandmarken – das ist einfach verkrustet. Am Ende geht das zulasten der Arbeitnehmer, die eine neue Beschäftigung suchen.

Genscher: Mich treibt vor allem das Problem der Jugendarbeitslosigkeit um. Wenn junge Menschen aufwachsen mit dem Eindruck, Europa bedeutet Perspektivlosigkeit, dann gute Nacht, Europa.

Lindner: Das teile ich. Die Jugendarbeitslosigkeit hat allerdings strukturelle Ursachen, die sich nicht über Nacht beseitigen lassen und die nur wenig mit Europa zu tun haben. Gerade deshalb müssen wir der jungen Generation zeigen, dass Europa nicht die Ursache für ihre Probleme ist, sondern vielmehr ihre Chance auf eine Zukunftsperspektive. In Deutschland etwa zeichnet sich im Handwerk ein Mangel an qualifizierten Auszubildenden ab. Da liegt doch eine wirklich europäische Lösung nahe: nämlich aktiv in Spanien oder Griechenland für Ausbildung und Beruf in Deutschland zu werben. Nach meinem Geschmack gibt es noch zu wenig Mobilität. Sprachbarrieren kann man überwinden, entsprechende Programme über die Europäischen Sozialfonds können gefördert werden.

»Was wirtschaftlich-industriell zusammenwächst, ist sensationell«

Genscher: Das wäre europäisches Denken, ja. Ich will noch einmal das Stichwort »mehr Kompetenzen für den EU-Währungskommissar« von eben aufgreifen: Europa darf nicht vergessen, dass es mehr ist als eine Wirtschaftsgemeinschaft und eine ökonomische Idee. Deshalb muss Europa in allen Bereichen weitergebaut werden. Insofern hat die Bundeskanzlerin recht, wenn sie auf die Finalität hinweist und drängt, wir müssten in Richtung auf eine wirkliche europäische Union weiterarbeiten. Manche wenden ein, das sei ein Ablenkungsmanöver – das ist es aber nicht. Wir werden auf Dauer die Bürger in Europa allein für eine Wirtschaftsunion nicht gewinnen können. Es wird auch, wie sich jetzt schon zeigt, nicht ausreichen. Deswegen fordere ich dazu auf, Versäumtes nachzuarbeiten und den Ausbau der politischen Union und ihrer Verfassung voranzutreiben.

Lindner: Wie überwinden wir aber die Skepsis bei den Menschen? Der Verfassungsvertrag ist ja in Referenden in Frankreich und den Niederlanden vom Volk abgelehnt worden.

Genscher: Es muss endlich Schluss sein mit dem Versuch der Nationalstaaten, all ihre Probleme auf Europa abzuladen. »Das müssen wir wegen Brüssel« – diesen Satz kann ich nicht mehr hören. Es gibt Politiker in allen Staaten, die so tun, als wäre Brüssel eine Feindmacht, die aus der Ferne über uns gekommen ist und nun über uns herrscht. Brüssel, das sind doch wir mit unserer Vertretung im Europäischen Rat, im Parlament und in der Kommission.

Lindner: Innerhalb der FDP haben wir eine solche Debatte über Europa geführt. Bei unserem Mitgliederentscheid zur Euro-Politik der Bundesregierung hat sich gezeigt, dass man für Europa erfolgreich kämpfen kann. Allerdings stellt sich immer mehr die Frage, wohin wir mit der Europäischen Union wollen. Wie soll Europa in 30 Jahren aussehen?

Genscher: Für mich sind es die Vereinigten Staaten von Europa. Aber ich sehe nicht die Möglichkeit zu sagen, wir können das in einem großen, ganz gewaltigen Schritt tun. Europa bleibt ein Entwicklungsprozess. Man muss Fortschritte dort nehmen, wo sie jeweils möglich sind. Eine Politik der Verknüpfung, des Junktims also, kann leicht zum Stillstand führen. Wichtig ist nur, dass die Richtung stimmt. Wichtig ist, dass das Momentum, dass die Dynamik gesichert ist. Schon das ist eine gigantische Aufgabe.

Lindner: Sicherlich sollte sich Europa nur Meilensteine vornehmen, die mittelfristig erreichbar sind. Wenn es um die Entwicklung gemeinsamer Institutionen geht, will ich mich allerdings nicht mit der losen Kopplung von Integrationsfortschritten in einzelnen Politikfeldern zufrieden geben. Wir streiten über Eurobonds oder über die Rolle der EZB – alles aktuelle und wichtige Fragen, aber wir sollten darüber nicht vergessen, dass über das Projekt Europa insgesamt zu sprechen ist. Die Krise der Gegenwart kann ja auch als Geburtswehen eines erneuerten Europas begriffen werden, das die Fehler der Vergangenheit nicht wiederholt.

Genscher: Ich scheue mich dennoch ein wenig, dazu bestimmte Modelle zu nennen, denen wir folgen sollten. Die Europäische Union ist wirklich ein Rechtsgebilde sui generis, kein Staatenbund, kein Bundesstaat, das passt alles nicht genau. Es ist etwas ganz Besonderes, was in Europa in Gang gekommen ist. Das wird auch kein Föderalismus sein, wie wir ihn in Deutschland haben, auch dafür ist dieses Brüsseler Europa viel zu verschieden. Und dennoch: Am

Ende muss es gemeinsame Entscheidungen geben. Das ist erreichbar – wie man jetzt sieht. Es ist doch beachtlich, was wir alles gemeinsam machen seit Beginn der Euro-Krise.

Lindner: Zustimmung – das künftige Europa wird sicherlich nicht eins zu eins nach dem Modell der Bundesrepublik oder der Vereinigten Staaten von Amerika ausfallen; deshalb meide ich übrigens das Wort von den »Vereinigten Staaten von Europa«. Die Idee der Nation selbst ist ja bereits europäisch. Ihr Wettbewerb hat über Jahrhunderte enormen kulturellen Fortschritt bewirkt. Ein föderales System für Europa sollte und muss den Nationalstaat aber auch gar nicht historisch abhaken. Hat Jacques Delors nicht einmal von Europa als einer »Föderation der Nationalstaaten« gesprochen? Damit kann ich mich identifizieren. Im 21. Jahrhundert werden die Staaten in bestimmten Fragen Souveränität weiter zusammenführen und auf eine andere Ebene abgeben müssen, weil die Probleme längst aus dem nationalen Rahmen ausgewandert sind. Es klingt zuerst paradox, aber in meinen Augen erlaubt erst die Abgabe von nationalen Hoheitsrechten wieder die Ausübung von dann gemeinsamen Hoheitsrechten.

Wenn beispielsweise das Internet, die Kapitalmärkte, die Aktivität von Konzernen transnationalen Charakter haben, dann muss deren Rahmensetzung nachziehen. Nur – eine europäische Föderation hätte immense Unterschiede von Mentalitäten, Landsmannschaften, Wirtschaftsstärke versammelt. Wollte man dann in jedem Detail einheitliche Regeln und Standards definieren, die für alle passen, würden manche aus der Kurve fliegen. Bundesstaatlichkeit bedeutet aber auch gar nicht Zentralismus. Die Spanier haben ihre Siesta, die würden wir quälen, würden wir ihnen unser deutsches Ladenschlussgesetz aufzwingen. Also: Einheit in Vielfalt!

Genscher: Damit die Kreativität sich überhaupt erst entwickeln kann!

Lindner: Es stellt sich aber die Frage, welcher Leitidee ein solches föderales System folgt. Ich will – etwas zugespitzt – dazu zwei Schulen unterscheiden: Die erste nenne ich nach Robert Schuman und Jean Monnet einmal Schuman-Monnet-Schule. Ich denke an die Europäische Gemeinschaft für Kohle und Stahl, die beides als kriegswichtige Güter unter gemeinsame Kontrolle gestellt hat. Das Hauptmotiv war Friedenssicherung, die Methode Vergemeinschaftung und eine supranationale Behörde. Die zweite Schule nenne ich nach Jacques Delors, unter dessen Verantwortungszeit als Präsident der EG-Kommission aus einer Freihandelszone ein grenzenloser Markt mit Freiheit für Menschen, Waren, Kapital und Dienstleistungen wurde. Also ein wirkliches »Haus der Freiheit«, wie Konrad Adenauer gesagt hat. Diese Freiheit braucht Regeln, aber keine Bürokratie.

Für mich ist klar, dass das zukünftige Europa der zweiten Entwicklungslinie folgen sollte. Dazu gehört, dass wir im Sinne gemeinsamer Regeln zusätzliche Souveränitätsrechte nach Brüssel abgeben müssen, um überhaupt in die Lage zu kommen, die großen Herausforderungen anpacken zu können. Andererseits sollten die Regionen mehr Verantwortung erhalten. So wie es bei uns Kompetenzen gibt, die der Bund wahrnehmen muss, und solche, die die Länder wahrnehmen sollten oder die Kommunen, muss man auch in Europa immer wieder neu darüber nachdenken: Was ist eine Aufgabe, die auf der untersten oder auf einer höheren Ebene wahrgenommen werden sollte? Und da mache ich einen Punkt: Ich glaube, dass wir ängstlich an einer ganzen Reihe von Kompetenzen in nationaler Hand festhalten, die im nationalen Kontext aber nicht mehr sinnvoll sind. Und auf der anderen Seite haben wir in Europa bestimmte Aufgaben angesiedelt, die eigentlich auf einer übergeordneten Ebene nicht vernünftig gelöst werden können, die besser sogar in die Hand der einzelnen Regionen gelegt werden sollten.

Kurz gesagt: Ein Europa, das eine einheitliche Sicherheitsphilosophie für die Kernkraftwerke beschließen kann, das will ich, aber keines, das punktualistische Einzelbeschlüsse fasst wie das Glühbirnenverbot. Europa sollte sich nicht mit der Frauenquote beschäftigen, das ist eine Frage für nationale Parlamente, sondern mit der Bekämpfung von grenzüberschreitender Geldwäsche. Im Prinzip, meine ich, muss Europa also von unten wachsen – nur braucht es einen politischen Rahmen für dieses gemeinsame Leben. Eine solche Wende zum Gedanken der Subsidiarität könnte vielleicht auch die Skeptiker in anderen Nationen, ich denke wieder an die gescheiterten Referenden zum Verfassungsvertrag, überzeugen.

Genscher: Es freut mich besonders, Herr Lindner, dass Sie Delors so herausheben. Für mich ist Jacques Delors der beste Kommissionspräsident, den die europäische Gemeinschaft bisher hatte.

Gestatten Sie mir, dass ich an dieser Stelle einen Moment vom Thema abschweife. Immer wenn der Name Delors fällt, muss ich an ein Telefonat denken, das er und ich geführt haben. 1989 war das, kurz nachdem in Prag Tausende DDR-Flüchtlinge in die Freiheit reisen durften. Delors rief mich an und fragte: »Hans-Dietrich, müssen wir uns in der Europäischen Gemeinschaft auf ein 13. Mitglied einstellen?« Sie wissen, Herr Lindner, die EG bestand damals aus zwölf Mitgliedsstaaten. Meine Antwort an Delors: »Es gibt kein 13. Mitglied, aber eines der zwölf wird größer werden.« Delors sagte nur einen Satz: »Ich habe verstanden.« Herr Lindner, in dem Augenblick, da die ostdeutschen Länder Teil der Bundesrepublik geworden sind, sind sie auch Teil der Europäischen Gemeinschaft geworden. Das war die Morgengabe der EG an das vereinte Deutschland. Das sollten sich die deutschen Europaskeptiker von heute vor Augen führen. Wir haben ja gesehen, wie später die Staaten des Warschauer Paktes jahrelang Beitrittsverhandlungen führen mussten, um in die EU aufgenommen zu werden.

Womit wir wieder bei Ihrem eigentlichen Thema wären, dem Gedanken der Subsidiarität. Natürlich muss nicht alles Kleinklein geregelt werden, aber ich wünsche mir hier schon mehr Aufmerksamkeit der Ressorts in den Mitgliedsstaaten und auch des Europäischen Parlaments. Dabei darf man aber nicht verschweigen, dass es Fälle gibt, wo Ressorts sich in ihrem Land nicht durchsetzen können, und dann versuchen ihre Sache über Brüssel zu lancieren. Oder anders gesagt: Nicht jeder Trompetenstoß aus Brüssel kommt aus einer europäischen Trompete.

Lindner: Für das institutionelle Gefüge bedeutsam ist noch, wer über die Zuordnung einer Kompetenz entscheidet. Sollte sich die Kommission selbst mandatieren können, eine Aufgabe an sich zu ziehen? Durch Gesetzgebung oder eine Art lockere, offene Koordinierung der Mitgliedsstaaten, durch die aber dann doch der nationale Handlungsrahmen eingeschränkt wird? Oder durch den »goldenen Zügel« von Finanzzusagen? Ich bin für eine klare Kompetenzordnung: nicht nach dem Prinzip »Marmorkuchen«, sondern nach dem Prinzip »Schichttorte«. Der nationale Einfluss auf Reichweite und Umfang europäischer Kompetenzen muss gewahrt, sogar ausgebaut werden. Das bedeutet für mich, dass der Europäische Rat über diese Fragen entscheiden sollte. Gerade bei Ihnen, Herr Genscher, ist die Sensibilität hier groß, das spüre ich immer wieder. Sie befürchten offensichtlich, wer immer eine Veränderung europäischer Institutionen fordert oder vielleicht auch eine gewisse Rückübertragung von Kompetenzen, richte sich grundsätzlich gegen Europa. Sehe ich das richtig?

Genscher: Nein, nicht bei Kompetenzübertragung, hier geht es um die Grundrichtung der europäischen Politik. Im übrigen ist Europa in vieler Hinsicht weiter fortgeschritten als manche ahnen. Um ein Beispiel zu nennen: Nehmen Sie die Industrieregion links und rechts entlang des Rheins. Die wirtschaftliche Verflechtung geht inzwischen so weit, dass manche Interessen in Nordrhein-Westfalen mit denen des belgischen Industriegebiets mehr übereinstimmen als mit Interessen in Süddeutschland.

Lindner: Ganz ausdrücklich. Man muss nur die großen Infrastrukturprojekte bedenken, die wir mit Belgiern und Niederländern vorbereiten – das sind Projekte, die zeigen, wie stark wir bereits verflochten sind. Die politischen Grenzen sind bereits heute nicht mehr die wirtschaftlichen Grenzen.

Genscher: Wenn wir vom Regionalen sprechen, dürfen wir also nicht nur in den organisierten Regionen von heute denken, also deutschen Ländern, den geographischen Regionen. Was wirtschaftlich-industriell zusammenwächst – auch mit Polen, zum Beispiel –, ist sensationell. So ist Europa auch im Begriff, sich neu zu konstruieren. Wenn Sie bedenken, wie sehr wir trotz aller auch emotionalen Vorbehalte, die immer noch in den Köpfen spuken, übereinstimmen mit den Niederlanden!

Lindner: Außer beim Fußball.

Genscher: Weshalb die deutsche Politik der Zurückhaltung, die wir wollten, eigentlich nicht nur eine Reaktion auf die Vergangenheit ist, sondern das richtige Gefühl ausdrückt, dass die Zukunft andere, gemeinsame Antworten erwartet als in der Vergangenheit. Nationalstaatlich lässt sich das alles nicht mehr definieren – allein Ihre Beispiele zur Infrastruktur, Herr Lindner, illustrieren das.

Lindner: Ich will einen weiteren kritischen Punkt ansprechen. Ich glaube, dass die eine Billion Euro, die bis 2020 in den europäischen Haushalt fließen, mit den falschen Prioritäten verausgabt werden – viel zu hohe Agrarsubventionen, viel zu wenig Innovation. Aber deshalb bin ich nicht gegen Europa, sondern ich will es nur anders gewichten.

Genscher: Das ist hochinteressant, was Sie sagen. Sie diskutieren die Frage der Agrarsubventionen als ein europäisches Problem. In Wahrheit ist es das Produkt ganz engstirniger, nationaler Interessen.

Lindner: Ja, aber es wird zu einem europäischen Problem, weil nationale Regierungen über den Umweg der Europäischen Union ihre Steckenpferde pflegen.

Genscher: Dann sollte man besser sagen: Es schafft ein Problem *für* die europäische Politik. Ein enges nationales Problem, es wird aber verlagert, als wäre das europäisches Denken. Wenn jemand etwas einwenden möchte gegen Europa, weil alles so falsch läuft, dann kommt oft ein Totschlagargument – eben die Ausgaben für die Agrarpolitik. Was ja noch die schlimme Nebenwirkung hat, dass wir das Entstehen gesunder Landwirtschaften in der Dritten Welt verhindern, indem wir unsere Produkte für den Welt-Agrarmarkt subventionieren. Damit verhindern wir dann dort auch wieder für uns Absatzmöglichkeiten für industrielle Produkte, weil keine Wertschöpfung in der Landwirtschaft möglich ist.

Lindner: Eben. Würde man wirklich europäisch denken, dürfte das nicht passieren. Dann müssten diese Gelder für Wettbewerbsfähigkeit eingesetzt werden.

Genscher: Ich sehe manches kritisch, nicht nur diese fehlgeleiteten Agrarsubventionen. Aber wenn Kritiker kommen und locker vorschlagen, wir brauchten die europäische Währung nicht, dann ist das für mich etwas vollkommen anderes.

Lindner: Das ist auch etwas vollkommen anderes.

Genscher: Sehen Sie! Es gibt unterschiedliche Kritiken – das eine ist die Fundamentalkritik, die sich eigentlich gegen die europäische Einigung als solche richtet. Rückbau heißt Ruinen – das zerfällt. Entscheidend ist, ob jemand Europa verbessern oder ob er weniger Europa will, das ist ein großer Unterschied. Natürlich ist nichts frei von Kritik, und es muss auch in Europa enorm viel geschehen. Wenn ich aber darüber rede, dass ich die Wirtschaftsunion brauche, eine gemeinsame Wirtschafts- und Sozialpolitik, dann entspringt das dem Wunsch nach mehr Europa, nicht nach weniger. Und diejenigen, die das ablehnen, wollen in Wahrheit den Weiterbau Europas verhindern. Diese Diskussion haben wir geführt, und wir leiden heute darunter. Ich habe schon daran erinnert, dass an den anderen die Frage gescheitert ist, ob wir eine gemeinsame Finanzpolitik mit der gemeinsamen Wirtschaftspolitik verbinden; von unserer Seite kam das Totschlagsargument: keine Wirtschaftsregierung. Das heißt, man verweigerte der Währungsunion ein wichtiges Element, das sie brauchte, um funktionieren zu können.

Wir zeigen uns jetzt bereit, das langsam nachzuliefern. Und daran scheiden sich die Geister. Sie scheiden sich nicht daran, ob man kritikbereit ist, da fällt einem eine Menge ein: Natürlich muss man kritisieren, dass das Parlament nicht die gebotenen Rechte besitzt, eine europäische Mehrheitsbildung ist nicht möglich, weil die Mitglieder der europäischen Regierung national berufen werden. Das ist jedoch eine andere Art der Kritik. Europa verbessern oder weniger Europa – das ist es, woran sich die Geister scheiden.

Lindner: Natürlich kann es auch eine versteckte Agenda geben, Einzelpunkte zu kritisieren, um das ganze Projekt infrage zu stellen. Aber wir brauchen trotzdem, und da sind wir ja durchaus einer Meinung, eine offene Debatte darüber, wo wir mehr Europa und ein besseres Europa brauchen.

Gehört die Türkei dazu?

Genscher: Etwas anderes gehört noch zu der Frage, welches Europa wir wollen. Ein Beitritt der Türkei steht nicht aktuell an – aber zu viele Kräfte hierzulande wollen die

Türkei auch heraushalten. Die Widerstände in der CDU sind grotesk, insbesondere wenn man bedenkt, dass Adenauer und Erhard damals, also 1961/1962, schon dafür plädierten, die Türkei schnell hereinzuholen in die Gemeinschaft!

Lindner: Allein schon aus geostrategischen Gründen ist das heute aktueller denn je. Die Türkei ist Europas Grenze zu einem veränderten, instabilen Nahen Osten. Die Türkei ist ein wichtiger Faktor für Stabilität in diesem Raum, nebenbei auch eine prosperierende Volkswirtschaft.

Genscher: Wissen Sie, wie das Abkommen mit der Türkei – das war das erste Assoziierungsabkommen – entstanden ist? Sie müssen den Zeitpunkt bedenken: Zustande kam es im Herbst 1962. Bitte erinnern Sie sich, was ein Jahr zuvor geschah: der Bau der Mauer. Der Zugang zum westdeutschen Arbeitsmarkt aus der DDR war abgeschnitten, sodass sie in Bonn überlegt haben, woher die fehlenden Arbeitskräfte kommen sollen. In Portugal, Spanien, Italien, Jugoslawien wurden deshalb Anwerbebüros eingerichtet. Weil aber nicht ausreichend Bewerber kamen, hat man sich entschlossen, die Türken zu fragen. So wurde ein Abkommen getroffen. Und was man damals mitbeschlossen hat, war die Aufhebung der Visumspflicht zwischen der Türkei und Deutschland! Das hieß, eine enorme Migration ganzer Familien setzte plötzlich ein. Die Visumspflicht war auch Anlass einer Diskussion im Kabinett zwischen Helmut Schmidt und mir, weil der Kanzler einwandte, wir dürften nicht zum Einwanderungsland werden. Ich hielt dagegen, dass wir das erstens schon seien, und dass wir zweitens unsere Einwanderungspolitik verbessern müssten. Wir sollten uns nämlich auch die Leute aussuchen können, die wir zu uns holen wollen – abgesehen von den Flüchtlingen.

Lindner: Das Zuwanderungsrecht ist bis heute eine Baustelle.

Genscher: Kann heute falsch sein, was damals richtig war, nämlich, dass wir das Zusammenleben von Türken mit Deutschen in Deutschland als Gewinn für beide betrachten? Kann es falsch sein, dass wir in der auf gemeinsame Werte gegründeten westlichen Allianz die Türkei als einen diesen Werten verpflichteten Partner seit langem betrachten? Ist es nicht so, dass die Türkei seit ihrem Beitritt zur NATO und nach Abschluss des Assoziierungsvertrages Anfang der sechziger Jahre des letzten Jahrhunderts bedeutsame Fortschritte bei der Verwirklichung der gemeinsamen Werteordnung gemacht hat? Und bedeutet nicht der Beschluss zur Aufnahme der Beitrittsverhandlungen, dass es eine gemeinsame Zielsetzung gibt, nämlich die Mitgliedschaft der Türkei in der EU?

Natürlich wird ergebnisoffen verhandelt. Doch Ergebnisoffenheit ist eine Binsenwahrheit, denn jede Verhandlung ist ergebnisoffen, solange sie nicht abgeschlossen ist. Die Frage ist, ob die Verhandlungen ergebnisorientiert geführt werden, nämlich mit dem Willen, sie zu einem positiven Ergebnis zu bringen. Hier allerdings wird Erfolgsorientiertheit schon verlangt. Jedes andere Verhandlungsziel wäre eine Enttäuschung des Verhandlungspartners.

Die kalte Schulter für die Türkei aus religiösen Gründen wäre eine Beschädigung der Werteordnung für uns als Deutsche des Grundgesetzes und für uns als Europäer des Wertekodex der Europäischen Union. Die Fragen, die hier aufgeworfen werden, berühren deshalb nicht nur das EU-Türkei-Verhältnis, sondern genauso das Selbstverständnis unserer Europäischen Union.

Lindner: Ich bin hinsichtlich der Türkei aufgeschlossen. Europa ist kein christlicher Club, ich bin auch kein geographischer Purist. Für mich ist zweierlei entscheidend: erstens, ob die Europäische Union hinsichtlich ihrer inneren Struktur aufnahmebereit ist. Wir haben ja einiges an institutionellem Veränderungsbedarf diskutiert. Zum anderen stellt sich die Frage der Aufnahmefähigkeit der Türkei. Europa teilt die Werte des Säkularismus und des Rechtsstaats. In der Türkei hat es manche Fortschritte gegeben, aber beispielsweise die religiöse Prägung der Politik und der Umgang mit Minderheiten werfen noch Fragen auf. Ich hoffe also auf Fortschritte in der Türkei. Davon würde Europa heute genauso profitieren wie die Türkei selbst.

Genscher: Auch bei der Türkei muss gelten: *pacta sunt servanda*. Die EU hat mit den Kopenhagener Kriterien die Voraussetzungen für eine Mitgliedschaft festgelegt. Wenn die Türkei diese Kriterien erfüllt, dann muss ihr auch das Tor geöffnet werden. Mit Blick auf die Entwicklung im Nahen und Mittleren Osten wird nach meiner Überzeugung die Türkei ohnehin immer bedeutsamer. Da möchte ich die Kritiker eines Beitritts der Türkei schon daran erinnern, dass in der Zeit der Ost-West-Konfrontation das Nato-Mitglied Türkei stets ein verlässlicher Partner bei dem Schutz der Südflanke Europas war.

Europäische Persönlichkeiten

Lindner: Ich möchte noch zu einem institutionellen Vorschlag Ihre Meinung hören. Ralf Dahrendorf, der nun wirklich ein überzeugter Europäer war, hat noch das Fehlen einer europäischen Öffentlichkeit beklagt. Davon kann man heute nicht mehr sprechen. Die Euro-Krise hat die Zusammenhänge offengelegt. Uns interessiert plötzlich der Ausgang einer Kommunalwahl im Nachbarland, wenn sie die Zustimmung zur dortigen Regierungspolitik zeigt. Wenn Menschen über dieselben Themen sprechen, dieselben Nachrichten verfolgen, dann bildet sich eine gemeinsame Öffentlichkeit. Ich bin daher der Meinung, dass damit die politisch-kulturellen Voraussetzungen für einen von den Bürgerinnen und Bürgern direkt gewählten Repräsentanten Europas wachsen, eine Art »europäischer

Präsident«. Ich halte das für einen Auftrag gerade an eine liberale Partei, in der Epoche transnationaler Politikgestaltung durch internationale Organisationen oder im Wege der Vereinbarungen zwischen Regierungen den Einfluss der Parlamente, aber eben auch die Einwirkungsmöglichkeit jedes Individuums im Blick zu behalten; sonst läuft die Demokratie irgendwann leer. Konkret könnte es der Präsident der Europäischen Kommission sein, der aber im Gegensatz zu seinen Kommissaren direkt gewählt würde. Guido Westerwelle hat sich vor einiger Zeit dafür ausgesprochen, und ich unterstütze das. Eine europäische Persönlichkeit, die von der Bevölkerung getragen wird, würde dem ganzen Projekt eine neue Dynamik geben. Das nimmt die Menschen ernst und führt die jeweiligen Parteienfamilien in Europa zusammen.

Genscher: Meine Priorität liegt, wie gesagt, eher bei der Stärkung des Europäischen Parlaments. Ihr paneuropäischer Präsident würde das Institutionengefüge deutlich verändern, allerdings in Richtung auf eine Präsidialdemokratie. Als Identifikationsfaktor kann er eine positive Wirkung entfalten; auch in Richtung auf ein europäisches Wir-Gefühl.

Lindner: Den präsidialen Charakter würde ich in Kauf nehmen. Die Stärkung des Europäischen Parlaments, für die Sie plädieren, steht dazu gar nicht im Widerspruch. Im Gegenteil ergäbe sich ein Zwei-Kammern-System mit Parlament und dem Europäischen Rat, der die Funktion unseres Bundesrates hätte. Im Europaparlament werden die Abgeordneten aus einer zwangsläufig auch an nationalen Interessen orientierten Perspektive über Gemeinsamkeiten beraten. An der Spitze der Exekutive stünde dagegen der direkt gewählte Präsident der Europäischen Kommission, der Europa als Ganzem verpflichtet ist. Bei einer Direktwahl gäbe es eine Gelegenheit, über europäische Belange gemeinsam zu debattieren und zu entscheiden. Die Europawahlen erfüllen diese Funktion nach meiner Wahrnehmung nicht. Das sind oft genug vorgezogene und nachlaufende Bundestagswahlen, die nur einen geringen Einfluss auf den Ablauf des Brüsseler Betriebs haben. Der Chef der Kommission hat bereits heute eine enorm starke Stellung mit einer Richtlinienkompetenz. Dennoch könnte sicher nur eine Minderheit der Europäer darlegen, wie er überhaupt in sein Amt gelangt.

Genscher: Worin wir in jedem Fall übereinstimmen, ist die Bedeutung europäischer Persönlichkeiten. Je mehr unser Europa zusammenwächst, desto mehr werden wir erkennen, wie viele europäische Persönlichkeiten es gibt.

Lindner: Eine solche europäische Persönlichkeit ist Angela Merkel.

Genscher: Ja, das ist seit langem meine Meinung. Und das wird zunehmend auch in Deutschland und in Europa erkannt. Sie sieht die deutsche Europapolitik als Ausdruck europäischer Verantwortungspolitik. Lieber Herr Lindner, hier kommen wir an eine Grundfrage meines Politikverständnisses. Mir sträuben sich noch immer die Haare, wenn ich höre, wie manche Diskussionsteilnehmer unbefangen – um nicht zu sagen leichtfertig – mit dem Begriff Macht, also auch Machtpolitik hantieren. Macht – wofür? Gegen wen? Oder, schlimmer noch, über wen?

Wir sind in einer Phase der Menschheitsgeschichte angekommen, in der der Begriff Verantwortung umfassende und volle Geltung verlangt. Verantwortung im Sinne von Hans Jonas, Verantwortung des Einzelnen. Verantwortung von ganzen Völkern. Zu den großen Leistungen der Aufbaugeneration nach dem Zweiten Weltkrieg in Deutschland gehört es, dass sie die Verantwortung der Deutschen erkannt haben. Das schließt unsere Verantwortung als Europäer ein. Das Bewusstsein dieser Verantwortung hat uns einen völlig neuen Zugang zum Verständnis unseres Standortes in Europa und in der Welt erschlossen. Daraus ergaben sich zwei fundamentale Postulate der deutschen Außenpolitik, die beide dem übergeordneten Ziel der Friedenssicherung dienten.

Erstens: die europäische Einigungspolitik mit Deutschland als Mitglied der Gemeinschaft der europäischen Demokratien und als Mitglied der demokratischen transatlantischen Partnerschaft. Das andere fundamentale Ziel war das Bemühen um die friedliche Überwindung der Spaltung des Kontinents und damit Deutschlands. Das bedeutete auch die Einbettung der deutschen in die europäische Vereinigungspolitik. Es war die Europäisierung der deutschen Frage, die uns mit dem KSZE-Prozess zum Motor einer gesamteuropäischen Vereinigungspolitik werden ließ. Zugleich wurde daraus die erfolgreichste Menschenrechtsinitiative der Geschichte. Deutsche Staatskunst musste darin bestehen, den europäischen Einigungsprozess im Westen und den West-Ost-Annäherungsprozess nicht in eine Rivalität geraten zu lassen, sondern eine doppelte Dynamik zu entfalten.

Natürlich wiederholt sich nichts in der Geschichte. Aber lernen aus der Geschichte sollte man schon. Das bedeutet die unlösbare Verbindung des deutschen und des europäischen Schicksals. Niemand kann seinem Standort entrinnen; aber auch nicht seiner europäischen Verantwortung. Diese reicht heute über Europa hinaus. Vergessen wir nicht: Die Einigung Europas erwuchs aus der blutigen Erfahrung einer schwierigen europäischen Kriegsgeschichte. Europa hat daraus die Konsequenzen gezogen. Die Welt muss diesen Test erst noch bestehen. Wenn wir von einer Weltnachbarschaftsordnung sprechen, müssen wir erkennen, dass alle Nachbarn sind, auch wenn man keine gemeinsame Grenze hat. Andere Teile der Welt sind erst im Begriff, sich damit vertraut zu machen. Globale Seuchen, Bedrohung der natürlichen Lebensgrundlagen für die ganze Menschheit, internationaler Terrorismus, Vernichtungswaffen, die von jedem Ort der Welt jeden anderen erreichen können – das zwingt zu einer globalen Kooperationsordnung auf gleicher Augenhöhe. Es geht. Europa kann das zeigen. Das ist der Grund, warum wir von der Zukunftswerkstatt Europa sprechen können. Aber das ist kein Ehrentitel europäischer Eitelkeit, sondern europäische Verantwortung. Daran werden wir gemessen werden.

Lindner: Ein schönes Schlusswort.

Genscher: Noch nicht ganz. Europa, das ist auch eine Frage der Seele. Manche sehen es hingegen nur als ein politisches Projekt oder, bedenklicher noch, nur als ein ökonomisches. Diese Verengung des Europaverständnisses ist die Quelle neu entfachter nationaler Egoismen.

Herr Lindner, ich muss es noch einmal zusammenfassen, und ich will es unterstreichen: Europa ist unsere Zukunft! Es ist keine Leerformel, hinzuzufügen: Wir haben keine andere! Es sei denn, den Rückfall in die nationalistischen Fehler der Vergangenheit. Hier entsteht eben wirklich etwas ganz Neues, etwas Einzigartiges, etwas, was es in der Menschheitsgeschichte noch nicht gegeben hat. Völker werden sich ihrer Vergangenheit und der in der Vergangenheit begangenen Fehler bewusst. Sie kommen zu einem historischen Entschluss: Unsere Zukunft wollen wir als eine gemeinsame betrachten und als eine gemeinsame gestalten! Deshalb wurde Europa zur Zukunftswerkstatt für eine neue Weltordnung. Beim Blick in andere Weltregionen treffen wir noch vielerorts auf altes Denken, dessen Auswirkungen wir in Europa so bitter erfahren haben. Das zu vermeiden verlangt die historische Entscheidung für die Abkehr von einer von nationalem Egoismus bestimmten Rivalitätsordnung hin zu einer von Verantwortung bestimmten Kooperationsordnung.

Und die Großen dieser Welt? Manche von ihnen erfahren erst jetzt, was unmittelbare Bedrohung ihres inneren und äußeren Friedens bedeutet; und manche, dass es auch für sie besser ist, die anderen Teile der Welt als Partner mit gleichen Rechten und gleicher Würde zu akzeptieren und nicht als Einflussgebiet – was die Entscheidung für eine gleichberechtigte und ebenbürtige Kooperation voraussetzt. Auch für sie ist Europa Zukunftswerkstatt. Denn auch in Europa mussten die Großen erst lernen, was gleichberechtigter und ebenbürtiger Umgang bedeutet. Da weiß man als Deutscher, wovon man spricht.

Und doch haben wir unsere Zeit gebraucht, um die geschichtliche Lektion voll zu begreifen. Schrill klingt sie noch in meinen Ohren, die Kritik an deutscher Befindlichkeit und an der deutschen Außenpolitik, indem es plötzlich hieß: erst machtbesessen und jetzt machtvergessen. Das mit dem machtbesessen stimmt ja – leider! Aber machtvergessen? Mir wäre lieber, hier würde jetzt stehen: verantwortungsbewusst. Das wäre ein schönes Wort für unser Land. Das verlangt aber eben auch, unserer europäischen Verantwortung gerecht zu werden. Ich sage Ihnen, wir werden das 21. Jahrhundert nur bestehen, wenn wir es von Anbeginn europäisch zu denken vermögen. Nur wer aus einem europäischen Wir-Gefühl empfindet, wird zu den richtigen Entscheidungen kommen. Entscheidungen, die unter den Gesetzen einer globalen Weltordnung zu treffen sind, einer Welt, die umfassend interdependent ist, in der es keine entfernten Gebiete gibt und in der jeder jedes anderen Nachbar ist, mit oder ohne eine gemeinsame Grenze.

Lieber Herr Lindner, ich bitte um Nachsicht, wenn ich mich in manchem wiederhole. Aber ich bin aufgewachsen in einer Welt des Krieges und des Terrors, und ich möchte im neunten Jahrzehnt meines Lebens die Gewissheit haben, dass meine Enkel in eine Welt hineinwachsen, die immer friedlicher wird und die in immer mehr Teilen der Welt als gerecht empfunden werden kann. In Europa sind wir da schon sehr weit gekommen. Aber global liegt noch eine lange Wegstrecke vor uns.

Verantwortungswirtschaft

Lindner: Deutschland hat die Finanz- und Wirtschaftskrisen der vergangenen Jahre erfreulich gut durchgestanden. Dennoch gibt es einen tiefen Vertrauensverlust in die Soziale Marktwirtschaft. Der Staat, die Steuerzahler, wir alle haben Schäden übernehmen müssen, die von einzelnen Spielern an den Kapitalmärkten verursacht wurden. Die Mittelschicht hat den berechtigten Eindruck, das Wachstum komme bei ihr nicht mehr an. Wochenzeitungen fragen in ihren Überschriften nach »Alternativen zum Kapitalismus«. Ausgerechnet in Deutschland wachsen die Zweifel, ob Marktwirtschaft überhaupt sozial sein kann. Ich treffe überzeugte Marktwirtschaftler, etwa einen Handwerksmeister, die einerseits die bürokratischen Fesseln im Alltag beklagen, sich andererseits aber den entfesselten Kapitalmärkten schutzlos ausgeliefert fühlen.

Genscher: Der Vertrauensverlust in die Marktwirtschaft, den Sie schildern, ist angesichts der Ereignisse der letzten Jahre nicht überraschend und nicht unverdient. Aber wir haben es nicht zu tun mit Mängeln der Sozialen Marktwirtschaft, sondern mit Defiziten bei ihrer Praktizierung. Ich möchte deshalb bewusst daran erinnern, dass man sich mit Recht nach dem Zweiten Weltkrieg für die Soziale Marktwirtschaft entschieden hat. Dem entspricht auch unser Grundgesetz, das unseren Staat definiert als freiheitlichen und als sozialen Rechtsstaat. Beide Begriffe stehen dort. Das Grundgesetz schreibt keine Wirtschaftsordnung vor, es hält nur fest: ein sozialer Rechtsstaat – das ist wichtig. Für uns als Liberale ist schon vom Menschenbild her der soziale Rechtsstaat eine pure Selbstverständlichkeit. Und das muss so bleiben. Das schließt das Postulat »soziale Gerechtigkeit« ein.

Lindner: Die Ordnungsidee der Sozialen Markwirtschaft mag bis heute nicht ausdrücklich im Grundgesetz genannt sein, was ich für ein Versäumnis halte, aber sie entspricht den von Ihnen genannten Prinzipien des Grundgesetzes doch am besten. Denn der Staat des Grundgesetzes ist ein sozialer Rechtsstaat, der aber auch die Freiheit des Einzelnen zu achten hat. Das ist für mich der Kern der Sozialen Marktwirtschaft: prinzipielle Priorität für die Freiheit des Einzelnen, aber in einem fairen Rechtsrahmen, der auch den Schwächeren Chancen eröffnet.

Genscher: Ja, das sehen wir heute so. In der Gründungsphase der Bundesrepublik wurden darüber allerdings Auseinandersetzungen geführt. Starke Kräfte innerhalb der CDU sprachen von einem »Christlichen Sozialismus«, ich denke an Jakob Kaiser oder Karl Arnold, den zweiten Ministerpräsidenten von Nordrhein-Westfalen, und an das sogenannte »Ahlener Programm«. Die SPD war sowieso noch vor Godesberg. Es war die FDP, die geschlossen und mit Entschiedenheit Ludwig Erhard als Bundeswirtschaftsminister darin unterstützt hat, die Soziale Marktwirtschaft durchzusetzen. Da ging es aber nicht nur um die Abgrenzung zur sozialistischen Systemalternative, sondern auch um fortschrittliche neue Ideen. Die zeigten sich beispielsweise bei der Frage, ob wir ein Kartellrecht und ein Kartellamt einführen sollen oder nicht. Diesen Kampf um die Beschränkung wirtschaftlicher Macht muss man verstehen als eine prinzipielle Auseinandersetzung über das richtige

Verständnis der Marktwirtschaft. Der »Wirtschaftswunder-Vater« Ludwig Erhard und sein Staatssekretär Alfred Müller-Armack waren das, was man damals neoliberal nannte. Sie vertraten diesen fortschrittlichen Wirtschaftsliberalismus. Insofern tut es mir weh, wenn das Wort »neoliberal« im Zusammenhang mit Politikern wie George Bush junior verwendet wird. Der ist für mich nicht ein Neoliberaler, sondern ein Neokonservativer ...

Lindner: ... der auf einen Laissez-faire-Kapitalismus setzt, der das Gegenteil des Neoliberalismus ist. Es gibt genug historische Belege, dass der ungeordnete Markt eben nicht eine »unsichtbare Hand« ist, die alles zum Guten fügt, wie Adam Smith das im 18. Jahrhundert gedacht hat. Das ist Steinzeitliberalismus, den man heute nicht mehr wörtlich nehmen darf. Ich beziehe mich stattdessen immer wieder auf ein Wort von Alexander Rüstow, der mitten in der Weltwirtschaftskrise Anfang der dreißiger Jahre gesagt hat: »Der neue Liberalismus jedenfalls, der heute vertretbar ist, fordert einen starken Staat, einen Staat oberhalb der Wirtschaft, oberhalb der Interessenten, da, wo er hingehört.«

Genscher: Auch Ludwig Erhard hat den Staat als Normengeber und nicht als Mitspieler gesehen. Deshalb gehört es zur Verfälschung von Begriffen, wenn mit »neoliberal« eine bedenkenlose Verherrlichung wirtschaftlicher Macht oder eine Geringschätzung des Staates bezeichnet wird. Es war das genaue Gegenteil, es ging um die Bändigung solcher Phänomene durch politische Rahmensetzung.

Lindner: Hierin sehe ich nun den tieferen Grund für den Vertrauensverlust der Sozialen Marktwirtschaft: Der Staat war und ist zu wenig Schiedsrichter und zu sehr verstrickt ins Getümmel. Bei der Bestimmung und Durchsetzung der Spielregeln war er so schwach, dass die Kapitalmärkte ein Eigenleben entwickeln konnten. Statt da Ordnung zu schaffen, verfolgte er eigene unternehmerische Interessen mit Landesbanken, obwohl er sich über Steuern und nicht über Gewinne staatseigener Betriebe finanzieren sollte. Die Menschen haben dafür ein genaues Gespür. So sehr einerseits auch eine Disziplinierung der Finanzmärkte eingefordert wird, so sehr sind viele andererseits skeptisch, wenn der Staat mit Einzelfallentscheidungen in den Markt eingreifen will. Ich erinnere an die Debatten um Opel, als die versammelte Parteipolitik General Motors Steuergeld nahezu aufdrängen wollte, um die Fehlentscheidungen aus Detroit zu reparieren. Rainer Brüderle hat für sein klares »Nein« deshalb großen Respekt erfahren, weil eine Mehrheit der Deutschen eine klarere ordnungspolitische Intuition hatte als wesentliche Teile der deutschen Politik. Die Menschen haben nicht eingesehen, dass sie sich als Kunden gegen ein Unternehmen entschieden haben, aber die Politik mit ihrem Geld, den Steuermitteln, diese Entscheidung korrigieren wollte.

Genscher: Zu diesen Grundüberzeugungen muss die FDP auch in einer veränderten Zeit stehen. Ich habe mir aus den Freiburger Thesen etwas rausgesucht, was sich auf die Gegenwart anwenden lässt: »Wo (...) von einem freien Spiel der Kräfte (...) Perversionstendenzen für die Ziele der liberalen Gesellschaft drohen, bedarf es gezielter Gegenmaßnahmen des Staates mit den Mitteln des Rechts.« So hart und so klar haben wir damals formuliert.

Lindner: So hart und so klar muss man es auch heute sagen. Wir brauchen eine »Reform des Kapitalismus«, wie es die Freiburger Thesen gefordert haben. Nur dass wir darunter heute etwas anderes verstehen als damals.

Genscher: Ja. Nur das Wort »Kapitalismus« sollten wir nicht nehmen. Damit habe ich meine Probleme, weil es aus dem Klassenkampf stammt.

Lindner: Gestatten Sie mir trotzdem, dass ich es noch einen Moment weiterverwende. Kapitalismus meint begrifflich nichts anderes als Privateigentum an Produktionsmitteln.

Das kann in der Form eines Laissez-faire-Kapitalismus der USA, des russischen Oligarchen-Kapitalismus, des staatszentrierten Kapitalismus in China – oder eben der Sozialen Marktwirtschaft realisiert werden. Ich frage Systemkritiker deshalb immer, welchen Kapitalismus sie eigentlich meinen.

Mir geht es jetzt aber um etwas anderes. In seinem letzten Essay hat Ralf Dahrendorf einen »Pumpkapitalismus« kritisiert. Weil die Rendite aus realwirtschaftlichen Investitionen nicht mehr befriedigt hat, wurden geschlossene Kreisläufe geschaffen, in denen aus geborgtem Geld mehr Geld gemacht werden konnte. Dahrendorf hat davon einen »Sparkapitalismus« unterschieden, in dem ehrliche Kaufleute mit gespartem Geld ihre Ziele verwirklicht haben. Ich ziehe das Wort »Vollkaskokapitalismus« vor, weil Investoren ihre eigenen Risiken mit Versicherungsprodukten und Geschäften außerhalb der Börsen völlig legal so im Markt verteilen konnten, dass die systemische Gefahr lange verdeckt blieb. Die öffentlichen Zentralbanken haben das Schneeballsystem mit billigem Geld versorgt. Diese Geldhalluzinationen stehen in den Bilanzen. Was wir stattdessen brauchen ist einen Verantwortungskapitalismus …

Genscher: … das teile ich in der Sache, beim Begriff »Kapitalismus« halte ich aber meinen Einwand aufrecht, Herr Lindner. Das Wort Kapitalismus ist ein Reizwort, das unterschiedlich verstanden wird. Ich mache einen Gegenvorschlag: »Verantwortungswirtschaft«! Dabei unterstreiche ich das Wort »Verantwortung« drei Mal. Freiheit ohne Verantwortung bedeutet Chaos, Rechtlosigkeit und Werteverleugnung. Verantwortung ist die Moral der Freiheit.

Lindner: Einverstanden: Verantwortungswirtschaft. Damit will ich zwei Aspekte verbinden. Handeln und Haften dürfen erstens nicht getrennt werden. Die Möglichkeit des individuellen Scheiterns ist eine natürliche Bremse für Risiken. Liberale müssen daher eine Wirtschaftsordnung definieren, die faire Wettbewerbsbedingungen schafft. Solche nackten Marktregeln allein reichen zweitens aber nicht aus, wenn sie nicht in einer Mentalität ehrlicher Kaufmannschaft gelebt werden. Lücken im System gibt es immer. Eine Verantwortungswirtschaft fordert also vom einzelnen Menschen, dass er – auch wenn er seinen Vorteil im Markt sucht – immer noch Gründe angeben kann für sein Handeln, die über den kurzfristigen Gewinn hinausgehen.

Vor diesem Hintergrund halte ich es übrigens auch für bedrohlich, dass der automatisierte Computerhandel eine solche Bedeutung gewonnen hat. Am 6. Mai 2010 brach etwa in den USA der Aktienmarkt dramatisch ein, um sich danach genauso schnell wieder zu erholen. In zehn Minuten wurden 1,3 Milliarden Aktien gehandelt. Die Gründe für den »Flash-Crash« konnten nie ganz aufgeklärt werden, aber sie hängen wohl mit computergesteuerten Handelsprogrammen zusammen. Wenn Transaktionen auf den Märkten in Sekundenbruchteilen vom Autopiloten abgewickelt werden, dann wird irgendwann der verantwortlich handelnde Mensch aus der Gleichung gekürzt. Verantwortung heißt für mich, die eigenen Entscheidungen vor dem gesunden Menschenverstand, vor der Moral oder vor dem Gemeinwohl rechtfertigen zu können. Wenn jemand riskante Geschäfte auf den Kapitalmärkten betreibt, die am Ende zum Zusammenbruch des Systems führen können, kann er das nicht rechtfertigen – selbst wenn er individuell seinen Gewinn eingestrichen hat.

Ich fordere damit keine naive Gesinnungsethik, denn ein Unternehmer könnte beispielsweise ja den Abbau von Personal rechtfertigen, wenn die erfolgreiche Existenz seines Betriebes ansonsten gefährdet würde. Hier will ich übrigens den alten Adam Smith rehabilitieren, den ich eben abgekanzelt habe. Dessen erstes Buch behandelte

»ethische Gefühle«, die für die gelingende Gesellschaft unabdingbar sind. Erst mit dieser Voraussetzung hat Smith darauf gesetzt, dass das ungeplante Miteinander in Wirtschaft und Gesellschaft wie von einer »unsichtbaren Hand« zu Wohlstand, neuem Wissen und Gemeinwohl geformt wird.

Genscher: Auch die Politik muss ihre Verantwortung übernehmen. Gegenwärtig wirkt es nicht so, als führe sie offensiv. Selbst der Begriff »die Märkte« verrät das. Wer ist das eigentlich, wenn es heißt, »die Märkte« verlangen dies und das von uns, den Iren, den Portugiesen, den Griechen? Die Märkte – das ist die Addition aller Marktteilnehmer. Ich bin auch Teil des Marktes, wenn ich mich entscheide, ein Paar Schuhe zu kaufen. Die Märkte – das ist das Agieren der Akteure.

Der Markt braucht neue Regeln – und Transparenz

Lindner: Ausdrücklich, ja. Vielleicht sagen wir es auch als Liberale einmal: Der Markt ist ein künstlicher Ort. Er wird erst geschaffen durch die Regeln, die wir ihm geben. Die jüngsten Krisen der Finanzmärkte haben daran erinnert, dass die Marktteilnehmer mitunter so irrational handeln, ehrliche Kaufmannschaft so wenig selbstverständlich ist und Regeln so fehlerhaft sein können, dass das System selbst destabilisiert wird. Die ordnungspolitische Schlüsselaufgabe ist deshalb ein neues Marktdesign, damit nicht mehr wir alle zur Geisel weniger werden können.

Genscher: Daran sollten die Experten der FDP Tag und Nacht arbeiten. Im übrigen brauchen wir für die Zukunft eine globale Ordnung, die den Selbstverständlichkeiten folgt, die wir heute diskutieren: mehr Markttransparenz und Regeln, die geschaffen werden, indem man Rahmenbedingungen festlegt. Wir halten das auch für notwendig –

innerhalb der europäischen Union geschieht das durchaus, vorsichtig, aber immerhin. Und je mehr wir eintreten in eine globale Wirtschaftsordnung, umso mehr ist es auch global notwendig, weil sonst Kräfte entfesselt werden, die zu dem führen, was wir erlebt haben.

Lindner: Ich habe eingangs meine Gespräche mit Mittelständlern erwähnt, die beklagen, dass ihre Betriebe beispielsweise hier in Bonn davon betroffen sind, wenn in New York die Investmentbank Lehman Brothers umfällt. Da vermissen sie den Schutz des Staates. Andererseits machen dieselben Leute die Erfahrung, dass die Vergabe eines Betriebskredits hochbürokratisch geworden ist, von anderen privaten Anlagegeschäften nicht zu sprechen. Ich will damit sagen: Das Finanzwesen ist seit langem stark reguliert. Um die Finanzmärkte auf ihre dienende Rolle zu verpflichten, sind deshalb nicht mehr Regeln erforderlich – aber bessere! Man darf Bürokratisierung und Reglementierung im Detail nicht verwechseln mit den notwendigen Marktgesetzen, um Stabilität herzustellen.

Genscher: Machen Sie es doch einmal an einem Marktgesetz konkret.

Lindner: Über Haftungsfragen haben wir schon gesprochen. Da scheint mir der Handlungsbedarf unverändert hoch, damit es ohne Gefahr für die Gesamtstabilität möglich wird, dass eine gescheiterte Bank tatsächlich aus dem Markt ausscheidet – also auf Kosten der Eigentümer abgewickelt wird. Das zweite Kernproblem ist die Markttransparenz, das haben Sie selbst gesagt. Es gibt Schattenbanken – allein das Wort! Billionensummen sind im Markt, die keiner echten Regulierung unterliegen. Geschäfte können unter der Ladentheke, also außerhalb öffentlich beaufsichtigter Handelsplattformen und damit intransparent abgewickelt werden. Das würde ich unterbinden: Es sollte keine Finanztransaktionen geben, die nicht auf öffentlich beaufsichtigten Handelsplattformen stattfinden, wo jeder

Vertragspartner auch identifizierbar ist, sodass die Finanzaufsicht Risiken im Markt erkennen kann.

Genscher: Ich glaube, dass nach der großen Wende 1989/90 und nach dem Durchbruch zur Globalisierung die Politik die Übersicht über die sich neu entwickelnden globalen Märkte verloren hat, dass sie nicht mehr wusste, was geschieht. Ich habe in meinen Reden seit Mitte der neunziger Jahre argumentiert, dass wir auf den globalen Finanzmärkten mehr Transparenz brauchen – ganz so, wie Sie es gerade dargelegt haben, Herr Lindner. Das ist das Entscheidende: Wir müssen wissen, was vorgeht und welche Risiken entstehen. Der Staat soll nicht – das ist unser liberales Verständnis – in Wirtschaftsvorgänge und Wirtschaftsentscheidungen eingreifen, aber er soll klare Regeln für den Ablauf der Wirtschaftsentscheidungen schaffen. Das ist das Wichtige. Er soll sich nicht einmischen und etwa festlegen, jemand müsste dieses Haus kaufen oder jenes.

Wir müssen uns stets bewusst sein: Globalisierung und globale Interdependenz bedeuten globale Gegenseitigkeit. Alles beeinflusst weltweit alles. Es gibt keine entfernten Gebiete mehr. Von meinem Handeln kann auch jemand betroffen sein, der auf einem anderen Kontinent lebt – siehe amerikanische Hypothekenkrise. Nachbarschaft bedeutet nicht nur geographisches Nebeneinander, sondern auch unmittelbare Betroffenheit ohne geographische Nähe.

Lindner: Ich möchte das für die FDP in einer Aufgabe zusammenfassen, indem ich frage: Was würde Otto Graf Lambsdorff tun? Er würde sich mit einem Ordnungsruf zu Wort melden: Dass die Märkte einerseits politisch verantwortbaren Regeln unterworfen werden müssen. Das ist die Aufgabe des Staates als Ordnungsgeber. Andererseits würde er vor einem gewissen ökonomischen Analphabetismus und einer geschmäcklerischen Ablehnung der

Kapitalmärkte insgesamt warnen. So sehr wir Fehlentwicklungen beklagen, sind wir dennoch auf innovative Finanzprodukte angewiesen. In einer globalen Wirtschaft müssen sich die Unternehmen einer Exportnation gegen schwankende Währungen, gegen schwankende Rohstoffpreise absichern können – dafür gibt es Finanzprodukte. Die Forderung, das alles zu verbieten, würde nur alte Risiken durch neue ersetzen. Peer Steinbrück äußert sich ja gelegentlich in diese Richtung. Wir haben im Unterschied dazu eine vermittelnde Rolle, die die Wirtschaftskompetenz der FDP ausmacht: Die Märkte ordnen, aber nicht dämonisieren.

Die Entschuldung des Staates – das zentrale Projekt Ihrer Generation

Genscher: Es ist gut, dass Sie sich auf Otto Graf Lambsdorff berufen. Ich habe ihn schon früh für einen der besten Köpfe der Liberalen in Deutschland gehalten. Als mir 1977 Hans Friderichs überraschend erklärte, er wolle das Amt des Wirtschaftsministers niederlegen, um zur Dresdner Bank zu wechseln, da habe ich Otto Graf Lambsdorff angerufen und gesagt: »Sie müssen jetzt ins Wirtschaftsministerium.« Ich hatte das mit niemandem abgesprochen, aber für mich stand außer Zweifel: Für dieses Amt kommt nur Lambsdorff infrage. Auf ihn war Verlass. Unser Verhältnis war von großer persönlicher Wertschätzung, aber auch echter menschlicher Verbundenheit geprägt. Ich habe bewundert, mit welcher Energie dieser Mann trotz seiner schweren Kriegsverletzung gelebt hat. Das war eine ganz besondere Form der Tapferkeit. Auch als ihm wegen der Parteispendenaffäre der Prozess gemacht wurde, hat er nichts von seiner Würde und Festigkeit verloren.

Es mag altmodisch klingen, aber Otto Graf Lambsdorff war ein Beispiel preußischer Selbstdisziplin. Für unseren Umgang war es eine Selbstverständlichkeit, dass wir uns in unseren jeweiligen Fachgebieten respektierten und Meinungsverschiedenheiten niemals öffentlich diskutierten. Die Tugend der Diskretion ist im heutigen Politikbetrieb leider seltener geworden. Auch Lambsdorff und ich hatten manch schwieriges Gespräch, und er konnte ziemlich austeilen, aber unsere internen Diskussionen sind nie nach außen gedrungen. Sie werden bis heute darüber in keiner Zeitung etwas finden – und das wird auch so bleiben.

Wenn Otto Graf Lambsdorff jetzt hier wäre und hören würde, wie wir über Markt und Verantwortung reden, dann würde er uns wohl auffordern, unseren Begriff der Verantwortungswirtschaft auch auf den Staat zu übertragen. Mich besorgt die Staatsverschuldung, die Ihrer und kommenden Generationen Lasten auferlegt und insofern auch Gestaltungsräume für die Zukunft nimmt. Dieses Grundverständnis hat uns ja auch motiviert, den am Ende erfolgreichen Kampf für die Schuldenbremse zu führen.

Lindner: Das ist in der Mentalität vergleichbar. Am Markt haben manchen die Gewinne der Realwirtschaft nicht ausgereicht, um den Renditehunger zu stillen. Im Staat hat die volkswirtschaftliche Leistungsfähigkeit nicht genügt, um die politischen Versprechen zu finanzieren, die den Wohlfahrtsstaat von Wahl zu Wahl ausdehnen.

Genscher: Genau das war der entscheidende innenpolitische Grund für die Bonner Wende. Dazu habe ich schon ein Jahr zuvor, 1981, in einem Brief an die FDP – in Wahrheit für die Öffentlichkeit und die SPD bestimmt – geschrieben. In einer Situation steigender Arbeitslosigkeit und steigender Staatsverschuldung war damals neues Denken nötig. Ich habe also formuliert: »Ganz allgemein ist es erforderlich, die Einsicht zu stärken, dass keine Leistung von Staat und Gesellschaft gewährt werden kann, die nicht vorher oder hinterher von der Allgemeinheit, also von jedem Einzelnen von uns, aufgebracht werden müsste.«

Lindner: Das kann man unverändert so sagen, finde ich. Angebotsorientierte, marktwirtschaftliche Wirtschaftspolitik, Haushaltskonsolidierung – bis zur Deutschen Einheit hat das Land ja dann auch Fortschritte gemacht. Wenn ich es richtig weiß, hätte Theo Waigel als Bundesfinanzminister Anfang der neunziger Jahre einen ausgeglichenen Bundeshaushalt vorgelegt, während in den USA das Defizit gestiegen ist.

Genscher: Die moralische Begründung dafür ist das Gebot der Generationengerechtigkeit: dass eine gegenwärtige Generation nicht ökologisch, aber eben auch nicht finanziell auf Kosten einer nächsten leben kann.

Lindner: Das fordern auch immer mehr Menschen. In Nordrhein-Westfalen wurde kürzlich eine Umfrage veröffentlicht. Nach deren Ergebnis ziehen fast 80 Prozent der Befragten quer durch alle Parteizugehörigkeiten und Generationen den Abbau der Staatsverschuldung zunächst neuen Staatsaufgaben vor. Das steht in einem bemerkenswerten Widerspruch zur Politik der rot-grünen Koalition in Düsseldorf. Die Bürgerinnen und Bürger spüren, dass das von Hannelore Kraft gegebene staatliche Wohlstandsversprechen auf Pump ökonomisch riskant ist.

Genscher: Neues Denken brauchen wir also auch, damit es einen Gleichschritt gibt von dem, was in der Gesellschaft an Wohlstand erarbeitet wird, und dem, was der Staat dann an neuen Aufgaben übernehmen kann. Vom Staat erwarten die Bürgerinnen und Bürger zu Recht Schutz. Die gleichzeitige Krise von Staaten und Banken offenbart, wo Änderungen notwendig sind. Der Staat muss Chancengleichheit sichern und Transparenz schaffen. Er muss seine Verantwortung wahrnehmen und die Marktteilnehmer vor den Auswirkungen unverantwortlicher Exzesse anderer Marktteilnehmer bewahren. Lassen

Sie mich als Hinweis das Schlagwort »Boni-Unwesen« verwenden.

Lindner: Der Staat hat heute zwei Souveräne: seine Bürger und seine Gläubiger. Denn der Ordnungsgeber für den Markt, der notwendige Regeln verabschiedet, muss gleichzeitig bedenken, was diese Regeln für ihn als Kreditnehmer bedeuten. Das ist eine Selbstfesselung. Aus dieser Abhängigkeit von den Kapitalmärkten muss der Staat befreit werden.

Genscher: Es ist gut, dass die FDP das wieder erkannt hat. Eine Zeit lang dominierte doch stark der Ruf nach Steuersenkungen. Wer zahlt schon gerne Steuern? Die arbeitende Bevölkerung zu entlasten, ist natürlich ein wünschenswertes Ziel. Die Inflation und das Steuerrecht haben die guten Tarifabschlüsse während des Aufschwungs nahezu aufgefressen. Für mich als Steuerzahler ist es besonders frustrierend zu sehen, wie viel der von mir gezahlten Steuern für die Zahlung von Schuldzinsen verwendet werden.

Lindner: Wir haben diese Prioritätenwechsel bei unserer Landtagswahl ganz offensiv vertreten. Nach meinem Eindruck haben das viele unserer Unterstützer auch erwartet. Das war überfällig. Das ökonomische Umfeld hatte sich seit der Bundestagswahl 2009 vollständig verändert. Wir haben uns noch an das Entlastungsversprechen gebunden gefühlt, als die Menschen die Lage längst anders eingeschätzt haben. Der Wunsch nach Entlastung und solider Finanzpolitik standen plötzlich gegeneinander – Wolfgang Schäuble hat das geschickt inszeniert. Unsere finanzpolitische Kompetenz wurde zwischen den Mühlsteinen Entlastungsversprechen und Solidität der Staatsfinanzen regelrecht zerrieben. Das sehen wir nun klarer.

Genscher: Man sollte sich stets die Freiheit erhalten, auf eine veränderte Lage reagieren zu können. Wer nichts ändern will, kann auch nichts gestalten.

Lindner: Die Entschuldung sollte allerdings unter dem Strich nicht über eine Erhöhung der Belastung erfolgen. Das wäre der einfachste Weg, der im Moment ja von links gefordert wird. Ich bezweifele, dass er nachhaltigen Erfolg hat. Das Problem der politischen Kultur bliebe: dass in Wahlkämpfen gerne Geld verteilt wird, das gar nicht zur Verfügung steht. Ich habe deshalb schon einmal vorgeschlagen, ob nicht neben der Schuldenbremse auch eine zweite Regel im Grundgesetz vorgesehen werden sollte, eine Belastungsgrenze oder »Steuerbremse«. Dass niemand mehr als die Hälfte seines Einkommens an den Fiskus abgeben sollte, hat das Bundesverfassungsgericht ja bereits einmal geurteilt.

Genscher: Darum halte ich die Entschuldung des Staates in jedem Fall für eines der zentralen Projekte Ihrer Generation, Herr Lindner. In Bayern wurde bereits damit begonnen, Altschulden zu tilgen. Wenn man diesen Weg fortsetzt, werden Mittel frei für Investitionen in Bildung, die heute noch für die Zinszahlungen benötigt werden. Das dient der Gerechtigkeit zwischen den Generationen, es erfüllt das Grundrecht auf Bildung, es ist aber auch wirtschaftspolitisch klug. Nicht zuletzt geben wir damit ein Beispiel für stabiles Haushalten in ganz Europa. Die Schuldenbremse, die wir für andere fordern, muss Deutschland zunächst selbst beachten.

Mit Blick auf die Steuerpolitik nur noch eine Anmerkung: Es ist wichtig, im Wege der Steuervereinfachung eine Übersichtlichkeit wiederherzustellen. Mit zahllosen Ausnahmen ist ein praktisch nicht mehr durchsichtiges Steuersystem geschaffen worden, das unverändert eine Reform verdient hat – an dieser Position sollte unsere Partei festhalten.

Lindner: Ja! In der jetzt zu Ende gehenden Legislaturperiode hat es diesbezüglich leider keinen Durchbruch gegeben, sondern nur einige Detailverbesserungen. Das ist aber kein Grund, die Vision eines einfacheren, niedrigeren und gerechteren Steuersystems insgesamt aufzugeben – im Gegenteil muss eine Partei weiter darauf drängen. Es ist eine Frage der Gerechtigkeit, die Rolle von Steuervermeidungsstrategien durch klare und für jeden nachvollziehbare Regeln zu begrenzen. Ein einfaches Steuerrecht stärkt auch unternehmerische Entscheidungen. Die sollten aus dem Glauben an eine Idee getroffen werden und nicht aus steuerrechtlichen Gründen. Das gab es ja schon: Nach der deutschen Einheit wurde beispielsweise unendlich viel Geld in die Sanierung von Schrott-Immobilien in den neuen Ländern investiert – nur aus Sehnsucht nach steuerlich verwertbarem Verlust.

Genscher: Das ist ein Negativbeispiel. Die Steuer ist für mich dennoch ein marktkonformes Lenkungsmittel, wenn man es mit Bedacht einsetzt. Ich nenne ein Positivbeispiel: Am Ende des Zweiten Weltkriegs war Deutschland weitgehend zerstört, es fehlte Wohnraum. Wie konnte man erreichen, dass das zur Verfügung stehende Kapital sich stark konzentriert auf den sozialen Wohnungsbau? Damals gab es den berühmten Paragraphen 7b, der praktisch ein gigantisches Wohnungsbauprogramm in Gang gesetzt und damit eine gesellschaftlich erwünschte Problemlösung angeboten hat. Nicht der Staat baute, sondern der Staat gab den Menschen die Chance zu bauen, um ein Ziel zu erreichen: dass jeder wieder ein Dach über dem Kopf hatte und auch menschenwürdig untergebracht wurde. Und Arbeitsplätze in großer Zahl entstanden obendrein. Genauso hat man damals den Schiffbau angekurbelt und anderes. Man muss nur aufpassen, dass von solchen Maßnahmen nicht der Grundsatz der Steuergerechtigkeit verletzt wird und man muss dafür sorgen, dass sie beendet werden, wenn der Anlass für ihre Einführung entfällt.

Lindner: Abgesehen davon – für mich ist die Vereinfachung des Steuerrechts nur *ein* Projekt. Alle Rechtsquellen – Arbeitsrecht, Mietrecht, Steuerrecht und andere –, mit denen die Bürgerinnen und Bürger im Alltag zu tun haben, sollten aus dem Gesetzestext heraus für jedermann verständlich formuliert sein. Wie wäre es, wenn der Deutsche Bundestag in jeder Legislaturperiode eines dieser Gesetzbücher straffen und vereinfachen würde?

Ein Lob der Agenda-Politik Schröders!

Genscher: Das wäre wahrlich eine Vision. Ich will nun aber noch über ein anderes Feld sprechen. Wir leben in einer Zeit, in der nicht mehr die über Jahrzehnte überschaubaren Berufsbilder gelebt werden. In meiner Jugend ergriff jemand einen bestimmten Beruf und konnte genau abschätzen, wie es weitergehen wird. Ob er Beamter, Angestellter oder Handwerker war, ob er Mittelständler war oder Manager, es gab ein im Grunde feststehendes Berufsbild. Das sieht in Ihrer Gegenwart, Herr Lindner, ganz anders aus. Jeder sieht sich mit ständig neuen Herausforderungen, Wahlmöglichkeiten, aber auch Veränderungen im Beruf konfrontiert – aber es eröffnet auch neue Chancen.

Lindner: Flexibilität wird heute von allen gefordert, die im Wirtschaftsleben stehen: So wenig wie die Menschen sich heute darauf verlassen sollten, ein ganzes Erwerbsleben in einem Beruf bei einem Arbeitgeber beschäftigt zu sein, so sehr sind auch Unternehmen einem ungekannten Innovations- und Wettbewerbsdruck ausgesetzt. Der Arbeitsmarkt ist zudem geteilt. Die einen müssen um eine berufliche Existenz kämpfen, um darauf ein Leben aufbauen zu können. Das sind vielfach diejenigen, die eine geringe Qualifikation haben und vom wirtschaftlichen Wandel besonders betroffen sind. Auf der anderen Seite wächst bei vielen der Wunsch, die eigene Biographie selbstbestimmt zu gestalten – von Familienphasen mit Teilzeitbeschäftigung, über den Wunsch nach einer längeren beruflichen

Freistellung, dem »Sabbatical«, bis hin zum flexiblen Übergang in den Ruhestand. Ich gehe davon aus, dass diese Wünsche nach individueller Lebensführung weiterwachsen – und das begreife ich als einen begrüßenswerten Schritt der Emanzipation. Zugleich ist es für alle ein Grundbedürfnis, in ihrem Leben eine gewisse Planbarkeit und Verlässlichkeit zu haben. Eine Herausforderung der Arbeitsmarktpolitik ist also: Die Versöhnung der allseits wachsenden Flexibilitätsanforderungen mit dem Sicherheitsbedürfnis der Menschen.

Genscher: Hier liegt eine große Chance und zugleich eine große Aufgabe für die liberale Politik in unserer sozialen Marktwirtschaft.

Lindner: Ja, ich würde es so sagen: Der deutsche Wohlfahrtsstaat ist noch weitgehend konservativ organisiert. Sein Ziel ist Statussicherung. Die Besitzer eines Arbeitsplatzes haben gesicherte Rechte – das sind die Insider. Deren Rechte sind zugleich die Hürden für die Outsider und Einsteiger. Ich glaube, dass wir lernen können von skandinavischen Ländern wie Dänemark, wenngleich man nicht alles von einem Land mit 5 Millionen Einwohnern auf unsere Verhältnisse übertragen kann. Dort spricht man von Flexicurity – der Verbindung von Flexibility und Security, also Flexibilität und Sicherheit. Darunter wird dort aber nicht die Sicherung eines einmal erreichten Status zum Beispiel durch einen starren Kündigungsschutz verstanden, sondern die intensive Begleitung bei der Neuorientierung durch eine vergleichsweise hohe materielle Unterstützung und aktive Vermittlung, Qualifikation und anderes.

Genscher: Der Blick über den nationalen Tellerrand zeigt uns gute und schlechte Beispiele, mit dem Wandel umzugehen. Solche Debatten sind notwendig. Ich rate allerdings dazu, sie mit großer Sensibilität zu führen. Hier berührt man Ängste vor sozialem Abstieg – ich kann das gut verstehen.

Und es kann zu leicht der Eindruck erweckt werden, die menschliche Arbeitskraft sei eine Ware wie jede andere. Wir sind uns einig: Das ist sie nicht.

Lindner: Ja, das Wort »Reform« verbindet eine große Zahl der Deutschen nicht mehr mit einer Verbesserung, sondern mit der Erwartung, dass ihnen etwas genommen werden soll.

Genscher: Ganz anders als etwa zu Beginn der siebziger Jahre, als mit dem Wort »Bildungsreform« ein gesellschaftlicher Aufbruch verbunden war! Der Bedeutungswandel hat unzweifelhaft etwas mit der Diskussion um die Hartz-Gesetze zu tun.

Lindner: Dabei verdankt sich die gegenwärtige Stärke Deutschlands zu einem guten Teil der Agenda-Politik von Gerhard Schröder. Weil man es uns Liberalen nicht unbedingt zutraut, will ich ergänzen: Die kluge Tarifpolitik von Gewerkschaften und Arbeitgebern hatte ebenfalls einen wichtigen Anteil. Viele Forderungen nach Flexibilität, denen der Gesetzgeber aufgrund ideologischer Auseinandersetzungen nicht folgen konnte, haben die Gewerkschaften zudem vor Ort pragmatisch durch betriebliche »Bündnisse für Arbeit« ermöglicht. Ich stelle in bestimmten Fragen auch heute eine große Übereinstimmung mit Gewerkschaftern fest. Ich hatte beispielsweise den Chef der IG BCE, Michael Vassiliadis, zu Gast in meiner Landtagsfraktion. Seine Mitglieder seien von der Energiewende als – wie er sagte – »taxpayer«, als Stromkunden und als Inhaber nun unsicher gewordener Arbeitsplätze dreifach betroffen. Deshalb brauche man neue »Tools« in der Energiepolitik, worunter er mehr Wettbewerb und weniger Subventionen verstanden hat. Ein ganz fortschrittlicher Mann, der meine Kolleginnen und Kollegen beeindruckt hat. Hoffentlich schadet Herrn Vassiliadis dieses Lob aus der FDP nicht …

Genscher: Gut, dass Sie die Rolle der Gewerkschaften differenziert darstellen. In der Vergangenheit hat es aus den Reihen der FDP auch undifferenzierte Stellungnahmen gegeben. Wir wollen nicht vergessen, dass die Tarifpartner der Sozialen Marktwirtschaft Deutschland einen Betriebsfrieden gesichert haben, der international ein großer Standortvorteil unseres Landes ist. Die langwierigen Arbeitskämpfe Frankreichs und Großbritanniens sind uns erspart geblieben.

Lindner: Zur Vollständigkeit des Lagebildes gehört, dass man die klassenkämpferischen Parolen der Dienstleistungsgesellschaft ver.di nicht unterschlagen darf. Nach meinem Dafürhalten muss es organisationspolitische Gründe für dieses Auftreten geben. IG Metall und IG BCE arbeiten eher konstruktiv an wirtschaftlichen Notwendigkeiten, ver.di muss anscheinend Mitglieder über teils schrille Kampagnen werben.

Genscher: Die »Agenda 2010« hat den Arbeitsmarkt jedenfalls insgesamt beweglicher gemacht. Mit positiver Wirkung, wie der Rückgang der Langzeitarbeitslosigkeit und die Rekordzahl bei den Beschäftigten heute zeigt. Wesentliche Elemente der »Agenda 2010« waren übrigens bereits im seinerzeitigen Lambsdorff-Papier enthalten, zum Beispiel die Zusammenlegung von Arbeitslosenhilfe und Sozialhilfe. Da sieht man, wie lange manchmal eine richtige Idee in der Politik bis zur Durchsetzung benötigt.

Lindner: Die Millionen Menschen, die jetzt wieder einen Arbeitsplatz haben, würden bestreiten, dass das seinerzeit alles »Sozialabbau« war. Ich wage, das trotz des gewachsenen Niedriglohnbereichs zu sagen. Zu oft werden mir diese Arbeitsverhältnisse kritisiert, weil sie angeblich sozial ungerecht seien. Man muss dabei sagen: Wer hier beschäftigt ist, wäre zuvor oft ohne Arbeit gewesen. Eine erste Beschäftigung mit Aufstiegsperspektive, eine Struktur im Alltag, das Gefühl dabei zu sein – das ist besser als Arbeitslosigkeit. Arbeit ist nicht nur Einkommen, sondern auch Identität und Sinn. Zur Sozialen Gerechtigkeit gehört deshalb zuerst die Beteiligungsgerechtigkeit, das Recht auf Teilhabe am Arbeitsmarkt.

Die »Agenda 2010« teilweise wieder zurückzudrehen, wie das in der aktuellen Machtauseinandersetzung um die Bundestagswahl von SPD und Grünen gefordert wird, wäre auch aus diesem Grund falsch. Diese Ansätze sollten stattdessen weiterentwickelt werden, also nicht Orientierung zurück, nicht sozial restaurativ, sondern sozial innovativ. Ich will dafür ein aktuelles Beispiel nennen: die verlängerte Zahlung des Kurzarbeitergeldes in Konjunkturkrisen. Das zeigt, wie man Sicherheit für Arbeitnehmer mit der Rücksichtnahme auf die betriebswirtschaftlichen Erfordernisse von Unternehmen verbinden kann. Zukünftige Veränderungen sollten in diesem Sinne als Tausch angelegt werden: zusätzliche Flexibilität hier, neue Formen von Sicherheit dort. Das würde die Menschen mitnehmen, denn sie erkennen doch, dass der Arbeitsmarkt und auch die Welt im Wandel sind. Sie wollen nur nicht allein gelassen werden. Die Mehrheit war und ist bereit zur Veränderung, aber man muss den Menschen auch zeigen, dass sie den Anforderungen des Marktes nicht schutzlos ausgeliefert sind.

Genscher: Das teile ich. Wo würden Sie denn im Interesse der Beschäftigten konkret ansetzen?

Lindner: Für mich stellt sich die Frage, in wieweit wir noch die Mitverantwortung des Arbeitgebers für die Qualifikation seiner Mitarbeiterinnen und Mitarbeiter stärken können. Zunächst ist das natürlich eine Frage der Eigenverantwortung – das will ich nicht relativieren. In der Wissensgesellschaft ist der Verlust von Qualifikation ein neues Risiko, das neben Arbeitslosigkeit, Krankheit, Pflegebedürftigkeit oder Unfall steht. Wer über viele Jahre die Qualifikation der Beschäftigten nutzt, aber irgendwann feststellt, dass sie nicht mehr auf der Höhe der Zeit sind und er sie nicht mehr gebrauchen kann, der handelt verantwortungslos. Die Qualifikation und damit die Arbeitsmarktfähigkeit der eigenen Belegschaft auf der Höhe der Zeit zu halten, ist gleichermaßen im langfristigen eigenen und gesellschaftlichen Interesse.

Der bisherige Bildungsurlaub ist nach allem, was ich höre, nicht praktikabel. Er wird der Herausforderung »Lebenslanges Lernen« nicht gerecht. Es trägt auch nicht zur Popularität am Arbeitsplatz bei, wenn jemand darum bitten muss. Diskutieren könnte man eine Selbstverpflichtung der Tarifpartner, eine Weiterentwicklung der Arbeitslosenversicherung in Bezug auf den Präventionsgedanken, an verbindlichere Freistellungsmöglichkeiten oder an ein gemeinsames »Bildungssparen« von Arbeitnehmern und Arbeitgebern –, aber ich bekenne mich ausdrücklich dazu, hier noch keine fertige Lösung im Sinne unserer Verantwortungswirtschaft im Gepäck zu haben.

Grundregeln gegen das Auseinanderbrechen des Arbeitsmarktes

Genscher: Auch der Staat könnte sich daran beteiligen, indem er die während Schul- und Semesterferien freistehenden Kapazitäten in Berufs- oder Hochschulen zur Verfügung stellt. In anderen Ländern sind »Summer Schools« längst etabliert. Ich will aber noch einen anderen Problembereich ansprechen, den Sie eben bereits erwähnt haben, als Sie von denjenigen sprachen, die um eine berufliche Basis kämpfen müssen.

Lindner: Prekäre Beschäftigung, Zeitarbeit, Niedriglohnbereich …

Genscher: Ja. Sollten nicht auch wir Liberale hier nachdenken über Grundregeln, die ein Auseinanderfallen des Arbeitsmarktes begrenzen?

Lindner: Wir müssen, Herr Genscher. Das ist eine Frage der Leistungsgerechtigkeit, die viele Menschen bewegt. Für mich heißt das zum einen, dass jeder von den Ergebnissen seiner individuellen Schaffenskraft profitieren sollte. Bei mittleren Einkommen greift der Fiskus durch die stark steigende Progressionskurve sehr stark zu – bereits die Inflation führt zu Mehrbelastung durch die sogenannte kalte Progression. Wenn dadurch der Staat mehr von einem Aufschwung profitiert als diejenigen, die ihn erarbeitet haben, ist das nicht fair. Auch die aktuellen Forderungen nach einem höheren Spitzensteuersatz sehe ich kritisch. Betroffen sind davon alle, die etwa das 1,4-Fache des Durchschnittsverdienstes erzielen. Das ist nicht die Champagner-Etage der Gesellschaft – das sind der Mittelstand und die qualifizierten Angestellten. Wenn hier deutlich erhöht wird, steigt die Grenzbelastung irgendwann auf über 50 Prozent. Mehr von seinem Erfolg abgeben müssen, als man behalten darf – das widerspricht meinem Verständnis von Leistungsgerechtigkeit. Ganz abgesehen davon, dass volkswirtschaftlich eine Schwächung des Mittelstands schädlich ist. In diesen Fragen ist das Urteil der FDP klar und nachvollziehbar, wie ich finde.

Aber nun kommen wir zur anderen Seite des Arbeitsmarktes, die Sie ja explizit ansprechen. Wenn viele Menschen für sehr niedrige Löhne arbeiten, mit denen sie nicht den eigenen oder den Unterhalt der Familie bestreiten können, dann kann das niemanden kalt lassen. Es widerspricht auch der Leistungsgerechtigkeit, wenn jemand fleißig und engagiert ist, dennoch aber dauerhaft auf Solidarität angewiesen bleibt. Hier besteht kein Anlass zu Orthodoxie, denn der marktwirtschaftliche Charakter der FDP basiert nicht darauf, jede Art von Regulierung etwa in der Form von Lohnuntergrenzen pauschal abzulehnen. Das widerspräche auch dem konkreten Regierungshandeln, denn wir haben ja etwa im Bereich der Pflegeberufe einen Mindestlohn ermöglicht. Ich glaube zudem, dass die Klage über fehlende Mindestlöhne teilweise genauso politisch überzeichnet ist wie die Warnung vor den Verheerungen, die eintreten würden, gäbe es Lohnuntergrenzen. Beide Lager sind ideologisch hochgerüstet. Dabei geht es im Kern nur darum, in bestimmten Bereichen Grundregeln durchzusetzen.

Genscher: Ich denke, dass für ein Land wie Deutschland, das sich als sozialer Rechtsstaat versteht, gelten sollte, dass ein Vollzeiteinkommen ausreicht, um davon leben zu können. Dieses Minimum muss also von einem normalen Arbeitspensum gesichert sein. Es kann und sollte auch mehr werden. Denn für eine menschenwürdige Gesellschaft muss selbstverständlich sein, dass jemand, der in Vollzeit arbeitet, auch seinen Lebensunterhalt bestreiten kann. Das heißt aber nicht, die Tarifhoheit auszuhebeln, denn sie ist ein wichtiges, weil erfolgreiches Element des deutschen Arbeitsmarktes.

Lindner: Ich erlaube mir den nur ergänzenden Hinweis, dass es kompliziert wird, sobald eine Familie mit Kindern ins Spiel kommt. Dann ist der Anspruch auf Sozialleistungen mitunter so hoch, dass ein entsprechender Mindestlohn bei einem Arbeitnehmer eine Höhe haben müsste, die tatsächlich zu einem Arbeitsplatzabbau führen würde. Auch bei Auszubildenden und Menschen mit großen Einstellungshemmnissen, denken wir an die Langzeitarbeitslosen, könnte eine Lohnuntergrenze zu einer unüberwindlichen Hürde werden. In diesen Fällen bietet sich eine Kombination aus einem fairen Lohn und der Unterstützung der Solidargemeinschaft an. Dabei muss man allerdings Missbrauch ausschließen: Es ist nicht akzeptabel, wenn in Branchen Geschäftsmodelle darauf aufbauen können, die Beschäftigten so schlecht zu bezahlen, dass der Sozialstaat diesen noch Geld dazugeben muss. Das ist unternehmerischer Egoismus gleichermaßen zulasten der Arbeitnehmer und aller Steuerzahler, der im scharfen Gegensatz zu einer Verantwortungswirtschaft steht.

Genscher: Das kann zu einem Erschleichen von Subventionen verleiten! Im übrigen müssen die Tarifpartner auch in diesem Bereich eine wichtige Rolle spielen.

Lindner: Ja. Ihren Hinweis auf die Tarifautonomie will ich ausdrücklich unterstreichen: Ein von der Politik ohne Tarifpartner einheitlich für alle Branchen festgelegter Mindestlohn verführt zu einem Überbietungswettbewerb in Wahlkämpfen, der am Ende zulasten der Geringqualifizierten und Einsteiger ginge. Er hätte eine enorme Sogwirkung auf die Tarifpolitik insgesamt – alle Abschlüsse würden sich in der Praxis an der Entwicklung des Mindestlohns orientieren, obwohl die Lohnuntergrenze mutmaßlich weniger von der Produktivität als von der Preisentwicklung beeinflusst wäre. Ich stelle mir im übrigen die Frage, warum das bestehende »Mindestarbeitsbedingungengesetz« nicht genutzt wird. Da ist ein Hauptausschuss vorgesehen, der in Branchen ohne hinreichende Tarifbindung prüfen kann, ob soziale Verwerfungen vorliegen. Falls ja, können Mindestarbeitsentgelte festgelegt werden. Die Befürworterinnen und Befürworter eines Mindestlohns, von der CDU-Ministerpräsidentin von Thüringen bis zu Hannelore Kraft, haben nicht ein einziges Mal einen Antrag gestellt, konkrete soziale Verwerfungen zu beantworten. Was soll man davon halten?

Für mich gilt also: Ja, die Notwendigkeit tariflicher Lohnuntergrenzen – das Attribut und der Plural sind wichtig – muss man prüfen, wenn die Tarifbindung in bestimmten Branchen und Regionen zurückgeht. Ich bin aber in jedem Fall gegen den einheitlichen politischen Mindestlohn. Über solche Fragen sollten weiter Vertreter der Arbeitgeber, der Gewerkschaften und unabhängige Wissenschaftler beraten – und zwar jeweils regional und für eine Branche. Überdies muss es für Schwächere am Arbeitsmarkt

Öffnungen geben – die Niederlande haben als einziges Land mit Mindestlohn kein Problem mit der Jugendarbeitslosigkeit, weil jüngere Arbeitnehmer vom Mindestlohn ausgenommen werden, da sie wegen ihrer geringeren Erfahrung auch weniger produktiv sind.

Den sozialen Frieden pflegen? Den Mittelstand schützen?

Genscher: Für mich hat diese Debatte um den Arbeitsmarkt auch eine übergeordnete Bedeutung. Beklagt wird ja, dass die Einkommens- und Vermögensverhältnisse in Deutschland auseinanderstreben. Wie weit das zutrifft, ist gegenwärtig in der Diskussion. Deshalb muss man sich mit besonderer Aufmerksamkeit um jene bemühen, die von der Entwicklung abgehängt werden könnten. Im Vergleich zu anderen Staaten haben wir eine Mittelschicht, die ich mir noch breiter wünsche. Ludwig Erhards Ziel war nicht »Wohlstand für einige«, sondern »Wohlstand für alle«. Das hat in unserem Land zu politischer Stabilität geführt. Die Spannungen, die es etwa in Brasilien zwischen Reichen in abgeschotteten Wohnvierteln und den Armen in elenden Siedlungen vor der Stadt gibt, sind Deutschland erspart geblieben. Diesen sozialen Frieden müssen wir pflegen.

Lindner: Diesen Gesellschaften fehlt ihr Zentrum. Hierzulande gibt es soziale Unterschiede, aber im Prinzip – wenn ich jetzt von wenigen Bitterarmen und Superreichen absehe – teilt die deutlich überwiegende Mehrheit eine vergleichbare Lebenssituation. Nach meinem Eindruck verfangen deshalb die teilweise klassenkämpferisch vorgetragenen Forderungen nach mehr Umverteilung für mehr Gleichheit nicht. Die Menschen akzeptieren gewisse soziale Unterschiede, wenn die Vermögenden sich verantwortlich verhalten – und vor allem, wenn es für alle wirklich realisierbare Aufstiegschancen gibt. Die katholischen Bischöfe haben dazu 2011 in einem Sozialwort einen außerordentlich interessanten Satz notiert: »Mit Freiheit ist notwendigerweise ein gewisses Maß an Ungleichheit verbunden, die sich schon aus der Einmaligkeit der Person ergibt.«

Das ist der fundamentale Unterschied zwischen der Forderung nach Gleichheit oder der nach Leistungsgerechtigkeit. Das Versprechen, dass das eigene Engagement und der eigene Fleiß einen Unterschied machen – darauf kommt es an. Die Gründerväter der Sozialen Marktwirtschaft wollten ausdrücklich kein »Pumpwerk der Einkommen«, wie Wilhelm Röpke gesagt hat, sondern die Möglichkeiten schaffen, dass jeder aus eigener Kraft etwas erreichen kann. Es kann nicht so bleiben, dass dieses große Aufstiegsversprechen heute für viele nur noch theoretisch und hohl klingt.

Genscher: Was tun?

Lindner: Wir haben über einiges schon gesprochen. Die wirtschaftlichen Rahmenbedingungen müssen erstens sichere Arbeitsplätze ermöglichen. Deshalb darf vor allem der Mittelstand nicht durch die überzogene, von Frankreich inspirierte Finanzpolitik geschwächt werden. Dort ist das Gros der Arbeits- und Ausbildungsplätze. Ich bin deshalb ganz dezidiert gegen steuerpolitische Vorhaben, die die Substanz von Unternehmen beschneiden. Darauf laufen die Pläne von Rot-Grün aber hinaus, wenn ein Betrieb auch in Verlustphasen erhebliche Steuerzahlungen zu leisten hat. Was bringen da zunächst Millionen Euro mehr in der Staatskasse, wenn dafür irgendwann wieder Millionen Menschen auf der Straße stehen könnten – und die Steuereinnahmen ausbleiben? Bei diesen Vorschlägen wird sehr mechanisch und nicht in Wechselwirkungen gedacht. Kurz gesagt: Die Kuh, die man melken möchte, darf man nicht schlachten.

Zweitens müssen wir durch geeignete Regeln das Fundament unserer Gesellschaft festigen, damit auch Schwächere Chancen haben. Wo es also soziale Verwerfungen gibt, wo Starke die Schwächeren ausnutzen können, muss der Rechtsstaat einschreiten. Dabei geht es weniger um Massenphänomene, sondern auch um das Gefühl, dass es in der Gesellschaft für alle ihre Mitglieder gerecht zugeht.

Drittens darf die politische Debatte in Deutschland nicht länger nur um Vermögende und die Empfänger von Transferleistungen kreisen – dazwischen ist die breite Mittelschicht, die mit ihrer fiskalischen Feuerkraft unseren Staat finanziert und mit ihrem Fleiß Deutschlands Wettbewerbsfähigkeit begründet. Diese Millionen Menschen haben ein Recht darauf, dass die Politik die Grenzen ihrer Belastungsfähigkeit beachtet. Beispielsweise über die kalte Progression haben wir ja bereits gesprochen.

Und viertens brauchen wir Investitionen in Qualifikation, denn nichts entscheidet mehr über die Aufstiegschancen eines jeden Einzelnen.

Genscher: Und damit sind wir bei der Bildungspolitik angekommen.

»Hundert Prozent für Bildung!«

Genscher: Meine Antwort auf die Diskussion um die Rente und die Sicherung eines ausreichenden Lebensunterhalts im Alter ist Bildung. Oder anders formuliert, die erste Antwort auf die Frage der Höhe der Rente gibt das Bildungssystem. Je besser das Bildungssystem, desto sicherer ist die Rente. Nur wird dieser Zusammenhang oft nicht gesehen. Dabei ist gerade ein Land wie Deutschland existenziell von dem Erhalt und Ausbau einer Wissensgesellschaft mit hohem Bildungsstandard abhängig. Nur so können wir Spitze sein und Spitze bleiben.

Lindner: Das Bildungssystem spielt eine größere Rolle in Bezug auf die Wettbewerbsfähigkeit als das Steuersystem.

Genscher: Anders gesagt: Unsere Kinder stehen in einem Wettbewerb mit den Gleichaltrigen überall in der Welt. Für mich ist entscheidend, dass jedes Kind seine Fähigkeiten mit den gleichen Chancen entwickeln kann. Das darf nicht von der Finanzlage oder dem Bildungsgrad des Elternhauses abhängig sein. Der Wettbewerb beginnt darum bei der Fähigkeit und dem Willen, die angeborenen Chancen zu nutzen. Nur eine solche Gesellschaft wird als gerecht empfunden werden, die dafür die Voraussetzungen schafft. Und nur sie wird auf Dauer mit ihren Leistungseliten soziale Stabilität und Gerechtigkeit garantieren können. Ein Gesellschaftsmodell, das auf die Privilegien von Standeseliten, Einkommenseliten, Einflusseliten oder Parteibucheliten setzt, wird am Ende scheitern. Jede Gesellschaft braucht für den Fortschritt Leistungseliten. Aber das muss auch bedeuten, dass die Voraussetzungen für gleiche Lebenschancen geschaffen sind. Wenn nicht, dann treten an die Stelle der Leistungseliten die Standeseliten. Das zu verhindern, ist für Liberale zentral.

Lindner: In der Tat, Bildung ist wirtschaftlich betrachtet ein entscheidender Faktor für unsere Wettbewerbsfähigkeit, vor allem ist sie jedoch gesellschaftlich betrachtet der Garant für individuelle Emanzipation. »Bildung als Bürgerrecht«, hat Ralf Dahrendorf gefordert. Wie soll man teilhaben an unserer Kultur, wenn man keinen eigenen Anknüpfungspunkt hat? Wie soll man sich in einer komplexen Gesellschaft orientieren, wenn man die Zusammenhänge nicht versteht? Auch sozialer Aufstieg hängt mehr denn je von individueller Qualifikation ab. Wir haben große Freiheiten, aber voll nutzen kann sie nur, wer über Bildung verfügt. Insofern handelt es sich wirklich um die zentrale politische Aufgabe, um eine gerechte Gesellschaft zu verwirklichen und die Menschen zu befähigen, in der Freiheit zu bestehen.

Genscher: Sie haben sich bald ein Jahrzehnt mit diesen Fragen im Parlament auseinandergesetzt. Wenn ich das richtig sehe, haben Sie in Ihrer politischen Tätigkeit ja sogar die Bildungslaufbahn regelrecht abgeschritten: begonnen als Fraktionssprecher für den Bereich Kindergärten, zuletzt Experte für Hochschulen. Deshalb will ich jetzt erst einmal zuhören. Also, was tun?

Drei Projekte für die Bildung

Lindner: Ich will drei grundlegende Herausforderungen hervorheben. Erstens brauchen wir mehr Aufmerksamkeit für die frühe Förderung von Kindern in Kindertageseinrichtungen und Grundschulen. Diese beiden Bereiche sollten auch stärker zusammen betrachtet werden, der Übergang kann und muss besser, fließender werden. Wir wenden viele Mittel für die gymnasiale Oberstufe auf, aber die Grundlagen einer Biographie werden bereits lange vorher gelegt. Da muss das Bildungssystem gewissermaßen vom Kopf auf die Füße gestellt werden. Also kleinere Gruppen, mehr Einzelförderung – gerade in der deutschen Sprache bei Kindern aus zugewanderten Familien. Der Spracherwerb ist der Schlüssel für den späteren Erfolg in der Schule.

Ich bin auch dafür, die Ausbildung der Kräfte in KiTas und Grundschulen aufzuwerten. Im Ausland ist für den Elementarbereich beispielsweise ein pädagogischer Hochschulabschluss obligatorisch. Mindestens für die Leitungskräfte der Einrichtungen sollte das bei uns auch Standard werden. Deren Aufgaben haben sich massiv gewandelt: Früherkennung von Förderbedarf, Verknüpfung mit anderen Einrichtungen des sozialen Netzes, Elternarbeit – das erfordert andere Qualifikationen.

Genscher: Einverstanden. Das sagt mir auch Klaus Kinkel, der als Chef der Telekom-Stiftung viele Projekte auf den Weg bringt. Das ist für sich genommen übrigens auch ein Beleg für die Bedeutung des Themas: dass sich ein ehemaliger Außenminister nach seiner aktiven Zeit vor allem um Bildung und Wissenschaft kümmert.

Lindner: Diese Aufgabe ist zentral, auch um die eklatante Bildungsungerechtigkeit in Deutschland zu überwinden. Die sozialen Aufstiegschancen hängen bei uns in nicht zu akzeptierender Weise von der Herkunft ab. Ich glaube, das liegt daran, dass wir uns stark orientiert haben auf den Bereich der weiterführenden Schulen. Aber das Fundament des Bildungssystems, wo über einen chancengerechten Einstieg in das Leben entschieden wird, ist vernachlässigt worden. Der ganze Bereich der Kindertageseinrichtungen, der vorschulische Bereich, Grundschule – der ist in seiner Bedeutung unterschätzt worden.

In meiner Zeit als Fachpolitiker für Kindergärten habe ich regelmäßig im Sommer in KiTas hospitiert. Die hellen und manchmal auch sehr hellen Stimmen der Kinder, die durcheinanderlaufen, da zieht eines am Ärmel, dann weint ein anderes – nach diesen Tagen in der KiTa habe ich eine einwöchige Wehrübung bei der Luftwaffe gemacht. Das war im Vergleich Erholungsurlaub. Und ein startender Jet ist sicher nicht lauter als ausgelassene Kinder im Sand. Ich habe großen Respekt gewonnen vor allen, die sich hier engagieren.

Genscher: Das will ich ausdrücklich unterstreichen. Und da unterscheiden wir uns beispielsweise von Frankreich, wo bereits zu Zeiten von Charles de Gaulle anders gedacht wurde. Auch um den Frauen bessere Möglichkeiten zu einer Berufstätigkeit zu eröffnen. Wenn ich die berechtigten Forderungen nach der Gleichberechtigung der Frau höre, dann fällt mir immer auch der Begriff gleiche Ausbildungs- und Bildungschancen ein. Meine Mutter hatte in unserem Dorf vor dem Ersten Weltkrieg die einklassige Volksschule besucht. Dann arbeitete sie auf dem elterlichen Bauernhof bis zur Verheiratung mit meinem Vater. Genauso erging es ihrer Schwester. Der einzige Bruder aber, bei dem von Anfang an feststand, dass er den Hof übernehmen würde, besuchte wie selbstverständlich und wie zuvor auch mein Großvater die Höhere Schule. Als mein Vater 1937 starb, ich war neun Jahre alt, stand meine Mutter ohne berufliche Ausbildung vor erheblichen Schwierigkeiten.

Lindner: Heute haben Frauen andere Probleme. Sie sind bestens ausgebildet, können aber, sobald sie Mutter werden, oft in ihrem Beruf nicht mehr voll reüssieren, weil sie keine adäquaten Betreuungsplätze für ihre Kinder finden. Nicht nur rein quantitativ stimmt das Angebot nicht, auch qualitativ muss es besser werden. Hierzulande wird die Arbeit in den KiTas bis heute gelegentlich verniedlicht als eine Form der Betreuung, der Pflege, des Spiels – dabei geht es für die Kinder um das Erlernen von Fähigkeiten, die entscheidend sind für ihre Persönlichkeitsbildung: zuhören können, den Sinn des Gehörten verstehen können, nicht fremdeln, sich konzentrieren können.

Damit kein Missverständnis entsteht: Ich meine nicht das Vorbild der französischen École Maternelle, in der den Kindern mit vier Jahren schon das Alphabet und das Zählen eingebimst wird. Managerkurse für Kleinkinder brauchen wir nicht. Mir geht es darum, sie zu befähigen, später in der Schule mitarbeiten zu können; dass sie insbesondere die deutsche Sprache sprechen – wenn diese Grundlagen nicht schon vor der Einschulung gelegt werden, dann gelingt das auch nicht mehr während der Grundschule. Das ist aus meiner Sicht das Kernproblem, weshalb wir gegenwärtig eine so geringe Durchlässigkeit in der Gesellschaft und noch immer eine so starke Herkunftsorientierung im Bildungssystem haben. Der familiäre Hintergrund entscheidet gerade bei Zugewanderten über den Bildungserfolg der Kinder und Jugendlichen – das ist skandalös. Das Bildungssystem muss allen faire Chancen bieten.

Genscher: Die Abhängigkeit vom familiären Hintergrund ist für mich das besorgniserregendste Ergebnis der internationalen Bildungsuntersuchungen. Wenn nur zehn bis 15 Prozent der aus der Türkei stammenden jungen Männer und Frauen die Hochschulreife erreichen, dann stimmt etwas nicht.

Lindner: Die sind nicht weniger talentiert als ihre Altersgenossen. Da gehen den Einzelnen Lebenschancen verloren – das ist unfair und muss gerade uns Liberale auf den Plan rufen. Dahrendorf hat ja mal die katholische Arbeitertochter vom Land als bildungspolitische Herausforderung beschrieben. Heute müsste man sagen: der junge Muslim mit türkischen Wurzeln aus der Großstadt. Wir haben jetzt die Wahl: Entweder man lässt das laufen und erhöht damit den sozialen Druck, der sich irgendwann explosiv entladen kann, oder wir heben das Potenzial dieser jungen Menschen, die mit uns gemeinsam einen wichtigen Beitrag für unser Land leisten können; gerade angesichts des demographischen Wandels.

Im Grunde gibt es also keine Alternative: mehr Sprachförderung schon vor der Einschulung, intensive fachliche und erzieherische Betreuung während der Schulzeit, ein fließender Übergang zwischen Schule und Ausbildung im »Dualen System«. Für Kinder und Jugendliche aus Zuwandererfamilien darf die öffentlich unterstützte Bildung nicht mit dem Ende der Schulpflicht oder dem Schulabschluss auslaufen. Ziel muss viel stärker als bisher die Arbeitsmarktintegration sein.

Genscher: Gut, diesen Punkt können wir verlassen. Ich bin gespannt auf Ihr zweites Projekt.

Mehr Freiheit für die Schulen!

Lindner: Mehr Freiheit für die einzelne Schule und für den einzelnen Lehrer. Das scheint mir ein Schlüssel zu sein. Es gibt viele internationale Vergleichsstudien. Fälschlicherweise wird oft die Schulstruktur im Zusammenhang mit der Qualität betrachtet. Tatsächlich schneiden die Länder besser ab, die mehr Verantwortung an die Praktiker vor Ort abgeben – die den Bedarf besser einschätzen können. Das ist keine Überraschung. Bildung spielt sich ja nicht in

Gesetzen, Erlassen und Verordnungen ab, sondern im Idealfall in einem Klassenraum, in dem sich motivierte und gut ausgebildete Lehrer und Schüler treffen, die aus dem Elternhaus eine gewisse zivilisatorische Mitgift erhalten haben. Um dieses – ich unterstreiche das Wort – »Ideal« zu erreichen, müssen wir die Bedingungen verbessern.

Wenn nach Umfragen 60 Prozent der Lehrerinnen und Lehrer sagen, sie wünschen sich mehr Freiheiten, von als starr empfundenen Lehrplänen einmal abzuweichen, wenn sie erkennen, dass eine andere Frage viel wichtiger wäre für die Klasse – dann muss man das ermöglichen. Dieses Engagement darf nicht brachliegen. Die Schulen sollten auch über ihre Ressourcen stärker selbst entscheiden können: Brauchen wir einen neuen Physikraum oder einen neuen Konzertflügel, brauchen wir einen neuen Sportlehrer oder eher einen zusätzlichen Sozialarbeiter? Das läuft auf eine neue Bildungsverfassung hinaus, die auf der einen Seite mehr Freiheit in die einzelne Schule, den einzelnen Klassenraum bringt und auf der anderen Seite klare Zielvorgaben definiert. Gerne auch stärker einheitlich im Bund. Über das Erreichen der Zielvorgaben wäre dann auf der Basis von Berichten zur Qualität der einzelnen Schule öffentlich zu diskutieren. Was meinen Sie, welche Aufmerksamkeit ein solcher Qualitätsbericht der örtlichen Schulen in einer Gemeinde hätte!

Genscher: Was Sie zur Bedeutung der Lehrer gesagt haben, gefällt mir. Die Anforderungen und die Erwartungen an die Lehrer sind heute viel größer als früher, auch, was ihre Weiterbildung angeht. Wobei man feststellen muss, dass schon die Lehrerbildung als solche, also die Pädagogik im Studium, vernachlässigt wird, weil das Angebot der Universitäten mehr auf die Wissensvermittlung für die beabsichtigten Lehrfächer konzentriert ist. Wie dieses Wissen später an Kinder und Jugendliche vermittelt werden kann, wird allerdings zu wenig gelehrt. Der pädagogische

Aspekt in der Lehrerausbildung und auch der Fortbildung muss gestärkt werden.

Lindner: Damit haben Sie meinen dritten Punkt, den ich darlegen wollte, vorweggenommen: die Verbesserung der Lehrerqualifikation. Wenn man sich dabei aber allein auf eine veränderte Ausbildung verlassen wollte, würde die Qualitätsverbesserung allerdings eine ganze Generation beanspruchen. Wenn wir vom lebenslangen Lernen sprechen, dann muss das beim Schulpersonal beginnen. Mein konkreter Vorschlag: Die Lehrerinnen und Lehrer sollten in regelmäßigen Abständen wieder für ein Fortbildungssemester an die Hochschule zurückkehren können. Die Praktiker könnten sich so mit neuem methodischem Knowhow vertraut machen, die Studierenden wiederum könnten von deren Erfahrungen aus dem Alltag profitieren. Es wertet zudem den Lehrerberuf auf, wenn der Dienstherr Staat die Weiterqualifikation so ernst nimmt.

Genscher: Das gilt für das Methodische, es gilt aber auch für die Entwicklung des Fachwissens in einer sich immer schneller verändernden Wissenschaftswelt. Besonders deutlich wird das natürlich bei den naturwissenschaftlichen Fächern. Wir als Gesellschaft müssen uns einig darüber werden, wie wir die Aufgabe von Lehrern bewerten und was sie uns wert ist – das drückt sich auch in der Bezahlung aus. Wir sind eine Gesellschaft mit großen Lebenschancen, der Lehrerberuf aber bietet nur wenige Aufstiegsmöglichkeiten. Das heißt, da leisten Leute während ihres ganzen Berufslebens eine außerordentlich wichtige Arbeit für die Zukunft unseres Landes und haben selbst keine großen Chancen voranzukommen. Das ist leider symptomatisch: Eines der reichsten Länder der Welt nutzt seinen Reichtum nicht, um das Bildungssystem stetig zu verbessern und so zukunftsfähig zu bleiben. Um Bildung als Bürgerrecht zu realisieren, müssen wir zu einer vollkommen neuen Prioritätensetzung kommen, auch in Bezug auf die Finanzmittel. Bildung muss ganz oben stehen, von der Organisation dieser Bildung ganz zu schweigen – damit meine ich die Gestaltung des Bund-Länder-Verhältnisses. Davon haben Sie bei Ihrer Bildungsverfassung nur am Rande gesprochen. Ich halte das sogenannte Kooperationsverbot, das die damalige CDU/CSU- und SPD-Koalition vor wenigen Jahren eingeführt hat, für einen echten Schildbürgerstreich: Dem Bund und den Ländern ist nun durch das Grundgesetz ausdrücklich verboten, gemeinsam Bildungsaufgaben zu finanzieren. Dieser Irrsinn muss beseitigt werden.

Lindner: An Ihre Bemerkung zu den Aufstiegschancen will ich eine Forderung anschließen: Die Forschung zeigt, dass der Lernerfolg einer Klasse stark von der Leistung der Lehrperson abhängt. Sollten nicht besonders erfolgreiche Lehrerinnen und Lehrer einen Gehaltsbonus erhalten?

An der Position der FDP zum Kooperationsverbot habe ich mir erst 2011 auf einem Bundesparteitag die Zähne ausgebissen. Es gibt eine Reihe von Bildungspolitikern insbesondere der Länderebene, die fürchten inhaltliche Vorgaben des Bundes. Die Kultushoheit der Länder wird deshalb vehement gegen den »goldenen Zügel« des Bundes verteidigt. Die Befürchtungen kann ich nachvollziehen. Das Problem ist nur: Die Länder müssen aufgrund der Schuldenbremse ihre Etats bis zum Ende des Jahrzehnts ausgleichen. Sie könnten dann schnell gezwungen sein, ausgerechnet bei der Bildung zu sparen. Wenn wir nichts ändern, würde die Schuldenbremse so zum Strick, mit dem wir unsere Zukunft aufhängen. Die Lösung liegt für mich im Verfassungsrecht – nicht bei der Lockerung der Schuldenbremse, sondern der Aufhebung des Kooperationsverbots. Man muss sich vor Augen führen, dass die Schweiz 2006 eine Kooperationspflicht zwischen Bund und Kantonen beschlossen hat – also die genau entgegengesetzte Entwicklung im eidgenössischen Föderalismus.

Genscher: Ja, der Bund muss endlich seine gesamtstaatliche Verantwortung auch finanziell wahrnehmen können – besonders wichtig für die weniger finanzstarken Bundesländer. Die Kinder in diesen Ländern dürfen nicht bestraft werden, nur weil ein paar Kultuspolitiker auf Landesebene ihren Eitelkeiten frönen wollen.

Lindner: Das betrifft insbesondere den Bereich der Wissenschaft. Da gibt es die paradoxe Situation, dass der Bund zwar zeitlich begrenzt Sonderforschungsbereiche finanzieren darf – also »Vorhaben« –, nicht aber »Einrichtungen«. Wenn die Projektförderung des Bundes ausläuft und die Länder keine eigenen Mittel einsetzen können, müssen exzellente Bereiche abgewickelt werden. Das ist in der Tat ein Schildbürgerstreich. Darüber hinaus gibt es bei der Fortbildung der Lehrerinnen und Lehrer oder der Förderung von behinderten Kindern in Regelschulen Aufgaben in den nächsten Jahren, die Länder und Kommunen kaum allein stemmen können. Deshalb wird der Gesamtstaat mit seinen finanziellen Möglichkeiten gebraucht.

Genscher: Aber angesichts dieser Lage muss doch gerade eine liberale Partei wie unsere offen aussprechen, dass die Organisation unserer Bildungspolitik über die sogenannte Selbstkoordination in der Kultusministerkonferenz versagt hat. Schon in dem Begriff Selbstkoordinierung liegt doch das Eingeständnis, dass ein Land von der Größe Deutschlands gleiche Rahmenbedingungen für die Bildungspolitik braucht. Und wenn dem so ist, dann kann das mit den Mitteln eines föderalen Staates geregelt werden – unter Mitwirkung der Bundesländer. Die Bürokratie der Kultusministerkonferenz ist übrigens die einzige in Deutschland, die ohne parlamentarische Kontrolle existiert …

Lindner: … und trotzdem wie ein Ministerium aufgebaut ist, mit einem beachtlichen Apparat, einer Loseblattsammlung ihrer Beschlüsse …

Genscher: … ist ein Unikum. Hier hat die FDP die Aufgabe, der Katze die Schelle umzuhängen und klar zu benennen, was nicht in Ordnung ist und der Reform bedarf.

Lindner: Die Leistungsbilanz der Kultusministerkonferenz wird von vielen kritisch gesehen, die Alternativen zu ihr sind aber höchst umstritten. Das muss man leider einräumen. Ein sehr relevanter Teil unserer Partei setzt beispielsweise auf eine stärkere Re-Föderalisierung der Bildungspolitik. Das heißt: Die Kultusministerkonferenz abschaffen und durch Staatsverträge der Länder ersetzen. Mich überzeugt das nicht. Administrativ dauert das Aushandeln von Staatsverträgen noch länger …

Genscher: Unendlich lange!

Lindner: Jedes Land hätte dann ein Vetorecht. Das ist keine Verbesserung zum Status quo. Ich würde stattdessen zum einen die Kultusministerkonferenz verschlanken. Entscheidungen sollten nicht mehr wie jetzt einstimmig getroffen werden, sondern mit Mehrheit. Das bringt schon Bewegung. Zum anderen ist mir die Veranstaltung – und auch die Bildung insgesamt – zu politikzentriert. Warum also nicht einen deutschen Bildungsrat einführen, der strategische Fragen diskutiert und dem neben den üblichen Verdächtigen auch Praktiker und Wissenschaftler angehören.

Genscher: Gerade unabhängige Persönlichkeiten aus dem Wissenschafts- und Bildungsbereich gehören dort hinein. Ein deutscher Bildungsrat, besetzt mit unabhängigen Persönlichkeiten aus dem Wissenschafts- und Forschungsbereich, muss zu einer zentralen Forderung der FDP werden. Die Kultusministerkonferenz sollte in Zukunft in Struktur und Zuständigkeit den anderen Fachministerkonferenzen der Länder entsprechen. Ich habe als Bundesinnenminister an allen Sitzungen der Innenminister der Länder als Gast teilgenommen. Die Erfahrungen, die ich dabei gemacht habe, gehören zu den wertvollsten meines politischen Lebens. So konnten wir gemeinsam die Herausforderung des politischen Terrorismus der siebziger Jahre bestehen. Wir konnten wichtige Reformen auf den Weg bringen, ohne die Lähmung durch eine anonyme, sich selbst bestätigende Bürokratie.

Lindner: Sachkundige, die aus einer praktischen Perspektive, auch durchaus mit längerfristiger Orientierung, im internationalen Vergleich und mit Kenntnis der Situation vor Ort beschreiben, was Not tut. Darüber kann man vielleicht auch ausgetretene Pfade verlassen und innovativer denken. Wir haben so etwas schon im Hochschulbereich – den Wissenschaftsrat. Der gibt Empfehlungen und akkreditiert Hochschulen nach gewissen Qualitätsmerkmalen. Ein solcher deutscher Bildungsrat mit unabhängigen Köpfen sollte analog die wichtigen Leitplanken der Bildungspolitik, etwa Standards für Abschlüsse, so definieren, dass die Qualität im Schulalltag und die Mobilität über die Ländergrenzen hinweg verbessert werden. Es ist ein Anachronismus, dass ein Lehrer, der in Mecklenburg-Vorpommern sein Examen in Physik gemacht hat, nicht ohne weiteres in Baden-Württemberg eine Anstellung finden kann. Zwischen Baden-Württemberg und Mecklenburg-Vorpommern mag vieles unterschiedlich sein, aber die physikalischen Naturgesetze sind dieselben.

Genscher: Was meinten Sie mit »zu politikzentriert«, Herr Lindner? Der Wissenschaftsrat muss auch politisch denken – meinen Sie Parteipolitik oder wollen Sie den Staat stärker heraushalten aus diesem Bereich?

Lindner: Für mich ist die Bildungspolitik zu oft ein Instrument gesellschaftspolitischer Vorstellungen einzelner Parteien. Das führt dazu, dass nach Regierungswechseln auf der Länderebene jedes Mal die Bildungspolitik von links auf rechts oder von rechts auf links umgekrempelt wird. Eigentlich müsste man die Schulen einfach mal in Ruhe lassen und vor Reformeiferern in Schutz nehmen.

Genscher: Wenn entpolitisieren entideologisieren heißen soll, stimme ich Ihnen zu. Wir haben zum Beispiel einen Sachverständigenrat für die Wirtschaft, wir haben einen Sachverständigenrat für Umweltfragen – ich vermag beim besten Willen nicht einzusehen, warum es nicht einen Bundesbildungsrat geben soll. Mit angesehenen Experten, an denen die Politik dann nicht mehr vorbeigehen kann.

Lindner: Es entwickelt sich da zudem etwas von unten, aus der Praxis heraus. Ich nenne einmal das umstrittenste Feld der Bildungspolitik, die Schulstruktur. Erbitterte Kontroversen wurden und werden um Einheitsschule einerseits und gegliedertes Schulsystem andererseits geführt. Tatsächlich wächst jenseits aller ideologischen Schlachten von unten nun eine Art Zwei-Säulen-Modell: mit einem stärker allgemeinbildend akademisch ausgerichteten Gymnasium und daneben einer zweiten Säule, die aus den früheren Haupt-, Real- oder Gesamtschulen besteht. Stärker beruflich orientiert, aber gleichwertig und auf Augenhöhe. Das scheint mir ein pragmatischer Weg zu sein.

Genscher: Ich teile mit Ihnen auch die Auffassung, dass sich ein Parallelmodell zu etablieren beginnt. In Sachsen wurde diese Aufteilung zwischen akademisch- und praxisorientierten Schulen gleich nach der Deutschen Einheit mit Erfolg eingeführt. Das kann attraktiv sein, weil so die Neigungen eines Kindes besser berücksichtigt und gefördert werden können. Allerdings muss am Ende den Eltern die Entscheidung überlassen bleiben, welche Schulform die richtige für ihr Kind ist. Der Begriff Elternrecht darf nicht zur Leerformel werden.

Lindner: Die Eltern haben in einem wesentlichen Punkt bereits geurteilt. Die politisch oktroyierten Einheitsschulen finden keine Akzeptanz. Das hat der Volksentscheid über die damaligen schwarz-grünen Pläne in Hamburg gezeigt. Ich will diese Schulmodelle gar nicht ideologisch geißeln.

Ich mache nur auf folgenden Zusammenhang aufmerksam: Wenn eine solche Einheitsstruktur mit Gewalt durchgesetzt wird oder durch die kalte Küche, indem das Gymnasium vernachlässigt und integrierte Schulen – beispielsweise bei Ganztagsangeboten – bevorzugt werden, dann suchen sich die Eltern Alternativen. Das sieht man im angelsächsischen Raum. Da steht der öffentlichen Einheitsschule eine Vielzahl von mitunter teuren Privatschulen gegenüber. Nichts gegen Vielfalt – das aber wäre eine Spaltung des Bildungssystems, die man für Deutschland nicht wollen kann. Deshalb setze ich mich so energisch für unsere öffentlichen, kostenfreien Gymnasien ein. Deren Modernisierungsprobleme dürfen auch nicht unterschätzt werden. Die pädagogischen Methoden müssen dort dringlich weiterentwickelt werden, wenn heute mancherorts deutlich mehr als 50 Prozent eines Jahrgangs das Gymnasium besuchen.

Möglichst kleine Klassen? Möglichst gute Lehrer? Über Prioritäten

Genscher: Ihr Hinweis auf die Flucht in die Privatschulen im Inland und im Ausland ist für mich als Liberalen, der das Recht auf Bildung als Bürgerrecht sieht, ein Alarmruf. Die Zukunft liegt nicht in einem Schulsystem, das auf solche Weise die Einkommensverhältnisse der Eltern reflektiert.

Es gibt nach meiner Einschätzung vor allem einen zentralen Mangel in unserem Bildungssystem, den alle Schulformen teilen und den wir überwinden müssen: Je kleiner die Klassen sind, desto besser gelingt die Förderung der Fähigkeiten, die in jedem Menschen stecken. Das ist eine simple Erkenntnis, und die müssen wir schnell in die Praxis umsetzen. In Zeiten wie diesen können wir nicht erwarten, dass die Talente und Fähigkeiten junger Menschen in einer Klasse von vielleicht bis zu 30 Schülern geweckt, erkannt und gefördert werden. Ein Lehrer hat bei einer solchen Schülerzahl keine Chance, sich ausreichend mit Einzelnen zu befassen. Auf Dauer Klassenstärken dieses Umfangs zuzulassen bedeutet, die Zukunftschancen junger Menschen zu vernachlässigen.

Lindner: Das Stichwort heißt Individualität. Sicher spielt die Klassengröße eine Rolle, aber viel mehr noch die Qualifikation und die Persönlichkeit der Lehrerinnen und Lehrer. Das zeigen inzwischen auch wissenschaftliche Studien. Mehr persönliche Zuwendung für die einzelnen Schülerinnen und Schüler, aber auch mehr Flexibilität und Durchlässigkeit in der Bildungsbiographie insgesamt – das brauchen wir. Daran krankt beispielsweise die Reform des Gymnasiums. Warum ist die Gymnasialzeit für alle gleichermaßen verkürzt worden? Der eine braucht 14 Jahre bis zum Abitur, ein anderer schafft es in zwölf und einige vielleicht sogar in elf Jahren, weil die Talente unterschiedlich sind.

Bei der individuellen Förderung ist mir eines aber wichtig: Es ist ja richtig, dass wir uns um die Kinder und Jugendlichen bemühen, die eine spezielle Förderung brauchen. Das macht ja soziale Gerechtigkeit aus, allen bestmögliche Startchancen ins Leben zu eröffnen. Auf der anderen Seite gibt es aber auch Hochtalentierte und Hochinteressierte, die ebenfalls unsere Aufmerksamkeit verdient haben. Breitensport zu fördern und auch Spitzensport, ist doch kein Widerspruch, wir brauchen beides. Ich gehe so weit zu sagen, dass die hochinteressierte, hochtalentierte Schülerin, die beispielsweise eine natürliche Begabung im Bereich der Mathematik hat, das gleiche Recht hat auf eine intensive individuelle Förderung, etwa durch die Teilnahme an Hochschulveranstaltungen, wie der Schüler, der vielleicht nicht der deutschen Sprache mächtig ist, vielleicht sogar nicht mal die eigene Muttersprache beherrscht, weil sie zu Hause nur bruchstückhaft gesprochen wird. Das wird zu oft gegeneinander ausgespielt, als wäre die Förderung einer akademischen Spitze gerichtet gegen eine Förderung in der Breite. Beides gehört zusammen, das ist eben Individualität.

Genscher: Einverstanden. Ich habe bereits Mitte der achtziger Jahre für ein solches Konzept geworben. Damals habe ich allerdings auch erfahren müssen, dass es in Deutschland eine gewisse Voreingenommenheit gegen das Wort »Elite« gibt. Deshalb muss man deutlich machen, dass es eben nicht um Erbhöfe und Zufälligkeiten der Geburt geht, sondern um eine Elite, die sich durch Fleiß und Leistung nach oben arbeitet.

Aber ich will mich noch einmal vergewissern, ob Sie die finanzielle Priorität für diese Zukunftsaufgabe so einschätzen wie ich.

Lindner: John F. Kennedy hat einmal gesagt: »Es gibt nur eine Sache auf der Welt, die teurer ist als Bildung: keine Bildung.« Keine Frage also, Bildungsausgaben sind Investitionen in individuelle Lebenschancen und damit zugleich in sozialen Zusammenhalt und wirtschaftliche Wettbewerbsfähigkeit. Konkret werden wir ja einen demographischen Wandel in den kommenden Jahren erleben. Da ist die zurückgehende Zahl der Schülerinnen und Schüler eine Chance, einen Teil der Mittel im System zu halten und damit die Qualität zu verbessern, das Geld also zielgerichtet einzusetzen.

Genscher: Nein, die Mittel müssen erhöht werden.

Lindner: Für die Förderung des einzelnen Schülers stehen dann ja mehr Mittel bereit, wenn mindestens ein Teil der frei werdenden Gelder weiter für das Bildungssystem reserviert wird. Das ist auch sinnvoll.

Genscher: Warum sind Sie so bescheiden und sagen, nur einen Teil?

Lindner: Weil ich die Situation etwa des Landeshaushalts

Nordrhein-Westfalen so präzise kenne, dass ich mich nicht auf hundert Prozent festlegen will.

Genscher: Dann tue ich es: Hundert Prozent für Bildung!

Lindner (*lacht*): Sie machen mir damit aber meine Arbeit als Fraktionsvorsitzender nicht einfacher.

Genscher: Das ist ja auch nicht meine Aufgabe. Im Ernst, es ist eine gesamtstaatliche Herausforderung, diese Zukunftsaufgabe finanziell angemessen anzugehen. Deshalb ist auch die Mitverantwortung des Bundes so wichtig. Das an die Adresse der Vertreter des Kooperationsverbots: Das sind alte Zöpfe, das ist altes Denken.

Politik, Medien, Bürger

Lindner: In der vergangenen halben Stunde, während wir hier zusammensitzen, sind auf meinem Telefon mehr als zehn E-Mails eingegangen, mein Handy zeigt zwei entgangene Anrufe und drei neue SMS. Immer erreichbar, allzeit bereit – die Technik und die neuen Medien zwingen uns Politiker, sofort zu reagieren und sofort Stellung zu beziehen. Ich beneide Sie ein wenig, dass Sie ohne Handy und Internet Politik machen konnten, entschleunigter und womöglich deswegen auch substanzieller.

Genscher: Offen gesagt, ich empfinde das anders. Mir war immer die Information, noch dazu die aktuelle, eine wichtige Voraussetzung besserer Entscheidungsfindung. Hier sind wir heute ohne Zweifel weiter als früher. Man kann über andere Nachteile philosophieren, aber eine solide Information als Entscheidungsgrundlage ist für mich ein großer Gewinn. Wichtig ist auch die ständige Bereitschaft zu Information und Entscheidung. Das Leben kennt in Wahrheit keine Pausen. Die Politik als Teil dieses Lebens also auch nicht. Deshalb war mein Wahlkreis Wuppertal von Ihrem damaligen Vorgänger als Landesvorsitzendem, Willi Weyer, mit Rücksicht darauf für mich ausgewählt worden, dass ich in Bonn wohnen bleiben konnte – er erachtete es für wichtig, dass ich in der Hauptstadt lebe. Es muss am Parlamentsort einer da sein. Und dafür hielt er mich für geeignet.

Lindner: Sie meinen, einer muss immer für die Kameras greifbar sein? Das ist heute unverändert so.

Genscher: In allen Zeiten ist es unsere Aufgabe, Politik zu vermitteln; und auch zielgerichtet zu kommunizieren. Damals – nur mal nebenbei bemerkt – musste jeder Abgeordnete eine Presseerklärung zuerst mir vorlegen, bevor er damit an die Öffentlichkeit ging.

Lindner: Denken Sie, das ist in meiner Fraktion in Nordrhein-Westfalen heute anders?

Genscher: Ich weiß, dass Sie es auch so handhaben, das habe ich erlebt, als ich in Ihrer Fraktion zu Gast war. Aber das sollten wir nicht öffentlich sagen.

Lindner: Ich finde, das kann man ohne schlechtes Gewissen öffentlich sagen. Ich halte das nämlich für professionell. Wenn eine Kollegin oder ein Kollege eine Stellungnahme für die Fraktion insgesamt abgibt, muss ich als Vorsitzender doch darauf achten, dass die gemeinsam gefassten Beschlüsse beachtet werden. Das ist keine Zensur, denn als einzelner Abgeordneter kann ja jeder seine individuelle Meinung öffentlich vertreten. Wenn aber einer die Fraktion insgesamt auf eine Linie festlegen will, dann ist das Vier-Augen-Prinzip sinnvoll.

Genscher: Das haben Sie gut erklärt.

Lindner: Ich will aber noch einmal auf die Frage der Beschleunigung der Politik zurückkommen, weil es mir nicht nur um Information geht, sondern auch um den politisch-parlamentarischen Entscheidungsprozess. Für die größte Zahl der Gesetzgebungsvorhaben gibt es nach wie vor ausreichend Beratungszeit. Mitunter dauern die Verfahren sogar sehr lang. Es mehren sich aber die Situationen, in denen eine sorgfältige und vertiefte Beratung kaum bis gar nicht möglich ist. Paradoxerweise betrifft das die wesentlichen, mindestens aber besonders finanzwirksamen Fragen. Der öffentliche Entscheidungsdruck, die sogenannten »Sachzwänge« oder »die Märkte« verlangen nach schnellen Ergebnissen – wer nicht in Echtzeit entscheidet, scheint nicht mehr auf der Höhe der Zeit zu sein.

Nicht nur ich sehe, dass die Politik mit der Finanzkrise des Jahres 2008 in einen nunmehr permanenten Krisenmodus gewechselt ist. Dem Deutschen Bundestag werden komplexe Vorlagen mit Hunderten Seiten Umfang zugeleitet, die selbst Experten kaum durchdringen können. Die Information ist maximal – aber nicht optimal. Die Papiere mussten in kürzester Zeit durch das Parlament geschleust werden. Da gibt es dann einen kleinen Kreis von Sachkundigen, die für den Deutschen Bundestag insgesamt Entscheidungen ungeahnter Tragweite zu treffen haben. In meiner Zeit in Berlin habe ich mehr als einmal gedacht, dass wir an der Grenze zur Überforderung des Parlaments balancieren.

Genscher: Ihr Befund ist sicher richtig, aber er ist nur zum Teil eine Zeiterscheinung. Wie Sie schon sagen, hängt viel an der Bewältigung aktueller Krisen. Entscheidungen zu unserer Währung werden heute politisch diskutiert, obwohl sie unter normalen Umständen von der Zentralbank zu treffen wären. Die Parlamente entscheiden über neue Sachverhalte, weil im geeinten Europa bestimmte Fragen der Außenpolitik vielfach zur Innenpolitik geworden sind. Hoffen wir, dass wir bald zu einer Form der Normalität zurückkehren können.

Lindner: In Fragen der Europäischen Rettungsschirme sind die Mitwirkungsrechte des Deutschen Bundestages allerdings ausgedehnt worden. Das ist prinzipiell natürlich zu begrüßen – es ist sogar ein Paradigmenwechsel im Interesse eines selbstbewussten Parlaments. Nur erhöht diese Entscheidung dauerhaft die Anforderungen an jeden einzelnen Abgeordneten.

Genscher: Nicht nur deshalb haben die Mitglieder des Deutschen Bundestages eine große Verantwortung. Sie müssen global und europäisch beeinflusste Entscheidungen treffen. Das Parlament wird sehr darauf achten müssen, dass die wissenschaftliche Ausstattung ihm ermöglicht, dieser gewachsenen Verantwortung auch gerecht zu werden. Das ist kein Geschenk an Abgeordnete, sondern Voraussetzung für die Qualität der Entscheidungen des Deutschen Bundestages insgesamt.

Lindner: Die Beratung der Politik ist noch ein ganz eigenes Feld. Hat Ronald Reagan in diesem Zusammenhang nicht einmal gesagt, er wünsche sich einarmige Wirtschaftsberater? Die, die er hatte, würden nämlich immer sagen: »*On the one hand … and on the other hand …*«. Das haben wir auch erlebt. Denken Sie auch hier an die Eurokrise: An Ratschlägen herrschte nun wirklich kein Mangel, nur schlossen sich die Lösungsvorschläge oft genug gegenseitig aus.

Genscher: Die Aufgabe ist eben für jeden einzelnen Entscheidungsträger, sich die richtigen Ratgeber zu suchen. Das ist mit Sicherheit eine wesentliche Eigenschaft des erfolgreichen Politikers: diejenigen Berater zu finden, auf deren Expertise aufbauend er oder sie ein eigenes Urteil treffen kann. Auch müssen die Felder von Exekutive und Legislative klar genug abgrenzt werden. Das dient auch dazu, eine Überforderung des Parlaments zu vermeiden.

»Waren Sie stärkere Persönlichkeiten?«

Lindner: Ich habe das Gefühl, Politiker haben früher mehr Ansehen in der Bevölkerung genossen, obwohl die Anforderungen heute eher größer als kleiner geworden sind. Waren Sie damals stärkere Persönlichkeiten, oder waren die Wähler gnädiger?

Genscher: Die Zeit war eine andere. Wer ein Land, eine

Partei oder eine Fraktion führt, der muss Verantwortung übernehmen. Das heißt, er muss klar sein in der Sache, überzeugt von seinen Entscheidungen und leidenschaftlich in seinen Argumenten. Das galt früher, und das gilt auch heute. Was ich aber glaube ist, dass in der Politik lange Zeit Seniorität von Vorteil war. Das hängt mit den Anfängen der Bundesrepublik zusammen und den Persönlichkeiten, die sie geprägt haben. Damals standen an der Spitze der drei klassischen Parteifamilien drei herausragende Männer, die über große Lebenserfahrung verfügten: Konrad Adenauer bei der CDU, Kurt Schumacher bei den Sozialdemokraten und Theodor Heuss bei den Liberalen. Bundeskanzler, Oppositionsführer, Bundespräsident. Die verkörperten, jeder auf seine Art, Grundkoordinaten: Adenauer war der erfahrene politische Routinier mit einer klaren Positionierung für die Westintegration; Heuss war der Repräsentant eines liberalen Bürgertums, der sich bei seinem ersten Besuch eines Manövers der Bundeswehr erlauben konnte, locker zu bemerken: »Nun siegt mal schön!« – ein Satz, der in die Geschichtsbücher eingegangen ist. Das war nach jahrhundertelanger Militarisierung des Denkens eine Art intellektueller Abrüstung. Es war der Sieg von Goethe und Kant über Tirpitz und Ludendorff. Da sprach nicht der Soldatenkönig zu seinen Musketieren, sondern der Bürgerpräsident zu den Bürgern in Uniform.

Dieser Kanzler und dieser Präsident – ein Glücksfall. Ebenso wie es für unser Land ein Glücksfall war, dass in dem Moment, als die SPD in Ostdeutschland ein zweites Mal der Verfolgung ausgesetzt wurde, Schumacher da war. Seine Person vereinte das sozialdemokratische Schicksal der jüngsten Vergangenheit und die sozialdemokratische Herausforderung der Gegenwart. Nur einer wie er konnte verhindern, dass der Einfluss der Kommunisten in Westdeutschland stärker wurde. Adenauer, Heuss und Schumacher, drei nicht mehr ganz junge Männer, die von

Weimar geprägt waren – ihnen hat Deutschland den Weg in die Demokratie zu verdanken. Das haben die Menschen damals gespürt. Sie suchten Orientierung, und in solchen Persönlichkeiten fanden sie die auch.

Lindner: Glauben Sie, dass das nur zu Beginn der Bundesrepublik bedeutsam war – diese Seniorität? Ich beobachte, dass heute doch die Elder Statesmen – Sie selbst, Helmut Schmidt, Richard von Weizsäcker und einige andere – eine große Autorität in der öffentlichen Debatte haben, sie werden gehört und um Rat gebeten. Da offenbart sich doch ein großer Wunsch nach Erfahrung, Seniorität, Verlässlichkeit. Vielleicht auch deshalb, weil man sich von Ihnen, die Sie aus einer historischen Perspektive heraus argumentieren, Orientierung und das Verfolgen langer Linien erwartet, während die Tagespolitik oft als atemlos wahrgenommen wird, als gierig nach dem Applaus des Moments, was viele abstößt.

Genscher: Dass Sie das so empfinden, hat wahrscheinlich mit Ihrem Lebensalter, also der Perspektive des Jüngeren zu tun. Als Walter Scheel und ich an die Spitze der FDP kamen, seufzten viele: »Ja, früher, das waren noch Leute – Heuss und Dehler! Aber diese Jungen!« Diesen Hang zum Nostalgischen gibt es immer. Den gibt es bei allen Parteien, weil er menschlich ist.

Lindner: Mein Gefühl bleibt dennoch, dass es für bestimmte Aufgaben eine besondere Seniorität, eine spürbare Lebenserfahrung braucht. Als 2011 zum Beispiel der FDP-Vorsitz neu besetzt wurde und auch ich als Parteichef gehandelt wurde, war mir bewusst, dass ich diese Aufgabe allein schon wegen meines Lebensalters nicht übernehmen kann. Stellen Sie sich einmal vor: Treffen der Koalitionsspitze, die Kanzlerin steigt aus ihrer Limousine, der grauhaarige Seehofer fährt vor, und dann kommt der dritte Wagen mit dem FDP-Chef, bremst – und ein Klassensprecher steigt aus.

Genscher: Dass Sie das so empfinden zeigt, dass Sie in Einsicht und Verantwortung Ihr Lebensalter hinter sich gelassen haben. Andererseits kann ich Ihnen sagen: Lebensjahre allein machen auch noch keinen guten Politiker.

Lindner: Lassen Sie mich präzisieren: Es geht nicht nur um Lebenserfahrung, sondern um die historischen Prägekräfte, die bestimmten Einzelpersönlichkeiten heute eine besondere Autorität geben.

Genscher: Natürlich ist das richtig. Im Grunde spürten viele unmittelbar nach dem Krieg die Notwendigkeit des ganz anderen – des Neuanfangs. Deshalb engagierten sie sich politisch, auch wenn die Lebensumstände – Hunger, Wohnungsnot, Heimatverlust – und die Ungewissheit über das Schicksal lieber Menschen sie bedrückte. Auch in diesem Zusammenhang dürfen wir die Suche nach Orientierung nicht vergessen, auch nach persönlichen Beispielen. Wie viele Menschen standen damals allein da? Sie hatten alles verloren, was ihnen vertraut war, was ihnen Halt gegeben hatte – Familie, Freunde, Heimat. Da konnte eine eindrucksvolle Persönlichkeit ganz fern plötzlich ganz nah sein – und prägend dazu.

Veränderte Bewegungsgesetze des politischen Betriebs

Lindner: Dass wir auf diese Generation anders schauen als auf Politiker in aktueller Verantwortung, hängt möglicherweise auch mit veränderten Themen und Bewegungsgesetzen des politischen Betriebs zusammen, meinen Sie nicht? Die Debatten haben sich beschleunigt. Die Themen sind technisch kleinteiliger und komplexer – es geht zumeist nicht mehr um Richtungsfragen. Deshalb wechselt auch die Berichterstattung schneller von der Sachfrage auf eine parteitaktische Ebene. Häufig hat ein Thema eine Haltbarkeit von weniger als 24 Stunden, also zu oft Bodenturnen statt Hochreck.

Nehmen wir beispielsweise die letzte Debatte in der SPD über die Rente mit 67. In der Substanz eine wichtige Frage des Generationenvertrags, der Finanzierbarkeit des Sozialstaats und auch der Vermeidung von Altersarmut. Dennoch standen in der Betrachtung der Debatte sachfremde Aspekte vorn: Wollen sie damit die Linkspartei attackieren, müssen sie den linken Flügel der SPD reintegrieren, setzen sie sich von der Agenda 2010 ab – und was macht das mit Peer Steinbrück?

Genscher: Darin stimme ich Ihnen zu, die grundsätzlichen Fragen stehen oft nicht mehr im Vordergrund. Vielmehr wird darüber debattiert, wie sich bestimmte Politiken öffentlich auswirken und was sie für die Vernetzung mit anderen Parteien bedeuten. Es geht ums Image, nicht um die Sache. Trotzdem hat die Politik eine Bringschuld diskursiver und inhaltlicher Art, auch wenn das jetzt altmodisch klingen mag.

Lindner: Das empfinde ich gar nicht als altmodisch. Ganz im Gegenteil, ich habe die Erfahrung gemacht, dass das Publikum es schätzt, wenn man politische Konzepte aus einer Wert-, einer grundsätzlicheren oder historischen Perspektive darlegt. Gleichzeitig aber funktioniert die Meinungsmachermaschinerie nach völlig anderen Kriterien: Die professionellen Beobachter in Parteien und Medien prüfen nicht zuerst die Bemerkung in der Sache, sondern sie leuchten umgehend taktisch aus. Die Debattenkultur hat sich vor allem durch die verschärfte Konkurrenz zwischen den klassischen und den neuen Medien verändert …

Genscher: … das interessiert mich besonders, weil es das zu meiner Zeit naturgemäß nicht gab. Wie würden Sie das beschreiben?

Lindner: Sie sind gar nicht im Internet unterwegs? Ihre Weggefährten Klaus Kinkel oder Gerhart Baum beispielsweise ja schon …

Genscher: Indirekt schon. Und Kinkel und Baum, das sind ja auch junge Männer …

Lindner: Sie lesen immerhin SMS, so viel weiß ich. Durch die neuen Medien gibt es eine enorme Beschleunigung der Debatten. *Spiegel Online* wechselt mehrfach am Tag gewissermaßen die Titelseite. Zugleich gibt es auch einen schärferen Wettbewerb zwischen den Online-Medien. Da reicht eine Nachricht allein nicht mehr. Sie wird immer stärker direkt mit Meinung oder einer bestimmten Interpretation verbunden – sie erhält einen Spin, wie man sagt. Das führt nach meinem Geschmack oft zur Überpointierung. Ich habe mehrfach selbst erlebt, dass die Nachrichtenfassung eines Wortlaut-Interviews mit den darin geäußerten Positionen nur noch im losen Zusammenhang stand.

Genscher: Da war das Tempo zu meiner Zeit natürlich anders. Es gab feste Größen: Die Tageszeitung hatte zumindest einen Tag mit ihrer Titelgeschichte Bestand, das Frühinterview im Radio hat dann Bewegung erlaubt, die *Tagesschau* am Abend hat den Tag zusammengefasst.

Das Problem von uns Politikern ist doch, dass wir nicht jedem Bürger unsere Entscheidungen persönlich erklären können. Unsere Aufgabe aber ist es, die Öffentlichkeit zu überzeugen und im besten Falle für uns zu gewinnen, nur so kann Vertrauen zwischen Bürgern und Politik gebildet werden. Und auch gegenüber unseren Partnern in der Welt. Es macht einen Unterschied, ob eine Regierung ihre Außenpolitik als geheime Kabinettspolitik oder als im wahrsten Sinne des Wortes *res publica* betrachtet. Wenn Außenpolitik öffentlich stattfindet, dann können sich auch die Partner im Ausland darauf verlassen, dass es überraschende Änderungen in diesem Land nicht geben wird – selbst bei Regierungswechseln nicht. Deshalb ist Kommunikation zentral für eine gute Politik. Die klassische Methode ist das Interview. Aber so schön es ist, ein einstündiges Gespräch zu führen, manchmal reichen durchaus auch zehn Minuten, um einen bestimmten Vorgang zu erläutern.

Lindner: Diese zehn Minuten bekommt man selten. Da haben Sie, was die Medien angeht, natürlich in anderen Zeiten gearbeitet. Wenn man alte Ausgaben der *Tagesschau* heute ansieht: zweiminütige Interviews zur Prime Time! Heute muss man so formulieren, dass …

Genscher: … die Botschaft mit einem kurzen Satz überkommt!

Lindner: Exakt. Und am besten so, dass der Nebensatz nicht herausgeschnitten werden kann, damit man wenigstens fünf Sekunden hat. Andererseits hat auch die Vielfalt der Medien zugenommen. Das finde ich ausgesprochen positiv, weil das die Individualisierung der Gesellschaft widerspiegelt und neue Differenzierung erlaubt.

Heute gibt es den fortwährenden Flow, der immer neue Geschichten, Aspekte, Nachrichtenschnipsel hervorbringt. Auf *Twitter* darf ein Argument nicht mehr als 140 Zeichen haben. Bei Positionen gilt das Facebook-Prinzip: »Gefällt mir« oder »Gefällt mir nicht« – ohne Zwischentöne. Anders als früher »versendet« sich auch nichts mehr so schnell. Ein Fehler oder eine Ungeschicklichkeit bleibt. Denken Sie an die Kultreden von Edmund Stoiber, die man noch immer vor Augen beziehungsweise bei *YouTube* auf dem Schirm hat. Oder denken Sie an Norbert Röttgen, dem nachts um 23:00 Uhr, möglicherweise erschöpft vom Tag und unkonzentriert, in einem Spartenkanal der Satz herausrutschte: »Bedauerlicherweise entscheiden ja die Wähler, was aus mir wird.« Vielleicht hatte er das sogar ironisch gemeint. Der Satz wurde dann auf *YouTube* und anderen Kanälen verbreitet, entwickelte sich dadurch zu einem politischen Thema oberhalb der Wahrnehmungsschwelle – der Satz konnte einfach nicht mehr entsorgt werden.

Genscher: Ich hatte mein Cannae in meinem ersten Jahr als Bundestagsabgeordneter, die Große Koalition war gerade gegründet worden. Ich stand also im Parlament am Rednerpult und wollte sagen: »Für so etwas reichen wir nicht unsere Hand«, beginne aber, rhetorisch vollkommen wahnsinnig, mit der Bemerkung: »Wir sind ein schlechter Partner ...« Ich wollte dann fortsetzen »... für dies und das ...« – aber so weit kam ich gar nicht mehr, weil es nach meinem ersten Halbsatz tosenden Beifall bei CDU und SPD gab. Das hat sich bei mir eingebrannt, das würde mir nie wieder passieren! Da könnte ich hundert Jahre alt werden, das werde ich nie vergessen!

Lindner: Das Weltgedächtnis würde es auch nicht vergessen, wenn es von dieser Rede einen *YouTube*-Clip geben würde. Das sage ich alles beschreibend, denn damit sind Chancen und Risiken gleichermaßen verbunden. Bedenklich finde ich nur, dass Möglichkeiten der ruhigen Reflexion verloren gehen, wenn in Echtzeit bewertet, entschieden und kommuniziert werden muss. Ich erinnere mich an Gespräche im Koalitionsausschuss im Bundeskanzleramt. Angela Merkel hatte den Beratungspunkt noch nicht vollständig zusammengefasst, da waren erste Meldungen darüber bereits im Internet. Das führt dann zu Festlegungen, hinter die man mit etwas Abstand am Ende des Abends oder am nächsten Morgen kaum mehr zurückkommt. Wenn mal wieder etwas über die Gespräche im Koalitionsausschuss nach außen gedrungen war, fiel der Blick meist auf mich. Ich war ja der junge Mann mit dem Faible für das iPhone. Dabei war ich doch so unschuldig.

»Sie lesen doch auch Zeitung, Herr Lindner?«

Genscher: Ich kann aus meiner Erfahrung nur sagen: Die aktive Kommunikation, das Interview in elektronischen Medien und auch in Printmedien, halte ich für enorm wichtig. Trotz aller Unkenrufe – die Menschen lesen immer noch. Sie lesen doch auch Zeitung, oder?

Lindner: Ja, aber die lese ich nicht auf Papier, sondern in den elektronischen Ausgaben, die schon am Abend vorher verfügbar sind.

Genscher: Jedenfalls habe ich auch immer gut mit Journalisten zusammengearbeitet – zumindest mit den meisten. Im übrigen habe ich mich immer an den Grundsatz gehalten: Doch mit des Geschickes Mächten ist kein ewiger Bund zu flechten. Wie halten Sie es mit der Presse?

Lindner: Nun, eine Journalistin habe ich geheiratet, aber von dieser Ausnahme abgesehen versuche ich, eine professionelle Distanz zu halten. Wo wir nun schon bei den schönen Seiten der Medien sind – für mich gehören dazu auch die Möglichkeiten, die soziale Netzwerke wie *Facebook* oder auch *Twitter* schaffen. Denn sie erlauben einen intensiveren Dialog mit den Bürgerinnen und Bürgern. Das nutze ich. Es gibt ja Fragen, bei denen das eigene Urteil noch offen ist. Solche Themen platziere ich – es ging beispielsweise einmal um die Frage, ob das Wahlalter bei Landtagswahlen in Nordrhein-Westfalen auf 16 Jahre gesenkt werden sollte – dann als offene Frage. Binnen zwei, drei Stunden gibt es darauf mitunter mehr als hundert Antworten, darunter sehr ernsthafte Argumente und Einordnungen, von denen ich profitiere. Das trägt einem der Schwarm zu.

Genscher: Wenn ich es richtig verstehe, dann arbeitet so auch die Piraten-Partei.

Lindner: Im Prinzip, ja. Die Piraten verwenden noch andere, interne Plattformen. Die etablierten Parteien können sich davon etwas abschauen, der Prozess ist bei uns und anderen in vollem Gange. Man darf aber nicht vergessen: Das sind technische Instrumente, die den Dialog und die Meinungsbildung bereichern. Das Problem der Piraten-Partei indes ist, dass sie die Mittel mit dem Inhalt verwechselt haben. Wenn immer nur zufällig zusammengesetzte Gruppen im Internet entscheiden, fehlt Konstanz. Nebenbei gesagt, beobachte ich bei den Piraten im Landtag, dass sie einerseits die Fraktionsdisziplin bei ihren Mitbewerbern – die ja eine Folge der internen Arbeitsteilung und des Anspruchs ist, Grundlinien erkenn- und unterscheidbar zu machen – als undemokratisch tadeln, andererseits aber ihr eigenes Abstimmungsverhalten an Voten aus dem Internet binden lassen. Wenn das nicht eine Art imperatives Mandat ist!

Parlamentarismus

Genscher: Damit sind wir beim Parlamentarismus. Ich bin dieser Tage längere Zeit mit dem Auto unterwegs gewesen und hatte Phoenix angestellt, weil ich hören wollte, was im Bundestag gerade läuft. Da kündigt der Präsident gerade an: »Ich rufe auf: Tagesordnungspunkt 23, Gesetzentwurf zur Beschneidung. Zwischen den Fraktionen ist eine Debattenzeit von neunzig Minuten vereinbart.« Dass das Parlament sich das gefallen lässt, neunzig Minuten! Da wird einfach entschieden, wie lange eine solche Debatte dauern darf, und dann müssen sich alle danach richten. Ich habe immer gegen die Zeitzuteilung nach Stärke der Fraktion argumentiert.

Lindner: Und hatten Sie Erfolg damit?

Genscher: Es gab nicht gleiche Redezeiten, aber offenere Redezeiten. Die Fraktionen haben sich selbst diszipliniert. Zu Zeiten der ersten Großen Koalition, 1966, habe ich im

Ältestenrat erklärt, dass wir nun eine neue Lage haben, schließlich verfügte die Große Koalition über 90 Prozent der Sitze im Parlament. Wir, die FDP, waren die verbleibende Opposition, und deshalb durften unsere Rechte nicht allein an der Fraktionsgröße gemessen werden. Das haben die Vertreter der beiden Großen verstanden und akzeptiert. Als umso schlimmer habe ich dann später diese Zuteilung von Redezeiten empfunden.

In der Debatte über die Ostpolitik sprachen Gustav Heinemann und Thomas Dehler zwischen 22.00 und 24.00 Uhr – das war nicht limitiert, und es war auch gar nicht sicher, wie lange sie reden würden. Aber niemand hätte Herrn Heinemann oder Herrn Dehler gesagt, sie müssten jetzt aufhören, ihre Redezeit wäre vorbei.

Lindner: Im normalen Parlamentsbetrieb ist das heute kaum vorstellbar.

Genscher: Dazu kommt: So schön der Plenarsaal im Reichstag ist, weil das Licht von oben hereinkommen kann, so desintegrierend ist er auch.

Lindner: Was stört Sie?

Genscher: Er führt nicht zusammen. Am schönsten war für mich als Redner das Wasserwerk, das Ersatzparlament in Bonn, ein Ausweichquartier auf Zeit.

Lindner: Weil es so eng war, fast wie im britischen Unterhaus?

Genscher: Man saß sich zwar nicht gegenüber, aber sonst ähnelte es fast dem Londoner Parlament. Das sorgte für eine ganz andere Atmosphäre.

Lindner: Das kann ich nachvollziehen. Ich kenne ja als Parlamentsredner den Bundestag und den Landtag von Nordrhein-Westfalen. Die Auseinandersetzung in Düsseldorf ist intensiver, weil Sie unmittelbar in Kontakt mit den Kolleginnen und Kollegen sind. In Berlin kann man auf Zwischenrufe schlechter reagieren – allein deshalb, weil Sie sie vielfach akustisch gar nicht wahrnehmen können.

Genscher: Der deutsche Parlamentarismus ist generell deutsch organisiert. Regelrecht durchorganisiert. Auch wenn das früher zeitraubender war und auch nervende Leute geredet haben – freier ist besser, das schafft ein anderes Diskussionsklima, und gerade das braucht die Politik.

Parlament, das heißt für mich nicht zuletzt: große rednerische Begabungen, die aufrütteln, die bewegen – ja, die zwingen nachzudenken. Können Sie sich vorstellen – Carlo Schmid, Helmut Schmidt, Fritz Erler, Herbert Wehner und auch Willy Brandt, obwohl der mir natürlich nur als Bundeskanzler im Parlament in Erinnerung ist. Oder bei uns Thomas Dehler oder Walter Scheel bei seiner großartigen Rede gegen das Misstrauensvotum gegen Willy Brandt. Wenn Dehler am Rednerpult stand, kamen die Leute in den Plenarsaal und auf die Tribüne, und es war egal, zu welchem Thema Dehler sprach. Sie wollten ihn einfach nur reden hören, weil sie wussten, sie würden auf ihre Kosten kommen. Glänzend auch die CDU-Männer Konrad Adenauer, Franz Josef Strauß, Kurt Georg Kiesinger. Die Debatten zu den Ost- und Westverträgen waren wirklich Sternstunden des Parlaments. Und wenn ich von der großen Rede spreche – wir haben das schon erwähnt –, dann komme ich immer wieder zurück auf die historische Rede von Richard von Weizsäcker am 8. Mai 1985.

Lindner: Legendär, ja. Ich würde übrigens nicht sagen, dass die Redner heute durch die Bank schlechter sind. Es werden nach meinem Geschmack nur zu oft vorgefertigte Bulletins verlesen. Da fehlt dann das Tempo, die Auseinandersetzung mit dem Argument der Vorredner. Insofern sind auch die Sternstunden seltener – da sind wir wieder bei den Richtungsauseinandersetzungen. Als Sternstunden empfinde ich heute die Debatten, die ohne Fraktionsdisziplin geführt werden. Zum Beispiel über die Stammzellenforschung – Fragen also, die nicht ritualisiert verhandelt werden, weil der einzelne Abgeordnete nicht die Kampflinie seiner Fraktion vertreten muss, sondern aus eigener innerer Motivation spricht. Davon abgesehen ist der politische Diskurs stark ausgewandert in die Talksendungen. Das muss man nicht in jeder Beziehung nachteilig finden. Die Politik ist dadurch ein Stück nahbarer geworden, weil die Leute jeden Abend einen Volksvertreter im Wohnzimmer bei der Argumentation, auch bei Wutausbrüchen – eben als Menschen – aus der Nähe beobachten können. Mit der Distanz geht natürlich auch Nimbus verloren. Früher gab es das dosierter; die großen Runden vor den Wahlen, zwei-, dreistündige Sendungen ...

Genscher: Vier Stunden! Von 20.15 Uhr bis Mitternacht. Donnerstags.

Lindner: ... in verrauchten schwarzen Studios. Mit einem amtlichen Charakter. Erschöpfend moderiert mit zum Teil länglichen Ausführungen über Minuten – heute ein spannendes Zeitdokument, aber Geschichte.

Ende der traditionellen Parteibindung – Stunde der Liberalen?

Genscher: Ich will noch einen weiteren Aspekt einbringen. Politik wird stärker an Persönlichkeiten festgemacht, da hat eine Entideologisierung stattgefunden. Das sieht man zum Beispiel, wenn Herr Steinbrück davon spricht, er brauche ein bisschen Beinfreiheit. Das beschreibt exakt die Lage.

Die traditionelle Parteienbindung – wer katholisch ist, wählt CDU, wer malocht, SPD – ist vorbei. Ich habe immer gesagt, wenn diese Bindung weg ist, dann kommt die große Zeit der FDP. Jetzt ist diese Bindung weg, aber unsere große Zeit ist trotzdem nicht angebrochen. Herr Lindner, Ihnen sage ich, noch nicht. Das ist der Auftrag an Sie und an die ganze junge Generation.

Lindner: Interessant ist doch, dass die Parteien in unserem politischen System unverändert eine dominante Rolle spielen, aber sie monopolisieren nicht mehr die Debatten. Da gibt es viele andere Akteure. Parteien sind zudem nicht mehr so stark in die Gesellschaft eingebettet, weil bei allen die Mitgliedschaft zurückgeht und weil es weniger formale Bindungen an einzelne gesellschaftliche Bereiche gibt. Die Kirche ist keine exklusive Domäne der Union mehr, die grüne Partei ist beispielsweise nah an die evangelische Kirche herangerückt. Und die Gewerkschaften sind keine exklusive Domäne der SPD mehr, spätestens seit der Agenda 2010. Das heißt also, Parteien integrieren nicht mehr große Bevölkerungsgruppen. Es gibt Tendenzen in Richtung einer Amerikanisierung. Die Ansprache der Wechselwähler entscheidet Wahlen. Dort sind Parteien professionelle Wahlkampforganisationen, die zur Kampagne aufwachen, sonst aber nur wenig Aktivität entfalten. In Deutschland wird in diesem Zusammenhang über Schnupper- oder Projektmitgliedschaften nachgedacht. Das verändert den Charakter der Organisation Partei.

Genscher: Da hilft uns natürlich, wenn Parteipolitik nicht zu theoretisch werden soll, der Föderalismus. Drei Wahlen haben wir – die Kommunalwahlen, die Landtagswahlen und die Bundestagswahlen. Dreimal also müssen sich die Parteien dem Wähler stellen. Das mobilisiert und es verstärkt die Mitwirkungsmöglichkeiten der Bürger.

Lindner: Ich bin nach wie vor ein Anhänger der Idee der Mitgliederpartei, weil man nur so die Verbindung in die Gesellschaft behält. Als Berufspolitiker kann ich nicht jeden Aspekt des sozialen Lebens wahrnehmen. Aber die Rückkopplung an die eigene Parteibasis, an die, die vor Ort in der Kommune ehrenamtlich arbeiten, die einem Beruf außerhalb der Politik und außerhalb des Staates nachgehen – das ist unverzichtbar und wird möglicherweise noch wichtiger. Das kann und darf auch nicht durch Meinungsforschung ersetzt werden.

Fraglich ist nur, wie man diese Idee wieder attraktiv macht. Neben dem Bekenntnis hatte man als Parteimitglied früher ja einen gewissen Informationsvorsprung – das ist heute nicht mehr so. Aber die Möglichkeit der Einflussnahme als Parteimitglied ist geblieben – und die sollten wir stärken, indem wir die Basis noch mehr einbeziehen. Die jüngste Urwahl der Spitzenkandidaten der Grünen oder der Mitgliederentscheid der FDP zur Europapolitik sind ja Beispiele, dass man Menschen damit mobilisieren kann. Das macht eine Partei spannend. In Personalfragen macht die FDP davon übrigens zu wenig Gebrauch, gerade im Vergleich zu den Mitgliederentscheiden in Sachfragen, wo wir aktiver sind als andere. Die neuen Medien erlauben zudem, auch unterhalb dieser Schwelle Parteimitglieder und die Bürger insgesamt stärker in die Meinungsbildung und Diskussion einzubeziehen – wenn sie denn wollen. Wir haben heute also ein anderes Repertoire an Instrumenten als zu Ihrer Zeit.

Direkte Demokratie

Genscher: Lassen Sie uns von der parteiinternen Beteiligung von Mitgliedern der Basis einen Schritt weiter zu Volksbefragungen, Volksbegehren und Volksabstimmungen kommen. Wie denken Sie darüber?

Lindner: Da können wir den Bürgerinnen und Bürgern mehr zutrauen. Die Mütter und Väter des Grundgesetzes waren hier sehr zurückhaltend. Ich glaube allerdings nicht daran, dass man unser politisches System in Richtung Schweiz umbauen könnte oder müsste. Ein Wundermittel ist direkte Demokratie in meinen Augen ebenfalls nicht: Weder stärkt sie den einzelnen Bürger noch die differenzierte Entscheidung, wie sie im Parlament ausgehandelt werden kann. In alternden Gesellschaften könnte die Gefahr wachsen, dass Gegenwartsinteressen dominieren, wo Entscheidungen nachfolgende Generationen berühren. Direkte Demokratie ist für mich also nicht Ersatz für die repräsentative Demokratie, sondern nur – oder immerhin – eine sinnvolle Ergänzung unserer Parteiendemokratie. Und zwar als Korrektiv der Entscheidungen, die im Parlament von Volksvertretern getroffen werden, wenn strittige Themen Aufklärung und demokratische Klarheit brauchen.

Genscher: Mein Gefühl ist, dass die Wucht, mit der neue Formen der Bürgerbeteiligung ins politische System drängen, so immens ist, dass wir uns ihr nicht verschließen können. Mir scheint, die Politik ist prinzipiell offen für mehr Bürgerbeteiligung, sie weiß nur noch nicht, wie sie das neue Potenzial an technischen Möglichkeiten in ihre Praxis integrieren kann. Ich bin aber ein Anhänger der klassischen Beteiligungsform durch eine Volksbefragung, wie sie zum Beispiel bei »Stuttgart 21« angewendet worden ist.

Lindner: Das ist für mich das Schulbeispiel für einen Fall, in dem sinnvollerweise ein Referendum vorgesehen wurde. Der Vorgang hat vor allem gezeigt, dass wir Politiker uns nicht von einzelnen Interessensgruppen irreführen lassen dürfen, denen es durch lautstarkes Auftreten, durch mediale Präsenz und durch Kampagnen in den sozialen Netzwerken gelingt, den Eindruck zu erwecken, die Mehrheit stünde hinter ihnen. Das Plebiszit hat am Ende deutlich gemacht, dass die Bahnhofsgegner in der Unterzahl waren – obwohl in der Öffentlichkeit das Bild vorherrschte, ganz Baden-Württemberg wehre sich mit Händen und Füßen gegen dieses Projekt. Insofern hat eine Volksbefragung einen befriedenden Charakter, sie offenbart, dass es einen Unterschied zwischen veröffentlichter Meinung und öffentlicher Meinung gibt. Die liberale Bürgerdemokratie ist eben kein populistisches Tribunal der Straße, sondern im republikanischen Sinn die rechtsstaatlich gesicherte Selbstregierung der Bürger durch Bürger und für Bürger.

Genscher: »Stuttgart 21« hat uns vor Augen geführt, was passieren kann, wenn der Schenkeldruck der sozialen Medien und der Bürger auf die Politik zu stark wird. Die spontane Empörung gut organisierter Minderheiten ist zu einer Welle geworden, die die politischen Entscheider niederzuwalzen drohte.

Lindner: Deshalb glaube ich, dass die klassischen Instrumente der direkten Demokratie erhalten bleiben müssen, weil die vielen Beteiligungs- und Willensbekundungsmöglichkeiten, die das Internet heute bietet, auch in die Irre führen können. Darüber hinaus bewerte ich die Volksgesetzgebung – also die direkte Abstimmung über ein Gesetz – ebenfalls als kritisch, weil notwendige Korrekturen an einem Gesetzentwurf im Beratungsverfahren dann nicht mehr möglich wären. Eine politische Willensbekundung des Volkes, die Raum für die konkrete fachliche Umsetzung im Parlament lässt, ziehe ich dem vor.

Vielleicht schadet auch dem Parlamentarismus selbst etwas institutionelle Phantasie nicht? Ich habe beispielsweise einmal vorgeschlagen, seitens des Parlaments zufällig ausgewählte Bürger zu einem konkreten Sachverhalt in eine »Bürgerkammer« einzuladen. Diese würden Expertenanhörungen durchführen und ein »Bürgergutachten« als Empfehlung an die Parlamentarier erarbeiten. Auf kommunaler Ebene hat man mit Vergleichbarem gute Erfahrungen gemacht, innerhalb der FDP habe ich zu meiner Zeit als Generalsekretär der Bundespartei ebenfalls damit experimentiert. Da habe ich Mitglieder der Parteibasis die Beratungspunkte des Bundesparteitags vorab diskutieren lassen. Für mich liegt der Vorteil auf der Hand: Notwendige, aber unpopuläre Entscheidungen könnten so neue Akzeptanz gewinnen, weil niemand einer zufällig ausgewählten »Bürgerkammer« den Vorwurf machen könnte, angeblichen Lobbyinteressen zu folgen oder sich vom wirklichen Leben abzukoppeln. Für ein solches Instrument müsste zudem kein einziges Gesetz geändert werden, weil es sich um ein informelles Verfahren handelt.

Genscher: Diese Idee ähnelt der Einbeziehung von Laien im Gerichtswesen. Warum nicht? Schaden kann ein solches Experiment nicht.

Mein Fazit ist: Der politische Beruf ist in vieler Hinsicht anders geworden, auch die handwerklichen Anforderungen mit Blick auf die sozialen Netzwerke und Medien. Aber eines bleibt, und zwar für alle Zeit: Die persönliche Glaubwürdigkeit und die Leidenschaft, für die eigenen Überzeugungen einzustehen und zu kämpfen, begründen Erfolg oder Misserfolg. Es gibt Situationen, da muss man sich entscheiden; da muss man sein Herz über die Hürde werfen. Nur wer dazu bereit ist – und die Menschen spüren das –, wird das Maß an Glaubwürdigkeit haben, ohne das man auf Dauer in der Politik nicht bestehen kann. Das war im antiken Athen so, das war zu meiner Zeit so, und das ist auch in Ihrer Zeit so.

»Das Banner entfalten« für eine »ökologisch-soziale Marktwirtschaft«

Lindner: Herr Genscher, Sie waren im ersten Kabinett Brandt als Innenminister auch für das Thema Umwelt zuständig. In Ihrer Verantwortung entstand das erste Umweltprogramm einer Regierung in Europa überhaupt, auf der ersten Umweltkonferenz der UN 1972 in Stockholm haben Sie eine Rede über die deutsche Umweltpolitik gehalten, obwohl Deutschland noch nicht Mitglied der Vereinten Nationen war. Das ist Pionierarbeit gewesen. Heute wird mit Umweltpolitik allerdings eine andere Partei verbunden. Haben wir als FDP das Thema unterschätzt?

Genscher: Damals nicht, später ja. 1969 sprach man noch nicht von saurem Regen, dem Ozonloch oder gar dem Klimawandel. Trotzdem war uns klar, dass wir Regeln für den Schutz der natürlichen Lebensgrundlagen brauchten. Dieses Thema hat auch meinen Ministerkollegen Horst Ehmke – damals als enger Vertrauter von Willy Brandt Chef des Bundeskanzleramts – umgetrieben, und so haben wir uns zusammengesetzt. Wir waren uns einig, dass die Verantwortung in einem unabhängigen Ressort, das eben nicht durch Interessen belastet ist, liegen sollte. Das hieß aber auch, dass man überhaupt Zuständigkeiten des Bundes schaffen musste – der Bund hatte ja praktisch keine Kompetenzen für die wichtigen Bereiche der Umweltpolitik. Erstaunlich war – und höchst verantwortungsvoll dazu –, dass die Union, die im scharfen Widerspruch zur Regierung wegen deren Außenpolitik stand, im Bundesrat den Verfassungsänderungen, die wir brauchten, zustimmte. Hier wurde schon der Einfluss des damals noch »jungen Mannes aus Mainz«, Helmut Kohl, sichtbar, der die Union zukunftsfähig machen wollte.

Lindner: Ich finde bemerkenswert, dass diese Zuständigkeit Ihnen als damaligem Innenminister zugeordnet worden ist und nicht, wie man zunächst erwarten könnte, bei Landwirtschaft und Ernährung, die ja mit den natürlichen Lebensgrundlagen zu tun haben. Stattdessen ist ein konzeptioneller Zugang gewählt worden, der durchaus liberal zu nennen ist, nämlich über das Verfassungs- beziehungsweise das Ordnungsrecht. »Die Kosten des Umweltschutzes sind Kosten der Produktion«, hieß es dazu im Freiburger Programm. Das ist für mich die konsequente Weiterentwicklung des Ordoliberalismus. Hier kam nur etwas Neues dazu, nämlich dass es auch Regeln braucht im Umgang mit vorher scheinbar als unbegrenzt verfügbar verstandenen natürlichen Ressourcen.

Der Markt setzt Knappheitssignale effizient um – doch dazu müssen diese Signale auch gegeben werden. Wenn Güter keinen Preis haben, können Märkte nicht funktionieren. Dann werden ökologische Kosten zwischen Weltregionen und Generationen umverteilt. Das ist eine illegitime Freiheitseinschränkung. Also muss der Staat absolute Belastungsgrenzen ziehen und den Effekten, die sich beispielsweise nicht vom Markt aus in der Bilanz eines Unternehmens widerspiegeln, einen Preis geben. Das war neues Denken.

Genscher: Das ist das Verursacherprinzip – ja. Aus genau diesem Grund sollte es auch ein Ressort sein, das nicht interessenbestimmt ist, also beispielsweise nicht allein die Interessen der Landwirtschaft im Auge hat oder die der

Wirtschaft. Ein Aufbruch war es – viel war vorausgedacht worden, das Thema lag in der Luft, wir hielten es für relevant und griffen es auf. Aber ich muss Ihnen gestehen: Wenn ich über Umweltschutz zu sprechen begann bei meinen Wahlveranstaltungen, blickten mich viele Leute eher erstaunt an. Offenbar war das Thema damals in ihrem Bewusstsein noch nicht angekommen.

Unvergesslich für mich, dass der große Liberale Reinhold Maier als Parteivorsitzender das saubere Wasser »auf der Alb« schon 1957 zu einem Wahlkampfthema machte. Da sprach der erfahrene, weitsichtige Politiker. Aber auch derjenige, der wusste, wie er ein zentrales Thema der natürlichen Sorge des Bürgers populär machen konnte. Vier Jahre später kam Willy Brandt nicht weniger weitsichtig mit der viel belächelten und ironisierten Forderung nach dem blauen Himmel über der Ruhr.

Lindner: Bis heute finde ich diesen Gedanken für Liberale bestechend. Wer für die Freiheit der Menschen eintritt, muss erkennen: Es gibt endliche Ressourcen. Ökosysteme haben absolute Belastungsgrenzen. Einmal ausgestorbene Arten sind verloren. Ohne frische Luft und reines Wasser, ohne intakte Böden und stabiles Klima werden die menschlichen Lebenschancen eingeschränkt.

Genscher: Hier sagen Sie – fast nebenbei – etwas für mich Entscheidendes: Obwohl das Wort Umweltschutz von mir erst salonfähig gemacht wurde, war es für mich in dieser Form nicht aussagekräftig genug. Weil es eben nicht primär um die Umwelt an sich ging, sondern um eine menschenwürdige Umwelt. Die natürlichen Lebensgrundlagen – für wen denn? Für die Menschheit! Liberal heißt für mich, dass der Mensch im Mittelpunkt aller Überlegungen steht. Auch hier. Hier geht es um Lebenschancen oder besser gesagt, um Überlebenschancen. So gesehen ist der Schutz der natürlichen Lebensgrundlagen auch ein Freiheitsthema, der Freiheit der persönlichen Selbstentfaltung.

Lindner: Daran sollte man erinnern, wenn gelegentlich der ökologische Gedanke metaphysisch überhöht wird. Ökologische Gebote müssen sich am Maßstab der Verhältnismäßigkeit beweisen. Denn auch im Umweltschutz heiligt der Zweck nicht seine Mittel. Da wir nicht alles wissen können und nicht alles planbar ist, können die Mittel sich verselbständigen und in ihr Gegenteil umschlagen. Das erleben wir ja allenthalben, wenn eine gewisse ökologisch-egalitäre Denkrichtung die Natur über den Menschen stellen will. Schließlich hat der Mensch das Recht auf Entwicklung. Warum hat die FDP diese Avantgarde-Rolle aufgegeben?

Genscher: Schon bei unserem Bundesparteitag 1977 in Kiel wurde eine Skepsis gegenüber den vermeintlichen Kosten des Umweltschutzes deutlich. Mit ökonomischen Argumenten wurde der Elan einer zeitgemäßen und fortschrittlichen Umweltpolitik gebrochen. Das war eine wirkliche – nicht Kehrt-, aber doch eine Richtungswende innerhalb der FDP. Zu dem Zeitpunkt gab die FDP das auf, was Sie würdigen, Herr Lindner, wenn Sie uns als die erste Partei beschreiben, die mit dem Freiburger Programm und mit dem Ressortminister für Umweltschutz ab 1969 bei diesen Themen in der Vorhand war. Von der Avantgarde wurde die FDP in Sachen Umweltpolitik zum Bedenkenträger.

Lindner: Damit hat sie den Platz für die Grünen geräumt. Das ist nicht nur für unsere Partei bedauerlich. Vielmehr werden in der Folge ökologische Argumente heute generell in der Tendenz links eingeordnet, weil die Grünen dieses Feld gekapert haben und den Diskurs mit einer enormen Kompetenzvermutung dominieren.

Genscher: Zur geschichtlichen Wahrheit gehört allerdings: Als 1982 die Regierung SPD/FDP zu Ende ging, lagen in den Schubladen des damaligen Ministers Gerhart Baum eine Reihe von Umweltgesetzen fertig vor. Auf die Tagesordnung der Regierung waren sie nicht gekommen, weil auch bei der SPD die Bedenken gegen weitere Schritte im Umweltschutz überwogen, wegen vermeintlicher Interessen des Arbeitsmarktes. Mein Gott, wie sähe unser Arbeitsmarkt heute aus ohne die Arbeitsplätze in den Umwelttechnologien! Deshalb habe ich ja damals als Innenminister landauf, landab gepredigt: Wer die Umwelttechnologien heute hat, hat morgen die Arbeitsplätze. Der neue Innenminister Friedrich Zimmermann konnte 1982 die Öffentlichkeit mit einer Reihe von Umweltgesetzen überraschen, die in so kurzer Zeit gar nicht zu erarbeiten waren. Tatsächlich waren es die Baum-Vorlagen, die da umgesetzt wurden.

Aber Sie haben eben etwas bemerkt, das mir gefallen hat. Sie sagten, weil die damals bestimmenden Politiker das neue Thema zunehmend vernachlässigt haben, konnten sich andere, und zwar zum Teil eng verwoben mit linken Ideologien, des Themas bemächtigen. So wurde die Umwelt für manche Leute zu einem vermeintlich linken Thema. Ich habe das nie verstehen können, aber es war so.

Lindner: Das hatte auch für die Sache selbst Konsequenzen. Umweltpolitik wird heute zu selten aus dem Ordnungsgedanken heraus gestaltet, wie ich finde. Zu oft gibt der Staat Kommandos über die Rahmensetzung hinaus. Das hat die Herangehensweise fundamental verschoben. Interessanterweise hat der Soziologe Ulrich Beck das mit dem chinesischen autoritären Staatskapitalismus verglichen und gesagt, dass manche seiner »Freunde aus der Umwelt- und Klimabewegung ein Stück weit mit dieser Figur der ökologischen Steuerung von oben liebäugeln«.

Wenn man beispielsweise die Umweltpolitik der grünen Partei betrachtet: Jeder einzelne Lebensbereich soll bis ins Detail vom Gesetzgeber bestimmt und bürokratisch kontrolliert werden. Bis hin zu geradezu ulkig anmutenden Verboten von Motorrollern und Plastiktüten. Dennoch ist es den Grünen in einer verbreiteten Wahrnehmung gelungen, ökologische Verantwortung an ein linkes Politikverständnis zu ketten – der Vorstellung, gesellschaftliche Veränderungen müssten für uns alle von wohlmeinenden Politikern am grünen Tisch geplant werden. Der einzelne Mensch hat sich dieser Politik zu unterwerfen. Gesinnung wird wichtiger als Wirksamkeit. Die Freiheit des Individuums wird damit gleichermaßen von bedrohten Naturgrundlagen wie einem fast totalitär wirkenden Ökologismus gefährdet. Es wird unterstellt, in Freiheit leben passe nicht mit ökologischem Handeln zusammen. Da ist doch eine wiederzuentdeckende Aufgabe für Liberale: eine Balance zwischen den Entwicklungswünschen der Menschen und einem wirklich wirksamen Schutz der natürlichen Lebensgrundlagen herzustellen. Und das in eigener Verantwortung zu tun.

Genscher: Wie würden Sie diesen Ordnungsgedanken denn beschreiben?

Lindner: Heute würden wir von ökologischer Ordnungspolitik oder einer ökologisch-sozialen Marktwirtschaft sprechen, die private wie wirtschaftliche Freiheit achtet. Eine Detailsteuerung, die Biosprit oktroyiert und Glühbirnen verbietet, verhindert kreativere Lösungen. Solche Lösungsfragmente offenbaren ein Denken im Klein-Klein. Da sind grundlegende Zielvorgaben wie Energieeffizienz besser, um den Wettbewerb als Innovationstreiber, Kostensenker und als Entdeckungsverfahren für neue Technologien zu nutzen. Denken Sie an den zum Klimaschutz eingeführten Emissionshandel in Europa: Da wurden Verschmutzungsrechte – ein sperriges Wort – definiert, die sich an der Menge der verantwortbaren Belastung in einem Jahr orientieren. Die entsprechenden Zertifikate werden gehandelt, verlieren aber insgesamt an Wert. Es besteht also die volkswirtschaftliche Vorgabe, Emissionen zu vermeiden – nur kann das einzelne Unternehmen betriebswirtschaftlich selbst entscheiden, ob es weitere Zertifikate erwirbt oder besser in Umwelttechnologien investiert. Wenn die Schonung der Ressourcen wirtschaftliches Eigeninteresse ist, dann suchen die Menschen die besten Wege. Die Marktwirtschaft mit ihrer Innovationskraft also in den Dienst der Umwelt stellen – und nicht Ökonomie gegen Ökologie setzen!

Genscher: Das meine ich. Das ist der Unterschied – mehr noch, es ist der fundamentale Gegensatz – zu den Grünen. Die Grünen denken bürokratisch, während wir sagen, wir müssten die Ziele mit marktkonformen Mitteln erreichen, darin sind wir uns einig. Ich fände gut, wenn die FDP diesen Ball neu aufnehmen würde.

Lindner: Die Konzepte zu einer ökologisch-sozialen Marktwirtschaft sind längst da …

Genscher: … dann gilt es nur noch, das Banner zu entfalten!

Lindner: Ja, denn vor uns liegen gerade im Bereich der Nachhaltigkeit und der Schonung natürlicher Lebensgrundlagen immense Herausforderungen. Den Klimawandel habe ich gerade angesprochen. Hinzu kommt ein Wechsel von der Verbrauchs- zur Effizienzökonomie, weil weltweit Ressourcen wie Wasser, Öl und Gas knapper werden. Wenn das alles, wenn diese tiefgreifende Transformation von Wirtschaft und Gesellschaft, die in den nächsten drei, vier Jahrzehnten ansteht, ausschließlich dem politisch linken Spektrum – respektive denjenigen, die staatsorientiert sind – überlassen wird, dann wird das Ganze scheitern. Irgendwann werden die Leute gegen Verbote und Wohlstandsverluste rebellieren. Mit etwas Sensibilität kann man im Zuge der steigenden Stromkosten bereits heute erkennen, dass die Akzeptanz für die Energiewende insgesamt zurückgeht. Das ist ein Alarmsignal.

War die Energiewende richtig?

Genscher: Die Energiewende selbst halte ich allerdings für richtig. Zwei Dinge bei der Kernenergiediskussion sind ins Zwielicht geraten: Das eine ist die These von der Beherrschbarkeit der Technologie, deren Zweifelhaftigkeit uns die Katastrophe in Japan vor Augen geführt hat. Das andere ist die Unterdrückung der enormen Subventionskosten für die Kernenergie einschließlich der Zukunftskosten, was Endlagerung angeht. Kernenergie wurde als preiswert angeboten – das ist sie in Wahrheit nicht, wegen dieser versteckten Kosten.

Lindner: Einverstanden. Jetzt geht es aber nicht mehr um das begrüßenswerte Ziel, sondern um den richtigen Weg. Der Bundespräsident hat die bisherige Energiepolitik in meinen Augen völlig zu Recht mit dem Wort »Planwirtschaft« charakterisiert. Wie anders sollte man es nennen, wenn der Strompreis nur zur Hälfte aus echten Kosten besteht – alles andere sind Steuern, Abgaben, Ausnahmen und Umlagen. Der Staat fördert und steuert, wo er kann: Er subventioniert also zum Beispiel neue Anlagen, finanziert Kraftwerkskapazitäten für Engpässe und sichert das Haftungsrisiko für Netzbetreiber ab. Garantierte Preise und garantierte Abnahme für alternative Energie – das waren geeignete Instrumente für einen Nischenmarkt. Obwohl wir inzwischen erfreulicherweise von einem Massenmarkt sprechen können, gibt es diese Instrumente immer noch. Das macht die Energiewende unnötig teurer und riskanter, als dieses Projekt ohnedies ist. Da sollte einem Marktdesign und einer staatlich verantworteten Förderung Vorzug gegeben werden, die die Anbieter zu technischem Fortschritt und günstigeren Preisen anhalten. Innovation, eine deutsche Tugend, ist der Schlüssel. Das öffnet auch Chancen auf dem Weltmarkt. Übersubventionierung bremst dagegen den technischen Vorsprung. Sie verzerrt.

Das beste Beispiel dafür ist die Solarenergie: Obwohl in unseren Breitengraden keine Apfelsinen wachsen, ist in Deutschland die Hälfte der weltweiten Kapazität an Photovoltaik installiert – offensichtlich wegen der staatlichen Förderkulisse. Stattdessen sollte es dem Wettbewerb um mehr Effizienz übertragen werden, den richtigen Energiemix für Deutschland herauszubilden. Nicht zuletzt ist das auch eine Frage der Gerechtigkeit, weil hier Investoren vergleichsweise bequem zulasten der Allgemeinheit eine Rendite einstreichen können, die Stromverbraucher auch aus schmalen Brieftaschen aufbringen müssen. Um nicht missverstanden zu werden: Ich mache keinem Landwirt einen Vorwurf, wenn er im Rahmen bestehender Gesetze auf dem Dach seiner Scheune eine Solaranlage anbringt – in Bayern sieht man inzwischen sogar immer mehr Dächer mit Solaranlagen ohne Scheune darunter. Aber Aufgabe der Politik ist es, diese Gesetze im Interesse des Gemeinwohls schnellstmöglich zu korrigieren.

Genscher: Das war damals schon mein Argument. Ich wiederhole es: Wer heute die Technologien für Umweltschutz hat, hat morgen die Märkte. Das würden Grüne so nicht sagen. Als Liberaler habe ich damals schon gesagt: Leute, erkennt mal, wir können Marktführer sein! Und das sind wir ja heute tatsächlich. In der sozialen Marktwirtschaft wird Umweltschutz nicht durch Bürokratisierung zur ökonomischen Wachstumsbremse, sondern durch Marktdynamik zum Wachstumsmotor.

Lindner: Für diese Marktdynamik muss man nun die Bedingungen schaffen. Planung sollte durch einen marktwirtschaftlichen Rahmen ersetzt werden. Alternative Energien sollten also erstens nicht mehr unabhängig von ihrem Standort, ihrer Netzanbindung und ihrer Wirtschaftlichkeit mit einer festen Vergütung subventioniert werden. Ziel muss, wie ich eben sagte, ein Marktdesign sein, in dem sich die günstigsten Technologien und besten Standorte im Wettbewerb durchsetzen. Mit einer solchen Reform wird Deutschland die Energiewende erfolgreich gestalten – aber zu geringeren Kosten und bei geringeren Risiken. Wo regional alternativ erzeugte Energie weder in noch nicht ausgebaute Netze eingespeist noch gespeichert werden kann, dort muss die Bundesnetzagentur zweitens die Fördermittel für neue Anlagen beziehungsweise ihren Einspeisevorrang aussetzen können. Es ist doch abstrus, dass die Stromkunden auch für Energie zahlen müssen, die nicht genutzt werden kann.

Drittens braucht es eine gebündelte Projektleitung. In diesem Punkt teile ich die Forderung von Peer Steinbrück, der die Kompetenzen in einem Energieministerium zusammenfassen möchte. Die Arbeitsteilung zwischen einem Bundeswirtschaftsminister, der auf Wettbewerbsfähigkeit und Netzstabilität achten muss, und einem Bundesumweltminister, dessen Erfolg sich dagegen bislang am Tempo des Zubaus und der Höhe der Fördermilliarden bemisst, überzeugt mich nicht mehr. Der Wirtschaftsminister muss meiner Ansicht nach auch der Energieminister sein. Angesichts der gewaltigen Aufgaben und des großen Abstimmungsbedarfs auf europäischer Ebene ist ein Projektmanagement aus einer Hand dringend geboten. Überhaupt denken wir in diesen Fragen zu wenig im europäischen Kontext. Die Vorstellung einer deutschen Energieautarkie ist in meinen Augen nicht mehr zeitgemäß. Ein europäischer Strombinnenmarkt könnte dagegen in der Perspektive Solarenergie aus Griechenland mit Wasserspeichern in der Schweiz verbinden.

Genscher: Einverstanden. Aber ich will die Perspektive noch einmal weiten: Im Jahr 2050 werden wohl zehn Milliarden Menschen auf der Erde leben.

Lindner: Und wenn die heutigen Entwicklungen fortgeschrieben würden, dann würde der Natur- und Ressourcenverbrauch das Schicksal der Menschheit infrage stellen. Das ist doch die eigentliche Herausforderung.

Genscher: Deshalb stellt sich ja die Frage, ob die Politik angesichts der neuen Realitäten radikal genug Konsequenzen zieht. Ich bin der Meinung, dass die gesamte Umweltpolitik wirksamer werden muss, aber nicht bürokratischer oder wachstumshemmender. Das hat eben genau damit zu tun, dass immer mehr Menschen auf dieser Erde leben und dass ihre Lebensart sich verändert. Ich habe damals immer gesagt, stellt euch mal vor, wenn es in China pro Kopf der Bevölkerung so viele Autos gibt wie in Deutschland, was das allein bedeutet – bei gleichen Regeln, wie wir sie in Deutschland haben?

Umweltpolitik 1969/70 war neu – heute muss sie wieder neu gedacht werden. Ich will es einmal ganz grundsätzlich formulieren: Wir sind daran gewöhnt gewesen, viele Dinge primär im nationalen Rahmen zu denken, dann im Rahmen der Europäischen Gemeinschaft, im Rahmen der marktwirtschaftlichen Länder, aber in Wahrheit immer auch im Rahmen des Ost-West-Konfliktes. Lange Zeit hat gerade dieser Konflikt zwischen den Systemen viele unserer politischen Entscheidungen beeinflusst, in seinem Schatten fand Politik statt. Von der groben Vernachlässigung des Umweltschutzes in den sozialistischen Staaten war wenig die Rede. Das ging 1989 zu Ende. Jetzt befinden wir uns in einer Phase, die wir mit Globalisierung beschreiben, die uns in Wahrheit aber abverlangt – aber auch die Chance eröffnet –, dass wir alle Fragen, auf die wir Antworten suchen, vor diesem neuen, anderen Hintergrund beantworten. Jetzt beeinflusst die Globalisierung alles.

Das heißt, der einst nationale Wettbewerb ist weltweit geworden – früher spielte er sich nur unter den damaligen Industriemächten dieser Welt ab. Stabilität ist heute nur noch global zu erreichen – die Welt ist so zusammengewachsen, dass es keine entfernten Gebiete von geringerem Interesse mehr gibt, sondern alles, was geschieht, betrifft alle. Und alle Fragen haben wir in diesem Licht zu beantworten.

Lindner: Um bei Ihrem Beispiel der Autos in China zu bleiben: Die Chinesen streben eine weltweite Poleposition bei der Elektromobilität an.

Genscher: Das heißt, es wurde dort bereits reagiert. Wünschenswerterweise.

Lindner: Ich will das Problem durch diesen Hinweis nicht verharmlosen. Da gibt es noch viele praktische und technische Probleme. Mir geht es im Kern um etwas anderes: Wir werden den Schwellenländern keine Askese und keinen Wohlstandsverzicht verordnen können. Diese Vorstellung wäre naiv – und ethisch fragwürdig wäre es zudem, anderen die Verbesserung ihrer Lebensverhältnisse versagen zu wollen. Mit welchem Recht würde sich der Westen das herausnehmen können? Wieso sollten Gesellschaften wie China Verzicht üben? Es ist also die zentrale globale Aufgabe, den Schutz des Klimas mit Wachstum und Wohlstandszuwachs zu verbinden. Das ist eine besondere Verantwortung für Deutschland in Europa und für Europa in der Welt, denn wir gehören zu den Regionen der Welt mit den höchsten Pro-Kopf-Emissionen an Klimagas. Deshalb müssen wir schonender mit natürlichen Lebensgrundlagen umgehen. Das können wir sonst auch anderen nicht empfehlen, zumindest nicht mit argumentativer Autorität.

Also geht es um eine Vorbildfunktion, die allerdings nicht so weit überdehnt werden darf, dass die wirtschaftliche Dynamik bei uns stranguliert wird. Ganz abgesehen davon, dass wir zwischen Bielefeld und Bonn das Weltklima nicht im Alleingang retten können: Dann würden wir ja Schwellenländern gerade das negative Beispiel bieten, dass Klimaschutz und Wohlstandsgewinne sich ausschließen. Die Lösung ist also nicht Verzicht, sondern Innovation. Um beim Beispiel zu bleiben: nicht die Absage an individuelle Mobilität, sondern die Realisierung dieses

Bedürfnisses mit neuen Technologien. Die Schwellenländer müssen nicht alle früheren Entwicklungsstufen der westlichen Länder durchlaufen, sondern können gleich auf Zukunftslösungen setzen. Das hat den Vorteil, dass wir uns als Technologieführer Marktchancen erhalten.

Genscher: Sie sprachen von Wachstum. Welches meinen Sie eigentlich? Wir müssen darauf achten, dass es die menschenwürdige Umwelt nicht beeinträchtigt.

»Beim Begriff ›qualitatives Wachstum‹ bin ich zurückhaltend«

Lindner: Ich teile prinzipiell Ihren Gedanken. Wirtschaftliche Dynamik ist nicht gleichbedeutend damit, endliche Ressourcen abzufackeln. Mit kreativen Lösungen können höherwertige Güter erzeugt werden – also »besser« statt »mehr«. Wachstum ist – nebenbei gesagt – auch eine Frage der sozialen Gerechtigkeit: Wir brauchen eine prosperierende Wirtschaft, um dem Einzelnen seinen individuellen Aufstieg zu erleichtern. In der erstarrten Gesellschaft wäre eine Verbesserung der eigenen Lebenssituation nur im Kampf um die Umverteilung des Bestehenden möglich. Beim Begriff »qualitatives Wachstum«, wie er heute gebraucht wird, bin ich zurückhaltend, weil hier gelegentlich anderes mitschwingt: eine wirtschaftspolitische Zensur bestimmter Branchen, die nicht genehm sind.

Genscher: Bitte werden Sie deutlicher.

Lindner: Nehmen wir die Grünenpolitikerin, die ernsthaft öffentlich gesagt hat, sie wisse ganz genau, welche Autos die deutsche Industrie bauen müsste, welche Branchen wachsen und welche Branchen schrumpfen müssten. Das ist eine Anmaßung von Wissen, die mich an den Bericht des Club of Rome von 1972 zu den »Grenzen des Wachstums« erinnert. Natürlich darf Freiheit nicht mit Grenzenlosigkeit verwechselt werden. Freiheit impliziert aber, Grenzen innovativ hinausschieben zu können. Auch endliche Ressourcen können verbraucht werden, wenn der gleiche Zweck in der Zukunft durch bessere Mittel erfüllt und die verbrauchten Rohstoffe dann ersetzt werden können. Die angeblichen Grenzen hat der menschliche Geist durch Spitzentechnologien oder Spitzendienstleistungen bisher immer wieder überwunden. Zukunft ist eben nicht planbar. Und deshalb muss die Entwicklungsrichtung offen bleiben. Wenn man beispielsweise die Energiekonzepte der siebziger Jahre ohne stetig neue Erkenntnis umgesetzt hätte, dann wären in Deutschland heute Dutzende Kernkraftwerke in Betrieb.

Genscher: Es geht jetzt um ein liberales Verständnis, wie man für den Umweltschutz globale Rahmenbedingungen schafft.

Lindner: Ja, aber ich will den Aspekt dennoch vertiefen, um einen Unterschied in der politischen Theorie zu verdeutlichen. Von der Anmaßung von Wissen ist es nur noch ein kleiner Schritt, bis dieses vermeintliche Wissen auch durch Subventionen und Gesetze durchgesetzt wird. In diesem Zusammenhang sprechen Sozialdemokraten und Grüne gerne von einer »demokratischen Marktwirtschaft«, nicht mehr von Sozialer Marktwirtschaft. Dass der parlamentarische Gesetzgeber die Regeln bestimmt und Ziele vorgibt, das ist genauso richtig wie trivial. Das ist auch in der Sozialen Marktwirtschaft so – dafür braucht es keinen neuen Begriff. Hier soll offenbar stärker Einfluss genommen werden! Das läuft meinem Verständnis von der Entwicklungsoffenheit einer Gesellschaft zuwider, wenn Politiker entscheiden, welche Richtung eine Gesellschaft nehmen soll. Sie setzen die Rahmenbedingungen – ja –, aber der Rest wird von den Bürgerinnen und Bürgern entschieden. Mit dem heute verfügbaren Wissen würde ich mir jedenfalls nicht zutrauen, abschließende Antworten zu geben. Also darf man vermuten, dass über diesen Umweg auch ganz andere Ziele angestrebt werden sollen. Mit dem Klimaschutzgesetz der rot-grünen Koalition in Nordrhein-Westfalen besteht etwa die verwaltungstechnische Handhabe, gesellschaftspolitische Vorbehalte gegen konventionelle Landwirtschaft und Industrie mit dem Tarnargument des Klimaschutzes praktisch umzusetzen. Ökologisch wirksam ist dieses Gesetz dagegen nicht, weil es ja – wie gesagt – längst einen europäischen Mechanismus gibt. Im Englischen würde man sagen: Das ist *overdone*.

Genscher: Ich stimme Ihren ordnungspolitischen Vorstellungen ohne Einschränkung zu. Im Blick zurück kann oder muss man feststellen: Der Schutz der natürlichen Lebensgrundlagen ist für die Liberalen in Deutschland ein Glanzpunkt in ihrer Geschichte und leider gleichzeitig auch ein zentrales Thema, dass sie kampflos aus der Hand gegeben haben. Dabei ist der Begriff der Nachhaltigkeit, der in diesem Zusammenhang in das Bewusstsein der Öffentlichkeit gerückt wurde, nun sogar ein Leitbild für alle Lebensbereiche geworden. Hier liegt die historische Leistung von Hans Jonas mit seinem zentralen Werk *Prinzip Verantwortung*. Mir hat Jonas unendlich viel gegeben. Verantwortung drückt die Moral der Freiheit aus; und Zukunftsverantwortung die Verpflichtung auf die Gestaltung der Zukunft in Freiheit und in Menschenwürde. Jonas hat damit dem kategorischen Imperativ Kants die Zukunftsperspektive eröffnet: Verantwortung als Zukunftsverantwortung.

Liberalität in Zeiten des Terrors, Liberalität in Zeiten des Netzes

Lindner: So wie zu Ihrer Zeit die Umweltpolitik von Ihrer Generation Pionierarbeit gefordert hat, so müssen wir heute in Verantwortung Stehenden uns mit der digitalisierten Gesellschaft befassen. Darüber will ich mit Ihnen nun sprechen.

Der Umgang mit der fortschreitenden Durchdringung aller Lebensbereiche durch die digitalen Medien ist eine der großen Gestaltungsaufgaben der Zukunft. Lebensstile, Kommunikationsverhalten und Geschäftsmodelle – das alles ändert sich durch das Internet grundlegend. Und zwar mit einer Dynamik, die ein Einzelner kaum erfassen kann. Das bringt auch besorgniserregende Entwicklungen mit sich. Mir liegt aber zunächst an einer grundlegenden Feststellung: Das sind trotz der Risiken vor allem phantastische Technologien mit einem ungeheuren zivilisatorischen Potenzial! Sie erleichtern die Teilhabe am öffentlichen Leben, Medien und Kultur werden global, Informationen leichter zugänglich, kreative Potenziale verwirklicht, der Alltag bequemer, die Produktivität steigt. Ich könnte und wollte darauf nicht verzichten. Die nach 1980 Geborenen kennen gar keine andere Welt mehr.

Genscher: Ich habe während des »Arabischen Frühlings« die politische Bedeutung der Neuen Medien wahrgenommen.

Dass sich Menschen, die in einem diktatorischen Regime leben, auf neue Art organisieren und für ihre Freiheit kämpfen können, ist eine Weiterentwicklung der Demokratie. Dort hat sich eine junge Generation nicht mehr unterdrücken lassen, sondern neue Wege gefunden, für eine Zukunft in Freiheit einzutreten.

Lindner: Die Anonymität auf den Online-Plattformen hat das ermöglicht. In Gesellschaften, in denen die Meinungsfreiheit nicht gesichert ist, kann man deren Bedeutung gar nicht überschätzen. Hier berühren wir allerdings schon die Risiken, über die ich sprechen will: Es geht mir um die Privatheit der Person. Wer das Internet oder ein Mobiltelefon nutzt, gibt Informationen preis – oftmals ohne es überhaupt zu bemerken. Das erlaubt dem Staat, mit neuen technischen Möglichkeiten tief in die Privatsphäre einzudringen, um vermeintliche Sicherheit zu gewährleisten. Dann gibt es Unternehmen, die Daten sammeln und Persönlichkeitsprofile anlegen, um noch effizienter zu werben und gezielter ihre Produkte zu platzieren. Freiheit und Privatheit einerseits, andererseits Sicherheit und wirtschaftliche Interessen – Sie mussten mit vergleichbaren Konflikten umgehen. In den siebziger Jahren hatten Sie als Bundesinnenminister angesichts der terroristischen Bedrohung abzuwägen zwischen Freiheit und Sicherheit. Auch damals gab es neue technologische Möglichkeiten durch die – wie man sagte – elektronische Datenverarbeitung. Mich interessiert, wie Sie damals als liberaler Innenminister gedacht und entschieden haben.

Genscher: Da rühren Sie an eine ganz schwierige Frage, weil der Druck von zwei Seiten kam. Einerseits gab es eine Unterstützerszene der RAF, für die die legalen staatlichen Maßnahmen schon eine Rechtsverletzung waren und die um Verständnis für die Motive der Terroristen warben. Andererseits gab es politischen Druck, mit immer neuen Sicherheitsgesetzen vermeintlich wirksamere Formen der

Verbrechensbekämpfung zu entwickeln. Übrigens, als ich Innenminister wurde, fand ich die Sicherheitsbehörden in einem miserablen Zustand vor. Das Bundeskriminalamt hatte keine »Waffengleichheit« mit der organisierten Kriminalität. Auch die Polizeibehörden der Länder agierten moderner als das BKA. Ich habe dann damit begonnen, das Amt technisch und personell neu aufzustellen, unabhängig von der terroristischen Herausforderung, die später Deutschland in Atem hielt. Die RAF war ein wirklicher Überlebenstest für die innere Liberalität unseres Landes.

Vorab: Wir haben ihn bestanden. Wir mussten uns gegen den Terror wehren, aber ich war entschlossen, den freiheitlichen Rechtsstaat nicht aufzugeben. Ich bin bis heute davon überzeugt – und habe damals auch nach diesem Prinzip gehandelt: Unser Rechtsstaat kann nur dann stark sein, wenn er auf dem Vertrauen der Bürgerinnen und Bürger beruht, aber nicht, wenn er von Misstrauen gegenüber den Bürgerinnen und Bürgern getragen ist. Für mich war das die entscheidende Frage. Von der ersten Generation der RAF-Terroristen sind übrigens alle gefasst worden – und zwar ohne eine einzige Gesetzesänderung, sondern nur durch eine verbesserte Polizeiorganisation, durch mehr Polizisten, durch bessere Ausbildung und durch bessere Ausrüstung. Über allem aber stand das rechtsstaatliche Gebot: Im Zweifel für die Freiheit.

Die damalige Herausforderung des freiheitlichen Rechtsstaats war außergewöhnlich. Auf der einen Seite standen die Täter, die sich mit ihren Mordtaten zu Herren über Leben und Tod erhoben. Für sie war Mord kein Verbrechen, sondern ein selbstverständliches politisches Kampfmittel. Sie suchten sich ein Mordopfer aus, und wenn es darum ging, die Tat auszuüben, spielte es für sie keine Rolle, ob andere Menschen auch zu Opfern wurden. Wie viele Polizeibeamte und Fahrer wurden kaltblütig umgebracht? Dann gab es, wie eben bereits erwähnt, eine Unterstützerszene, die das Mordgeschehen verharmloste und den Tätern edle Motive unterstellte. Gleichzeitig wurde der freiheitliche Rechtsstaat in der Ausübung seiner Schutzverantwortung für Leben und Freiheit seiner Bürger diffamiert. Wenn es am Ende dennoch zur Einsicht kam, gab es dafür zwei Gründe. Unser Staat ließ sich nicht provozieren. Der Rechtsstaat blieb ein Rechtsstaat. Dieser Rechtsstaat erwies sich nicht als ein Staat der Rache, sondern als ein Staat, der auch dem Mörder gegenüber gerecht blieb, der zur Umkehr aufrief und bei dem Bemühen um Umkehr auch den Dialog mit den Tätern nicht scheute.

Klaus Kinkel und Gerhart Baum haben sich dieser nicht einfachen Aufgabe gestellt und dafür auch manche Kritik einstecken müssen. Denn, das wollen wir nicht vergessen, es gab auch Forderungen nach härteren, vermeintlich wirksameren Gesetzen. In meiner Zeit als Innenminister bin ich darauf nicht eingegangen, aber alles, was die Effektivität der Verbrechensbekämpfung im Rahmen der bestehenden Gesetze verbesserte, geschah. Ausbau und Modernisierung des BKA und Umstellung des BGS auf polizeiliche Aufgaben sind nur zwei besonders deutliche Beispiele.

Wissen Sie, Herr Lindner, damals fühlte ich mich in besonderer Weise auf dem Prüfstand. Ich war der erste liberale Bundesinnenminister seit Bestehen der Bundesrepublik Deutschland. Bei unserem Eintritt in die Regierung mit der SPD gab es viele Stimmen in unserer Partei, die gegen die Übernahme des Innenministeriums durch uns waren, weil sie fürchteten, die liberale Identität könnte verletzt werden. Ich war der Meinung, es sei geradezu die Pflicht der Liberalen, dieses Ministerium zu übernehmen, um die innere Liberalität zu garantieren. Nun kam es darauf an, das auch in der Praxis unter Beweis zu stellen.

In der ersten Legislaturperiode hatte der Justizminister Thomas Dehler, für mich ein großes liberales Vorbild, einen leidenschaftlichen Kampf gegen die Bemühungen um Wiedereinführung der Todesstrafe geführt. Jetzt standen wir wieder auf dem Prüfstand. Hier muss jeder Liberale ein hohes Maß an Sensibilität unter Beweis stellen, will er nicht unsere liberale Identität verletzen. Sie haben ja schon miterlebt, was es bedeutete, dass die Justizministerin Sabine Leutheusser-Schnarrenberger in ihrer ersten Amtszeit zurücktrat, als sich die Mehrheit von Partei und Fraktion in einer anderen gravierenden Frage auf einen opportunistischen Irr- und Abweg begab. Für Frau Leutheusser-Schnarrenberger mag es bei zwei Gelegenheiten eine große Befriedigung gewesen sein, dass sich im nachhinein die bessere Einsicht durchsetzte. Einmal, dass sie mit einer Minderheit von Unterstützern, zu der auch Otto Graf Lambsdorff und ich gehörten, vom Bundesverfassungsgericht Recht bekam, und dann, dass sie bei der Neubildung der Bundesregierung 2009 das Amt der Justizministerin wiederum übernehmen konnte. Auf der anderen Seite war ich verwundert über die Flexibilität, die manche in Sachen Rechtsstaat zeigten, die uns 1982 beim Regierungswechsel verließen mit der Begründung, sie seien das ihrer liberalen Überzeugung schuldig, und die dann als Mitglieder der SPD für Gesetze stimmten, die sie vorher ganz gewiss abgelehnt hätten.

Lindner: Heute ist der internationale Terror für Innenminister die Rechtfertigung für eine Überwachung der Bürger, die mir zu weit geht. Dabei macht es gar keinen Unterschied, ob der Sheriffstern schwarz oder rot ist.

Genscher: Ich hatte damals das Glück mit dem BKA-Chef Horst Herold einen Mann an meiner Seite zu haben, der mit mir in dem Grundprinzip »Im Zweifel für die Freiheit« übereinstimmte. Auf der anderen Seite war er ungewöhnlich ideenreich. Nach meiner Überzeugung war das Ziel der führenden Köpfe innerhalb der RAF, den Staat so herauszufordern, dass er mit seinen Reaktionen als Obrigkeits-, ja als Unrechtsstaat in Erscheinung treten musste – die RAF wollte die demokratische Moral und die liberale Integrität beschädigen. Damals ist also auch über den künftigen Charakter der Bundesrepublik entschieden worden, über die innere Liberalität unseres Landes. Diese Bewährungsprobe wurde bestanden. Auch heute noch ist es die immerwährende Aufgabe der liberalen Partei, ihre Grundhaltung und ihre Maßstäbe im Innen- und im Justizbereich zu beweisen. Daher sind die Diskussionen über die Befugnisse der Behörden und über Datenschutz zwischen den heutigen Innenministern und Frau Leutheusser-Schnarrenberger geradezu notwendig.

Lindner: Liberale dürfen das Ziel nicht aufgeben, dem Einzelnen die Souveränität über seine persönlichen Daten zu erhalten und seine Privatsphäre gegen Zugriff aus Staat und Wirtschaft zu verteidigen. Es gibt eine wachsende Zahl von Nutzern, die das Internet als öffentlichen Raum begriffen haben und auf Vertraulichkeit achten. Auf der anderen Seite gibt es nach wie vor viele Menschen, die freiwillig vieles von sich preisgeben. Und nicht zuletzt gibt es bei einigen gegenüber dem Staat ein recht unkritisches Urvertrauen. Obwohl wir die wichtigsten Rechte der Bürgerinnen und Bürger verteidigen, sind wir Liberalen oftmals in der Defensive. Ich nenne das Beispiel der Vorratsdatenspeicherung, dem massenhaften Aufbewahren von Kommunikationsdaten der Bürgerinnen und Bürger – ohne dass es individuell ein Verdachtsmoment gibt. Bei diesen Fragen grenzt das Vertrauen in den Staat an Naivität. Nach dem Motto: »Ich habe ja nichts zu verbergen.« Die einzige Ausnahme sind vielleicht Bankdaten, da sind die Menschen gegenüber dem Finanzamt reservierter, da gibt es Sensibilität – bemerkenswert, finden Sie nicht?

Genscher: Herr Lindner, Sie kommen hier auf ein Grundproblem des Liberalismus zu sprechen. Als wir uns unlängst über meinen Weg in die Politik unterhalten haben, da erwähnte ich jenen überzeugenden liberalen Redner, der mich im Winter 1945/46 tief beeindruckte mit seinem Postulat: Der Liberalismus ist die umfassendste Alternative zu jeder Form der Unfreiheit.

Er sprach nicht von jeder staatlichen Form der Unfreiheit, sondern von jeder Form. Das heißt, für ihn konnten Freiheitsbedrohungen in den unterschiedlichsten Gewändern auftreten. Die Freiheit kann also nicht nur vom Staat her gefährdet werden. Freiheitsgefährdend können auch mächtige Interessengruppen sein, aber auch marktbeherrschende Unternehmen. Freiheitsgefährdend kann es sein, wenn Marktgeschehen frei von staatlichen Rahmenbedingungen sich freiheitseinschränkend entwickeln kann. Der Liberale ist auf der Hut, wenn die Gefahr der Freiheitseinschränkung auch nur am Horizont erscheint. Gleichviel, welches Gewand sie dabei trägt. Inzwischen erleben wir ja, dass auch der Staat in seiner freiheitssichernden Funktion herausgefordert wird.

Lindner: Der Staat selbst ist ja nicht einmal in der Lage, Sicherheit für die Daten in seinem Besitz garantieren zu können. Ich verweise beispielsweise auf die Affäre Wikileaks, als die Kabelberichte des US-Außenministeriums durch Hacker plötzlich öffentlich gemacht wurden. Wer kann sicherstellen, dass die gespeicherten Kommunikationsdaten von Millionen Bürgerinnen und Bürgern nicht irgendwann aus Fahrlässigkeit oder mit kriminellen Motiven an die Öffentlichkeit gelangen? Dann kann man plötzlich detailliert das Privatleben der Nachbarn oder Geschäftspartner rekonstruieren.

Genscher: Das ist eine ganz andere Lage als zu Beginn der siebziger Jahre. Verstehen Sie, allein aufgrund des technisch Möglichen war diese Art der Empfindlichkeit nicht gefordert. Betroffen fühlte man sich aus anderen Gründen: Das Misstrauen gegenüber einem allmächtigen Staat in den Hitler-Jahren beherrschte noch manche Köpfe – die

Bundesrepublik war doch wenig älter als 20 Jahre. Heute müssen Sie vorausspüren, welchen Datenmissbrauch die technischen Möglichkeiten in der Zukunft erlauben könnten. Unvorstellbar, was alles möglich wird. Nicht nur für den Staat, sondern auch für Personen, für Organisationen und für Unternehmen.

Lindner: Immerhin wurde zu Ihrer Zeit als Innenminister bereits die Rasterfahndung eingeführt.

Genscher: Ja, obwohl auch das mit der Technik von heute nicht vergleichbar ist. Das waren erste tastende Versuche, die heute längst für zulässig gehalten werden. Nicht die Rasterfahndung als solche war das Problem, sondern das Ausmaß.

Lindner: Sie war aber eine bahnbrechende Innovation von Horst Herold. Er wollte schon früh die Gesellschaft »durchsichtig« machen.

Genscher: Die Polizei verfügte über Profile der Täter und musste nun sehen, ob daraus auch Bewegungsprofile zu gewinnen waren. Nach meiner festen Überzeugung bedeutete das keineswegs, dass mit solchen Fahndungsmethoden der Freiheitsraum für andere Bürger eingeschränkt worden wäre. Heute aber kann jeder das Opfer von Datensammlungen sein.

Lindner: Ich bin nicht sicher, aber meines Wissens hat Gerhart Baum als einer Ihrer Nachfolger im Amt des Innenministers die Rasterfahndung kritischer gesehen. Mindestens sieht er das heute differenziert. Nicht ganz zu Unrecht. Die Idee war ja, anhand von bestimmten Täterprofilen zu Ermittlungserfolgen zu kommen. Zeigt sich eine Übereinstimmung, ruft das die Polizei auf den Plan – bei unbescholtenen Bürgern! Obwohl es also keinen konkreten Verdacht gibt, sondern nur ein zufälliges Muster, das übereinstimmt mit einem Täterprofil, muss sich der Einzelne rechtfertigen gegenüber dem Staat. Nach dem 11. September 2001 standen plötzlich Kriminalbeamte am Arbeitsplatz eines Freundes meiner Frau: Er ist gebürtiger Ägypter, beruflich oft in die USA gereist und Besitzer eines Pilotenscheins. Ein wirklich unbescholtener Mann, der nun den Verdacht entkräften musste, Mitglied einer Schläferzelle zu sein. Das ist verstörend. Im übrigen ist das nicht zielführend, wenn die Behörden einer Unzahl von unbegründeten Verdachtsfällen nachgehen. Mag sich die westliche Welt auch in einem absoluten Ausnahmezustand befunden haben, solche Verfahren kann ich kaum verhältnismäßig finden.

Genscher: Dass die Sensibilitäten höher werden, weil sich die technologischen Möglichkeiten rasant fortentwickeln und unendlich viele Einblicke in das Verhalten jedes Bürgers machbar geworden sind, ist ja selbstverständlich. Gerade deshalb ist Wachsamkeit dringend geboten. Ich glaube, allein schon die Dimension des heute Möglichen lässt wirkliche Vergleiche mit Herolds Fahndungsmethoden nicht zu. Zudem hat allein schon die Integrität seiner Person verhindert, ihm einen Anschlag auf den freiheitlichen Rechtsstaat auch nur zu unterstellen. Wir bewegen uns hier in einem Bereich, in dem eine gestern noch vertretbare Maßnahme aufgrund neuer technischer Entwicklungen höchst bedenklich wird. Ich glaube, dass solche Perspektiven die Sensibilität von Gerhart Baum herausgefordert haben. Das ist es, was einen Liberalen auch herausfordern muss.

Lindner: Umso erstaunlicher ist es, dass heute gerade auch diejenigen, die sich selbst als »Bürgerliche« sehen, im Umgang mit solchen Freiheitsrisiken eine gewisse Naivität an den Tag legen. Das sind dieselben Leute, denen die Hecke im Garten nicht hoch genug sein kann, damit die Nachbarn nicht ins Wohnzimmer hineingucken können, aber entspannt hinnehmen, dass Unbefugte Datenraster über sie anlegen. Die Verknüpfung von zwei für sich genommen banalen Informationen kann heute tiefe Rückschlüsse erlauben: Wenn die Ehefrau eine Immobilienbörse im Internet besucht, interessiert sie sich vielleicht nur für den Markt. Wenn sie vorher die Website eines auf Scheidungsrecht spezialisierten Fachanwalts besucht hat, liegen andere Mutmaßungen nahe. Wenn die Kreditkartendaten, die Mobilfunkdaten, die Navigationsdaten aus dem Auto verbunden werden – technisch überhaupt kein Problem –, dann kann ein komplettes Persönlichkeitsprofil erstellt werden. Viele machen sich, befürchte ich, gar keine Vorstellung davon, was das konkret bedeutet. Das Recht auf Privatsphäre kann man längst nicht mehr mit der Heckenschere durchsetzen.

Genscher: Die Menschen stumpfen ab, weil die Entwicklung sie überrollt.

Lindner: Man muss das umso klarer benennen: Wer sich überwacht fühlt, der ändert sein Verhalten. Eine schlimme Vorstellung. Man hat etwa messen können, dass nach der zeitweiligen Einführung der Vorratsdatenspeicherung vor einigen Jahren die anonymen Hilfsangebote per Telefon weniger genutzt wurden. Bereits heute ist ja eine nahezu lückenlose Überwachung und Ausspähung möglich. Und zwar weltweit. Der amerikanische Geheimdienst NSA wertet beispielsweise in einem Umfang Daten aus, gegen die George Orwells »Big Brother« bald harmlos sein wird. Das ist eine völlige Entgrenzung staatlicher Macht – gegenüber Privaträumen und territorial. In Deutschland entwickeln die Sicherheitsbehörden Schadsoftware, mit denen auch ein Eindringen in den Intimbereich der Persönlichkeit technisch möglich ist – dieser »Staatstrojaner« erlaubt auch den Zugriff auf persönlichste Notizen im Computer, das »ausgelagerte Gehirn«, wie Burkhard Hirsch das einmal sehr treffend gesagt hat. Zukünftig werden Daten zudem nicht mehr physikalisch auf dem eigenen Gerät abgelegt sein, sondern zunehmend zentral. Man spricht vom »cloud computing«. Der Einzelne weiß nicht mehr, wo seine Daten wirklich liegen. Da ist der Zugriff dann vielleicht noch leichter möglich, übrigens gerade bei Anbietern außerhalb Deutschlands. Die physikalische Speicherung der »Datenwolke« kann per Knopfdruck zwischen Staaten verschoben werden. Das stellt herkömmliches Regierungsdenken infrage.

Genscher: Man hat zudem bereits militärische Anwendungen gesehen …

Lindner: … wie bei dem Computerwurm Stuxnet, der offensichtlich gegen das iranische Atomprogramm entwickelt wurde. Vorstellbar ist das auch bei kritischer Infrastruktur. Der Verursacher bliebe – anders als bei Auseinandersetzungen mit konventionellen Mitteln – dann oft unerkannt. Hier sind dringend Grenzen zu ziehen. Damit kann der deutsche Gesetzgeber zumindest für seinen Verantwortungsbereich beginnen. Die eigentliche Herausforderung ist aber global.

Genscher: Für uns als Liberale war das immer eine argumentative Anstrengung. Da begrüßen Leute, dass die FDP die Grenzen der Wirksamkeit des Staates im Blick behält. Dieselben Leute sagen dann aber auch, dass sie gar nicht verstehen können, warum denn die FDP gegen flächendeckende Video-Überwachung sei. Übrigens gibt es das auch andersherum: Leute, die Befugnisse für Sicherheitsbehörden kritisch sehen, aber den Staat gerne punktuell in die Wirtschaft eingreifen lassen wollen. Die FDP muss die Heimat für jene bleiben, die gleichermaßen in Wirtschaft und Gesellschaft Liberalität wollen.

Lindner: In einem Satz: Freiheit ist unteilbar! Man hat höchstens fallweise die unterschiedlichen Sphären abzuwägen. Beispielsweise die Gewerbefreiheit eines Unternehmens, Daten zu sammeln, gegen mein Recht an meinen Daten. Ich betrachte mich als Eigentümer meiner Stammdaten, als Eigentümer auch meiner Persönlichkeitsdaten – welche Vorlieben ich habe, welche Musik ich höre. Information ist die neue Leitwährung im digitalen Zeitalter, weil viele

Geschäftsmodelle auf Daten basieren – meine Daten sind aber mein Eigentum. Also müssen diese Eigentumsrechte auch durchsetzbar werden. Wo das nicht unbürokratisch möglich ist, muss der Rechtsstaat an die Seite des Einzelnen treten, damit auf Verlangen offengelegt und gelöscht wird. Wir sollten darüber nachdenken, ob personenbezogene Daten nicht grundsätzlich nach Ablauf geeigneter Fristen gelöscht werden sollten.

Genscher: Ich finde interessant, was Sie in diesem Zusammenhang über die Einschränkung der ökonomischen Kraftfelder sagen. Erinnern möchte ich an einen Konflikt nach dem Krieg, in der jungen Bundesrepublik, den ich bereits angeschnitten habe: Ludwig Erhard stand für die Soziale Marktwirtschaft, gestritten wurde um die Einführung des Kartellrechts. Dem Kampf um das Kartellrecht lag die Erkenntnis zugrunde, für die innere Demokratisierung sei es unverzichtbar, wirtschaftliche Macht zu bändigen. Das war eine Grundsatzentscheidung, die ja nicht von vornherein voll akzeptiert worden ist – ganz im Gegenteil.

Lindner: Das kann man übertragen. Ich würde sagen, in gleicher Weise gibt es die Notwendigkeit, die staatliche wie die wirtschaftliche Macht über den Einzelnen zu begrenzen. So verstehe ich den politischen Liberalismus heute. Wir stehen dafür ein, den Lebensbereich des Einzelnen zu verteidigen, und da darf man nicht darauf schauen, ob das Machtdiktat von einem privaten oder von einem staatlichen Spieler kommt.

Genscher: Jetzt müssen Sie aber sagen, warum so viele junge Menschen freiwillig im Internet einen Teil ihrer Persönlichkeit offenbaren. Es ist ja die Rede davon, dass auch sehr private Momente mit Fremden geteilt werden.

Lindner: Privatheit ist ein Recht, aber keine Pflicht. Den freiwilligen Verzicht muss man billigen, wenngleich das für mich auch eine Frage der Kompetenz und Reife im Umgang mit den neuen Medien ist. Letztlich also eine der Bildung, hier der Medienkompetenz. Bei jüngeren Menschen beginnen sich die Vorzeichen zu verändern. Hier sind inzwischen insgesamt die Sicherheitseinstellungen die höchsten. Nicht unterschlagen will ich aber, dass es eine gegenläufige Bewegung unter Internet-Aktivisten gibt, die »Post Privacy« propagieren – also die bewusste und komplette Entblößung. Das wirkt skurril, wenn dann über das Frühstück Protokoll geführt wird. Das ist aber keine Massenbewegung.

Genscher: Manchmal empfinde ich es im Alltag beklemmend, wenn im Bahnabteil der Sitznachbar laut über Geschäftsgeheimnisse und Intimleben am Handy berichtet. Das hätte es früher so nicht gegeben. Allein aus Höflichkeit. Dennoch, ich teile Ihre Meinung, Privatheit ist ein Recht, aber keine Pflicht.

Lindner: Da ist die Gesellschaft plural. Ich will die Sammlung von Daten auch nicht ausschließlich in »Moll« intonieren, das würde den Chancen nicht gerecht. Gerade die anonyme, nicht personenbezogene Auswertung von Nutzerdaten auf großen Plattformen kann recht komfortabel sein. Beispielsweise ist es heute möglich, verblüffend genau zum eigenen Musikgeschmack passende Vorschläge einzuholen, welche Interpreten man noch nicht kennt, die aber gefallen könnten. Das ist angenehm, solange man sich dessen bewusst ist. Es muss ja auch Raum für Experiment, Zufallsfunde und Neues sein, was außerhalb des bisherigen eigenen Horizonts liegt.

Die Piraten

Genscher: Wir müssen jetzt noch einmal auf die Piraten-Partei zu sprechen kommen. In den Augen vieler Beobachter hat sich diese Formation den neuen Themen ja mit besonderer Glaubwürdigkeit und Kompetenz angenommen.

Lindner: Die sollten wir nicht so hoch hängen. Ein Teil des Zuspruchs erklärt sich sicher daraus, dass das Feld der sogenannten Netzpolitik bei den etablierten Parteien unterbelichtet war – ja. Das betrifft Fragen der inneren, technischen Organisation des Internets, der Folgen der Anwendung dieser Technologie im täglichen Leben und die Nutzung des Netzes für die Demokratie selbst. Da ist die Debatte unterdessen weiter. Einen Anteil daran hat eine Enquete-Kommission, die der Deutsche Bundestag in dieser Legislaturperiode eingerichtet hat. Die Piraten selbst haben über das Aufwerfen von relevanten Fragen hinaus wenig Impulse gegeben. Das hat das Publikum unterdessen bemerkt. Der größere Teil des zwischenzeitlichen Erfolgs der Piraten-Partei beruhte nach meiner Wahrnehmung deshalb hingegen auf einer Ablehnung der ritualisierten, etablierten Politik. Ein Stück Parteienkritik, Parteienprotest …

Genscher: Diese Rolle hatten sie von den Grünen übernommen. Die wurde weitergereicht, weil die Grünen inzwischen zum Establishment gehören. So weit sind die Piraten nicht gekommen. Es scheint, dass ihre Entwicklung eher nach unten zeigt.

Lindner: Auch ich sehe die Chancen auf eine dauerhafte Etablierung der Piraten skeptisch. Parteien formieren sich ja anhand von Konfliktlinien der Gesellschaft. Kapital und Arbeit, Stadt und Land, kirchlich und säkular orientierte Politik – das waren historische Trennungen. Dann kam die Auseinandersetzung zwischen Ökologie und Ökonomie dazu, an der sich die Grünen aufbauen konnten. Online und Offline – das könnte zwar eine neue Konfliktlinie sein, aber weder arbeiten sich die Piraten hier konzeptionell ab, noch können sie eine Exklusivität für sich reklamieren. Auf wesentliche Grundsatzfragen können sie keine programmatische Antwort geben. Auf dem letzten Parteitag konnten sie sich noch nicht einmal zu einem Bekenntnis zur Sozialen Marktwirtschaft durchringen.

Genscher: Woher kommt eigentlich der Name – Piraten?

Lindner: Das geht zurück auf Piraterie im Internet. Die skandinavischen Gründer wollten kosten- und straffrei Software und Inhalte aus dem Internet nutzen. Aus einer ganz selbstbezogenen Motivation sollte das geistige Eigentum geschliffen werden – zum Schaden derjenigen, die von den Ergebnissen ihrer geistigen Schaffenskraft leben. Für mich ist klar, dass Leistungen geschützt bleiben müssen. Eine technische Überwachung des Internetverkehrs, um Urheberrechtsverletzungen zu erkennen, wäre aber nicht akzeptabel. Insofern setze ich eher auf die Anbieter von Inhalten, die neue Geschäftsmodelle entwickeln. Da hat der Gesetzgeber eine vermittelnde Rolle zwischen Nutzern und Anbietern. Dass die Piraten sich eher auf eine Seite schlagen, zeigt, dass sie eben keine liberale Partei sind, wenngleich sich manche ihrer Unterstützer vielleicht so verstehen.

Darf ich aber noch einmal auf Ihr Wort von der Bändigung wirtschaftlicher Macht zurückkommen? Da haben Sie den Gedanken der Ordnungspolitik eingeführt, was ich für sehr wichtig halte. Vor den neuen Marktplätzen und Meinungsforen des Internets stehen ja Torwächter – Betreiber der Netze wie die Telekom, die den technischen Zugang schaffen. Und Suchmaschinen wie Google, mit denen sie Inhalte finden. Stellen Sie sich den wohl noch nur fiktiven Fall vor, dass in der Zukunft neue, kleine Anbieter im Internet einfach diskriminiert werden könnten: weil ihre Daten langsamer übermittelt werden oder sie schlicht nicht als Suchergebnis präsentiert werden. Um das mal zu veranschaulichen, in Moskau können sich Privatleute offenbar ein Blaulicht für ihr Auto kaufen und haben dann Vorrangrechte. Wie Polizei und Feuerwehr. Die gleiche Situation könnte in wenigen Jahren schon im Internet drohen. Dann könnten sich Menschen mit mehr Geld oder größerer Marktmacht bessere Zugänge auf die neuen Marktplätze in den Online-Medien kaufen.

Dahinter liegt eine Grundsatzfrage, die ich hier nur vorsichtig berühren will: Wenn Unternehmen solch einen Infrastrukturcharakter bekommen, kann man dann eigentlich noch von privaten Unternehmen im herkömmlichen Sinn sprechen? Zudem handelt es sich um Unternehmen, die oftmals ihren Sitz außerhalb unseres oder überhaupt eines nationalen rechtlichen Rahmens haben.

Genscher: Das können Sie auch auf systemische Banken anwenden.

Lindner: Richtig, für die gilt dasselbe. Wer den Markt – und hier geht es sogar noch um mehr, um den gesellschaftlichen Diskurs – beherrscht, muss sich einer besonderen öffentlichen Aufsicht stellen. Hier muss man sich kartellrechtliche Eingriffe vorbehalten. Eine der ordnungspolitischen Aufgaben ist es also, einen diskriminierungsfreien Zugang für alle sicherzustellen. Das ist eine Frage mit globalem Charakter. Bei den Finanzmärkten ist inzwischen so gut wie allen klar, dass es hier Regeln geben muss. Beim Internet stehen wir da am Anfang. Vor allem die Frage der sogenannten Netzneutralität wird eminent wichtig – für uns Liberale muss entscheidend sein, dass sich auch im Internet die bessere Idee durchsetzt und nicht die größere Brieftasche oder die größere Marktmacht. Das zu gewährleisten, ist unsere Aufgabe.

Welt von gestern, Welt von morgen

Genscher: Wir haben bei einer unserer letzten Begegnungen über Deutschland und Europa gesprochen. Diesmal sollten wir über unsere Rolle, die Rolle Europas in der Welt sprechen. Bis heute sind hier die Vereinigten Staaten traditionell unser engster Partner und Verbündeter – auch wenn das deutsch-amerikanische Verhältnis in der Regierungszeit von Bush junior vielschichtiger geworden ist.

Lindner: Deutschland und die USA teilen bei manchen Unterschieden dennoch dieselben Werte des »Westens« – Marktwirtschaft, Demokratie, Rechtsstaat, offene Gesellschaft. Die Vereinigten Staaten waren immer schon eine pazifische Macht, inzwischen hat der amerikanische Präsident allerdings den Pazifik zur Priorität Nummer eins erklärt. Weil Europa kein Hot Spot mehr ist, weil die Probleme der Welt anderswo liegen, weil sich die Gewichte der Weltwirtschaft nach Asien verlagern – oder weil Europa mit sich selbst beschäftigt ist. Vermutlich von allem etwas. Vermissen Sie nicht eine intensive Diskussion darüber in Europa, Herr Genscher? Sollte nicht von Deutschland eine Initiative ausgehen, die transatlantischen Beziehungen neu zu beleben? Beispielsweise die jetzt wieder aufgenommene Idee einer Freihandelszone mit Nordamerika finde ich faszinierend, um das Interesse Europas an den USA zu dokumentieren. Ich fände es bedauerlich, wenn wir es zu einer Normalisierung dieser besonderen Beziehungen kommen lassen würden.

Genscher: In der Frage Freihandelszone bin ich völlig Ihrer Meinung, im Grunde wäre die längst fällig. Ich glaube jedoch, dass die Probleme dabei nicht in Europa, sondern in Amerika liegen. Da gab es immer protektionistische Stimmen. Gottlob hat Präsident Obama in seiner letzten Rede zur Lage der Nation einen neuen Anlauf zu einer Freihandelszone unternommen. Jetzt heißt es für Europa beherzt handeln.

Aber das ist nicht alles, was zwischen Europa und den USA der Gestaltung bedarf. Ich habe nach dem Fall der Mauer im Jahr 1989 dazu geraten, dass nun, nach dem Ende der Ost-West-Konfrontation, dafür zu sorgen ist, dass der Atlantik nicht breiter wird. Damit meine ich, dass Europa, Deutschland und die USA nicht auseinanderdriften, denn wir tragen weiterhin eine gemeinsame Verantwortung. Sie gründet auf gemeinsamen Wertvorstellungen und auf gemeinsamen Interessen, Sie sprachen von den Werten des »Westens«, Herr Lindner. Wir sind Verwandte – die einen an der östlichen Atlantikküste, die anderen an der westlichen. Was das Interesse der USA an Asien angeht – auf den ersten Blick sieht es sicher nach einer Abwendung von Europa aus. Viel interessanter ist aber: Worin besteht das Interesse? Geht es um ein Partnerschaftsverhältnis mit China oder handelt es sich, wenn ich an die Tea-Party-Leute und manche Republikaner in den USA denke, in Wahrheit um Konfrontationsgedanken?

Lindner: Die amerikanische und die chinesische Volkswirtschaft sind symbiotisch verbunden. Die Chinesen exportieren Waren in die USA, die USA importieren Kapital aus China. Marktzugang gegen Kreditvergabe. Das hat auf der einen Seite zu Wachstum geführt, auf der anderen Seite zu einer dramatischen Verschuldung beigetragen. Der wichtigste Gläubiger Washingtons sitzt jetzt in Peking. Der Historiker Niall Ferguson und der Ökonom Moritz Schularick haben dafür den Begriff »Chimerika« geprägt. Wer bei klarem Verstand ist, kann kein Interesse an einer Konfrontation haben.

Genscher: Auf einen klaren Verstand kann man sich leider nicht immer verlassen. Wir könnten auch auf den Beginn einer Auseinandersetzung über eine Vorherrschaft in Asien zusteuern. Oder auf einen neuen Kalten Krieg? Damit sind wir bei der zentralen Frage der postkommunistischen Welt: Die logische Schlussfolgerung auf den Fall der Mauer lautete, es entstehe eine multipolare Weltordnung. Aber George W. Bush und seine Gesinnungsfreunde strebten eine unipolare Weltordnung an – auf Washington fokussiert und von dort dominiert. Als das Ansehen der USA in der Welt durch solches Denken und Handeln auf einem Tiefpunkt anlangte, habe ich das zutiefst bedauert. Dieser Prestigeverlust der USA ist auch für uns nachteilig. Andererseits spricht man in Europa manchmal in einer Weise über die Vereinigten Staaten, die eine gewisse elitäre Arroganz erkennen lässt. Das ist nicht nur völlig unangebracht, sondern grundfalsch. Eines lehrt aber die Erfahrung aus der europäischen Geschichte: Jeder Dominanzanspruch erzeugt Gegenkräfte. Wer Konfrontation sucht, muss wissen, dass das automatisch auf der anderen Seite mobilisiert und damit kooperative Lösungen verhindert. Das ist die Erkenntnis aus den letzten Jahrhunderten und auch meine Erkenntnis aus meiner Zeit als Außenminister. Deshalb meine ich, dass Europa eine Zukunftswerkstatt im Blick auf die neue Weltordnung darstellt. Unser bisheriger Weg hat sich schließlich ausgezahlt – Zurückhaltung und Kooperation.

Lindner: Bill Clinton hat in diesem Sinne einmal gesagt, dass die USA als Führungsmacht an einer gerechten Weltordnung mitbauen müssten, in der sie sich auch noch wohlfühlen könnten, wenn sie einmal nicht mehr Führungsmacht sind.

Genscher: Bush senior hat die Deutschen *partners in leadership* genannt. Das waren alles frühe Einsichten. Aber was ist daraus geworden? Welche Konsequenzen ziehen wir daraus, wenn das neue Interesse an Asien auf Rivalität gründet?

Lindner: So denkt Obama aber nicht.

»Europa schweigt«

Genscher: So denkt Obama nicht – in der Tat. Ich will offen bekennen, dass ich seine Wiederwahl erhofft habe, und ich hoffe nun auf seine Durchsetzungskraft in den nächsten Jahren. Dabei geht es mir auch um das europäisch-amerikanische und um das deutsch-amerikanische Verhältnis. Es mag emotional klingen, aber in dem transatlantischen Verhältnis darf die Seele nicht verloren gehen. Deshalb spreche ich von der transatlantischen Verwandtschaft. Ich bin überzeugt, dass es Obama hilft, wenn wir Europäer betonen, dass eine neue Weltordnung auf Kooperation und dem Gedanken der Ebenbürtigkeit aufgebaut sein sollte. Auch die amerikanische Öffentlichkeit wird von der Meinungsbildung in Europa beeinflusst. Europa aber schweigt, bleibt stumm. Dabei müssten die Europäer mit den USA in einen Diskurs treten und Fragen stellen. Welche Ziele verfolgt ihr mit eurer Fixierung auf den Pazifik und insbesondere China? Heißt das, dass ihr euch wirtschaftlich und kulturell dorthin orientiert? Oder heißt das vielleicht, dass ihr künftig um die Chinesen herum Barrieren aufbauen wollt, aus denen eine Antistruktur wird, mit welcher ein neues Spannungselement in der Weltarchitektur entsteht?

Das ist es doch, was in Peking bereits befürchtet wird.

Der Streit um die Inselgruppe im Ostchinesischen Meer im letzten Herbst schien der Auftakt dazu zu sein. Wenn argumentiert wird, China wolle nicht nur Teil der neuen Weltordnung sein, sondern über diese auch mitreden können, antworte ich: Das ist doch legitim!

Lindner: Absolut. Es ist auch richtig, dass Deutschland seine Beziehungen zu China weiter vertieft. Nur eben in der Balance zu unseren traditionellen Partnern. Ich erkenne in Peking im übrigen kein imperiales Streben – trotz des starken Engagements in Afrika und trotz der steigenden Rüstungsausgaben. Das passt nicht zur chinesischen Tradition – statt sich für Kreuzzüge auszurüsten, hat das klassische China eine Mauer gebaut. Heute sind zudem die inneren Probleme, mit denen China noch Jahrzehnte beschäftigt sein wird, zu groß. Da sind die enormen Disparitäten zwischen den entwickelten Regionen und dem Land; die Spannungen zwischen den Superreichen, der kleinen Mittelschicht und der Mehrheitsbevölkerung; die ökologischen Probleme des rasanten Wirtschaftswachstums; die grassierende Korruption, gegen die die Menschen öffentlich protestieren; die demographischen Folgen der Ein-Kind-Politik. Nicht zuletzt gibt es auch ungelöste Fragen des inneren Zusammenhalts Chinas. In dieser Frage – territorial, ich denke an Tibet, und ideell – sind chinesische Gesprächspartner sehr sensibel.

Der Konflikt um diese Insel, den Sie erwähnt haben, hat ja in China Demonstrationen ausgelöst, die man nur nationalistisch nennen kann. Die kommunistische Ideologie stiftet offensichtlich keine verbindende Identität mehr. Für mich ist mehr oder weniger offen, was an deren Stelle tritt. Das Versprechen von wachsendem Wohlstand? Nationalismus? Die Kommunistische Partei scheint selbst noch auf der Suche zu sein. Auf lange Sicht also werden die Vereinigten Staaten weiterhin politisch, ökonomisch, militärisch und kulturell die stärkste Macht bleiben. Dennoch spielt China in der neuen Weltordnung eine entscheidende Rolle. Man muss China einbeziehen.

Genscher: China hat frühzeitig ein großes Verständnis gezeigt für den Willen der Deutschen zur friedlichen Wiedervereinigung in einem Staat. In Peking sah man darin eine Parallele zu dem eigenen Wunsch nach einer Vereinigung mit Taiwan. Und nicht zu vergessen: China erkannte frühzeitig die Bedeutung der europäischen Gemeinschaft. Für Peking war das weniger bedeutsam in seinen Auswirkungen auf das europäisch-amerikanische Verhältnis. Da mag sich inzwischen eine leichte Veränderung vollzogen haben. Für Peking war damals, beginnend in den sechziger Jahren, die europäische Vereinigung wichtig für das Ost-West-Verhältnis in Europa.

Lindner: Mit meinem Hinweis auf Einbeziehung meine ich, dass man China ermuntern muss, auf der Weltbühne eine aktivere Rolle zu spielen. Die Chinesen sollten mehr Mitverantwortung übernehmen. Beispielsweise wird es keine Fortschritte in den Beziehungen zwischen Nord- und Südkorea ohne die Chinesen geben. Bislang wollen sie ja gerade nicht überall mitreden, sondern eigene Interessen verfolgen. Ich glaube, dass überdies noch sehr viel an Schaden zu beseitigen ist wegen der umstrittenen Entscheidung, im Irak zu intervenieren. Das hat zu einem großen Vertrauensverlust geführt – so ist es mir jedenfalls in China in Gesprächen immer wieder begegnet.

Genscher: Haben Sie Gesprächspartner in China?

Lindner: Die Kommunistische Partei lädt mich regelmäßig ein, ja. Ich habe darüber einige persönliche Verbindungen geknüpft, die ich pflege. In diesem Jahr habe ich beispielsweise eine Delegation von liberalen Bundes- und Landtagsabgeordneten geführt, wir haben Peking, die Provinz Anhui und Shanghai besucht. Mich hat bei meinem ersten Besuch vor einigen Jahren erstaunt, wie offen man mit den chinesischen Offiziellen bis hinauf zu Vizeministern über

Probleme reden kann – das widersprach meinen Erwartungen. Dieses Jahr habe ich den Werksleiter eines deutschen Unternehmens getroffen, der zuvor schon für neue Anlagen in den USA und in Russland verantwortlich war. Der sagte, in den USA baut er nach Möglichkeit nie wieder, in Russland nur, wenn es sein muss, aber immer wieder in China, weil die Kooperation mit den Behörden reibungslos sei. Dennoch, mich verwundert die von manchen Spitzen der deutschen Wirtschaft heimlich geäußerte Sympathie für das chinesische Wirtschaftssystem – trotz der Öffnungspolitik bleibt es ein autoritärer Staatskapitalismus.

In dauerhafter Erinnerung wird mir von meinem letzten Chinabesuch ein im wahrsten Sinne des Wortes erhabener Moment bleiben: die Einladung eines hochqualifizierten, sympathischen jungen Kaders der KP auf die Dachterrasse im siebzigsten Stock eines Shanghaier Hotels, wo er mir nachts bei französischem Wein von der seiner Meinung nach unverändert zentralen Bedeutung des Marxismus für China erzählt hat.

Genscher: Ich wurde Ende 1973 nach Peking eingeladen. Damals war ich Innenminister. Aber die Chinesen gingen davon aus, dass ich im folgenden Jahr 1974 und der sich abzeichnenden Wahl von Walter Scheel zum Bundespräsidenten sein Nachfolger als Parteivorsitzender und Außenminister werden würde. Offenbar wollten sie mich kennenlernen und wohl auch Maß nehmen. Mehrere Stunden wurde ich von Tschou En-Lai zum Gespräch empfangen. Ein eindrucksvoller Mann! Ein Staatsmann! Später traf ich wiederholt mit Deng Xiaoping zusammen. Ein völlig anderer Typ, aber von gleicher Autorität, Weitsicht und Klarheit. Ihn fragte ich Ende der achtziger Jahre, aber noch vor dem Fall der Mauer, was er von Gorbatschow und seiner Politik halte. Seine Antwort: Die Politik der Öffnung sei richtig, aber die Reihenfolge sei falsch. »Welche Reihenfolge meinen Sie?« Seine Antwort: »Wenn Sie eine sozialistische Wirtschaft in eine Marktwirtschaft umwandeln wollen, dann brauchen Sie einen starken Staat. Deshalb muss die Reform bei der Wirtschaft beginnen.« Für mich hieß das, die politischen Reformen sollten der zweite Schritt sein. Oft habe ich danach an dieses Gespräch denken müssen.

Lindner: Die Wirtschaftsreformen sind dem gesellschaftlichen Öffnungsprozess in China inzwischen weit vorausgeeilt. Dennoch kann man würdigen, dass es auch in der Rechtsstaatsentwicklung Fortschritte gegeben hat, wenngleich bis zu europäischen Standards noch ein weiter Weg ist. Um wieder auf das Dreieck USA, China und Europa zurückzukommen: Wenn wir über eine Intensivierung des transatlantischen Verhältnisses sprechen, dann meine ich damit auch keine Frontbildung gegen andere, sondern eine Vertiefung wie durch eine Freihandelszone, die Vorbild für andere Formen übergreifender Zusammenarbeit sein kann. Ganz im Gegenteil sollten einer solchen Freihandelszone über den Atlantik rasch weitere multilaterale Abkommen folgen, damit sich nicht wieder Handelsblöcke bilden. So ist doch die Europäische Union nicht »gegen« andere gerichtet, sondern sie ist Modell für die Verständigung eigentlich unterschiedlicher Partner.

Genscher: Die Rivalitätsordnung des 19. und der ersten Hälfte des 20. Jahrhunderts in Europa setzte sich nach dem Zweiten Weltkrieg in der damaligen Rivalität des amerikanisch-sowjetischen Bipolarismus des Kalten Krieges fort. Die Revolution, die in der militärischen Nutzung der Nuklearenergie lag, zwang Atomwaffenbesitzer – vor allem die USA und die UdSSR – aus Gründen der Selbsterhaltung zu einer wenn auch beschränkten sicherheitspolitischen Kooperation. In den entscheidenden Stunden der Kubakrise, als die Welt am Rande eines Atomkrieges stand, setzte sich die Philosophie einer gemeinsamen Überlebensstrategie der beiden nuklearen Supermächte durch. Moskau stoppte die Aufstellung von Nuklearraketen in Kuba und führte schon angelandetes Material zurück. Die USA wiederum verzichteten auf die gerade beginnende Stationierung von nuklearen Mittelstreckenraketen in Italien und in der Türkei.

Heute, Herr Lindner, gehört zu den Selbsttäuschungen des Westens die Feststellung, nachdem das 20. Jahrhundert ein europäisch-amerikanisches gewesen sei, werde nun das 21. Jahrhundert das asiatische sein. In Wahrheit ist die Welt in eine völlig neue Phase ihrer Entwicklung eingetreten. Wenn in der Vergangenheit von Weltmächten geredet wurde, so waren es immer Mächte, die weltweit betrachtet die stärksten waren, aber die deshalb keineswegs die Welt zur Gänze beherrscht hätten. So kann man auch jetzt sagen, dass die USA und Europa niemals die ganze Welt beherrschten, und auch Asien wird das im 21. Jahrhundert nicht tun. Das Revolutionäre und Neue ist, dass das 21. Jahrhundert das erste globale Jahrhundert der Menschheitsgeschichte sein wird. Überall in der Welt melden sich politische und ökonomische Kraftzentren zu Wort und entfalten ihre Wirkung. Das verlangt eine globale Kooperation mit der Anerkennung der Gleichberechtigung und der Ebenbürtigkeit aller Akteure dieser neuen Weltgesellschaft. Die Vorstellung von der Dominanz der einen oder anderen Region würde die Stabilität dieser neuen Weltordnung infrage stellen. Die europäischen Erfahrungen des 18., 19. und der ersten Hälfte des 20. Jahrhunderts lassen grüßen und haben hoffentlich die erforderliche abschreckende Wirkung. Wir dürfen jetzt nicht durch altes, machtpolitisches Denken das Klima für das Entstehen einer neuen Weltordnung belasten. Wenn andere Teile der Welt ihren Platz an der Sonne einfordern, dann ist das nicht machthungriges Vorherrschaftsstreben, sondern die Erhebung eines legitimen Teilhabeanspruchs, der ernst zu nehmen ist. Er ist zu akzeptieren und er muss die Grundlage der Verständigung über die Grundfragen und Grundregeln der neuen Weltordnung sein.

Für das europäisch-asiatische Verhältnis heißt das, auch wir, die Europäer, sollten uns um diese Weltregion kümmern, weil sie ein wachsender bedeutungsvoller Partner ist. Wir sollten sie nicht in die Rolle eines Rivalen drängen. Hier liegt eine wichtige Aufgabe für die europäische Diplomatie.

Ebenso wichtig ist es, unsere Sicht der Dinge auch in das westliche Bündnis einzuführen. Beginnend mit den sechziger Jahren ist es uns gelungen, mit der Ostpolitik und dem KSZE-Prozess die Rivalität und Konfrontation in Europa schrittweise zu überwinden. Das war damals »neues Denken«, das nun zu übertragen wäre auf die Entwicklung einer neuen Weltordnung.

Lindner: Wen meinen Sie mit »wir« und was schlagen Sie vor?

Alternativen zum Rivalitätsdenken

Genscher: Herr Lindner, in der Mitte der sechziger Jahre begann im Westen, nicht nur in Europa, sondern auch in den USA, ein Prozess des Umdenkens. Man suchte nach einem Ausweg aus der Konfrontation. Das westliche Bündnis setzte unter Vorsitz des belgischen Außenministers Pierre Harmel eine Kommission ein, die ein politisches und sicherheitspolitisches Konzept für die Überwindung der Spaltung Europas erarbeiten sollte. 1967 erblickte der Harmel-Bericht das Licht der Welt. Er schlug vor: erstens gesicherte Verteidigungsfähigkeit durch ausreichende militärische Fähigkeiten der NATO; zweitens Dialog und Zusammenarbeit mit dem Osten zur schrittweisen Überwindung der Gegensätze mit dem Ziel der Schaffung einer gesamteuropäischen Sicherheitsordnung.

In Ausführung dieses Konzepts begann die SPD/FDP-Regierung 1969 die Politik der Ostverträge, die in den KSZE-Prozess, also dem Dialog von 25 Staaten aus Ost und West über die künftige Zusammenarbeit, mündete und später den Kalten Krieg beendete. Allerdings gab es in Europa und in den USA immer wieder Kräfte, die sich an die Philosophie des so erfolgreichen Harmel-Berichts nur höchst ungern erinnert haben.

Es ist Zeit, und ich fordere das regelmäßig, einen neuen Harmel-Bericht, sozusagen Harmel II, zu erarbeiten mit einem Doppelkonzept: Zum einen brauchen wir gesamteuropäische Sicherheitsstrukturen, die das ganze Europa, also Russland eingeschlossen, umfassen und natürlich die USA als Mitglied der NATO und auch der OSZE.

Das andere Element von Harmel II sollte ein Konzept für eine globale Kooperationsordnung entwickeln, das die Haltung der westlichen Staatengemeinschaft zu einer neuen, überall als gerecht empfundenen Stabilitätsordnung enthält und zugleich die Rolle des westlichen Bündnisses in der sich grundlegend verändernden Welt definiert. Für beide Elemente sollte gelten, was mitten im Kalten Krieg schon NATO-Konzept war, nämlich dass Rüstungskontrolle und Abrüstung integrale Bestandteile unserer Sicherheitspolitik sind. Meine Überzeugung ist, mit einer solchen Entwicklung eines Harmel-II-Berichtes könnten manche Probleme innerhalb Europas und zwischen Europa und den USA vermieden werden, mit denen wir uns heute auseinandersetzen müssen.

Bei einer neuen Weltordnung sollte es nicht um Rivalität um den Posten Nummer eins gehen. Es ist die europäische Aufgabe, Alternativen zum Rivalitätsdenken zu formulieren – und gleichzeitig den USA neue, noch engere Formen der Kooperation mit Europa vorzuschlagen. Da bietet sich die Idee der Freihandelszone an, aber auch ein anderer partnerschaftlicher Umgang innerhalb der NATO, wie er sich schon in den letzten Jahren abgezeichnet hat. Wenn sich in den USA die Haltung zugunsten einer unipolaren Weltordnung durchsetzen sollte, dann haben wir ein Problem.

Lindner: Danach sieht es nach Obamas Wiederwahl aber nicht aus, Herr Genscher. Ich habe mich darüber gefreut, weil ich auch die innenpolitischen Konzepte der Demokraten überzeugender finde als die der Republikaner. Bei uns, wo es eine medizinische Versorgung gibt, um die uns die Welt beneidet, lehne ich eine Staatsmedizin in Form der geforderten Bürgerversicherung ab, in den USA ist eine Grundversorgung für jeden aber dringend nötig. In Deutschland haben wir sicher nicht das größte Problem damit, dass unsere Steuersätze zu niedrig wären, aber in den USA ist es doch ein Gebot der Gerechtigkeit, zu einer vernünftigen Lastenverteilung zu kommen. Wenn der unterlegene Präsidentschaftskandidat Romney als Einkommensmillionär nur 13 Prozent Steuern zu zahlen hat, ist das skandalös. Bei uns haben wir einen gut entwickelten öffentlichen Sektor, der hier und da auch ein Stück schlanker werden darf, aber in den USA verkommt die Infrastruktur – man hat in manchen Ecken New Yorks den Eindruck, man wäre in den dreißiger Jahren unterwegs. Dazu darf es bei uns nicht kommen, und damit haben die Amerikaner in den nächsten Jahrzehnten zu tun. Insofern war die Präsidentschaftswahl auch eine Richtungsentscheidung, die – wenn man so will – zu einer »europäischeren« Betrachtung bestimmter Probleme in den USA führt. Die Polarisierungsstrategie der Republikaner ist jedenfalls nicht aufgegangen.

Genscher: Zu den Gemeinplätzen der internationalen Diskussion gehört die These, dass Europa in seiner gegenwärtigen finanziellen und ökonomischen Verfassung ein Problem für die Weltgemeinschaft sei. Nun wird niemand bestreiten wollen, dass die Europäische Union ihre erste strukturelle Krise zu bestehen hat. Aber nur die Europäische Union? Ein Blick nach China zeigt, wie groß die inneren Probleme des Landes sind. Die überraschenden Geräusche vor und bei dem letzten Führungswechsel machen deutlich, dass China mit internen Problemen zu kämpfen hat. Solche Prozesse laufen in China anders ab als bei uns. Aber sie gibt es, und meine Zuversicht, dass China diese Probleme meistern wird, ist genauso groß wie meine Zuversicht, dass der Europäischen Union das gelingen wird.

Wer wollte bestreiten, dass auch Russland vor großen internen Herausforderungen steht? Heißt das nun, dass das in den USA gänzlich anders sei? Keineswegs! In der weltweit erkennbaren Befriedigung über die Wiederwahl von Präsident Obama ging unter, dass diese Wiederwahl ganz wesentlich neben dem Charisma des Präsidenten der Tatsache zu verdanken ist, dass sich in den USA eine dramatische Veränderung der Wählerschaft vollzieht. Wenn die Republikaner daraus keine Konsequenzen ziehen, werden sie für lange Zeit das Feld den Demokraten überlassen müssen. Im Grunde hatten wir es schon bei dieser Wahl mit einer tiefen Spaltung des republikanischen Wählerreservoirs zu tun und mit eigentlich zwei republikanischen Parteien – zum einen die klassischen Republikaner, zum anderen die »Tea Party«-Szene. Anlass zur Hoffnung gibt, dass Letztere einen Gewichtsverlust hinnehmen musste. Das andere Neue an der Entwicklung in den USA bei der letzten Präsidentenwahl ist die strukturelle Veränderung der Wählerschaft. Die Minderheiten der Vergangenheit, etwa Afroamerikaner und Latinos, haben sich zu den entscheidenden Gewichten für die Mehrheitsbildung von heute und morgen entwickelt.

Lindner: Erwarten Sie eine grundlegende Änderung der amerikanischen Außenpolitik nach der Bestätigung von Präsident Obama im Amt?

Genscher: Ich erwarte eher, dass er die außenpolitische Grundorientierung, wie er sie nach seinem ersten Amtsantritt dargelegt hat, jetzt entschlossener durchsetzen kann. Außenpolitisch hatte Präsident Obama zwei herausragende Reden gehalten – die eine in Prag an die Adresse der Europäer, wobei ich besonders gut fand, dass er sie in Prag hielt, und die andere in Kairo an die islamische Welt. Wenn er daran wieder anknüpft – was ich hoffe, denn er ist in Fragen der Außenpolitik nach seiner Wiederwahl nun freier –, dann könnte er damit auch der veränderten gesellschaftlichen Stimmung in den USA Rechnung tragen. Und mit einem solchen Amerika könnte Europa neue Gemeinsamkeiten finden. Ganz grundsätzlich: Warum sind wir – Europäer und Amerikaner – so ideale Partner auch unter dem Gesichtspunkt der entstehenden Weltordnung?

In der neuen Weltordnung gibt es zwei Arten von Global Players. Die einen bilden die großen Staaten, die »Weltmächte« USA, China, Russland, Indien und Brasilien. Und zur zweiten Gruppe rechne ich regionale Zusammenschlüsse von Staaten mittlerer und kleinerer Größe. Die Europäische Union ist hier der Idealtypus – schwächer ausgeprägte Zusammenschlüsse sind ASEAN, die Afrikanische Union, der Golf-Kooperationsrat, in Lateinamerika der Zusammenschluss Mercosur etc. Das heißt, die Regionalisierung der Welt wird fortschreiten, damit im großen Konzert die mittleren und kleineren Staaten auch ihrer Auffassung Geltung verschaffen können. Europa ist politisch und organisatorisch am weitesten entwickelt, keine andere Region ist derart integriert wie die EU. Insofern betrachte ich ein Paar, bestehend aus den USA und Europa, auch als Repräsentanten dieser Strukturelemente der neuen Weltordnung – das eröffnet für die Partner auf beiden Seiten des Atlantiks eine gemeinsame Gestaltungsverantwortung und auch Chancen.

Gemeinsam kann man dann die Kraft finden, Probleme anzufassen, die kompliziert sind. Ich meine damit insbesondere den Nahost-Konflikt. Wir werden erleben, dass die neuen Regierungen in den arabischen Staaten nach der Welle erfolgreicher Revolutionen möglicherweise die Rechte der Palästinenser energischer einfordern, als das vorherige Staatschefs machten, die ihre Autoritäten aus der Partnerschaft mit den Vereinigten Staaten bezogen hatten. Schauen Sie nur nach Ägypten, was dort gerade passiert. Gerade die Entwicklung im Nahen Osten, die noch instabilen Regierungen, der Freiheitsdrang der jungen Generationen – all das verlangt ein vertrauensvolles Verhältnis zwischen den Europäern und den Amerikanern.

»Ich habe große Hoffnungen auf Mubarak gesetzt«

Lindner: Das Stichwort Ägypten muss ich gleich aufgreifen, Herr Genscher. Sie kannten Mubarak lange und persönlich?

Genscher: Ja, ich habe ihn kennengelernt, als er noch Vizepräsident war. Der damalige Präsident Sadat hatte mich gebeten, Mubarak im Westen einzuführen. Es wurde ein gutes menschliches Verhältnis. Ich will auch bekennen, dass ich große Hoffnungen für Modernisierung, Öffnung und Demokratisierung in Mubarak gesetzt habe. Wissen Sie, im Austausch mit autoritären Staaten war immer mein erster Gedanke: Wie kann man Krieg verhindern? Und der zweite war: Was kann ich von außen tun, um unsere Grundwerte und die Menschenrechte zu verwirklichen? Am Ende haben wir alle Mubarak als einen Mann erlebt, der die Lage in seinem Land nicht mehr richtig einschätzen konnte. Das Volk hat seine Stimme erhoben. Den Ruf nach Freiheit darf niemand überhören. Inzwischen wird erkennbar, dass die Revolution von zwei höchst unterschiedlichen Zielen bestimmt wurde. Man war sich einig, die Zeit der alten statischen Diktaturen war vorüber. Aber war und ist unterschiedlicher Meinung, was an ihre Stelle treten soll. Die einen wollen offene Gesellschaften, die anderen sehen die Zukunft in islamistisch bestimmten Gesellschaften.

Lindner: Wie gehen wir als Europäer mit der Entwicklung in Nordafrika am besten um?

Genscher: Zunächst einmal muss Europa sich überhaupt mit den neuen Bewegungen befassen und sie ernst nehmen. Wir können nicht entscheiden, wer in Ägypten regiert oder in Libyen. Das muss dort geschehen. Wir können von außen das Demokratische nur fordern und fördern, verordnen können wir es nicht. Wenn die Verhältnisse erneut undemokratisch werden, müssen wir dem alten Grundsatz des großen Liberalen Karl Georg Pfleiderer Rechnung tragen: »Beziehungen hat man. Ob sie gut sind oder schlecht, ist eine andere Sache. Keine Beziehungen zu haben, das ist Verzicht auf Außenpolitik.« Also muss man mit den neuen Regierungen umgehen – und die Europäer sollten das gemeinsam tun und eine aktive Rolle übernehmen. Aktiver noch als bisher. Wir haben beispielsweise einmal eine deutsch-französische Erklärung zum Nahost-Konflikt entworfen – François Poncet und ich, 1974 war das. Klare Positionen zu einzelnen Streitpunkten, an denen sich im Zweifel auch die Geister scheiden! Das war damals in Washington nicht gern gesehen – gar nicht aus inhaltlichen Bedenken heraus, sondern weil man es dort unzulässig fand, dass wir überhaupt zu dieser Frage Stellung bezogen. Den Nahen Osten hielten die Vereinigten Staaten für ihre strategische Spielwiese. Die Belebung des europäisch-arabischen Dialogs, eine Kooperationsvereinbarung mit dem Golf-Kooperationsrat – na, was denken Sie, wie das auch in Washington zur Kenntnis genommen wurde! Aber es war wichtig! So stelle ich mir das auch heute vor. Und dann würden wir als Europäer international auch ernster genommen werden.

Lindner: Ich halte das für die große Herausforderung der europäischen Nachbarschaftspolitik, die politischen, kulturellen und wirtschaftlichen Beziehungen mit dem arabischen Raum zu intensivieren – das ist eine Aufgabe, die vergleichbar ist mit der Begleitung des Transformationsprozesses in Osteuropa nach dem Fall des Eisernen Vorhangs. Dieselbe Aufmerksamkeit verdient jetzt diese Weltregion, wenn wir unsere Grundwerte vermitteln und unsere Interessen – ich spreche das bewusst gemeinsam an – vertreten wollen. Wenn die Transformation dort gelingt, dann öffnen sich neue dynamisch wachsende Märkte und dann wächst die Hoffnung auf dauerhaften Frieden. Wenn sie scheitert – nicht auszudenken, was passiert, wenn sich die Erwartung der vielen Millionen »zornigen jungen Männer« – wie Peter Sloterdijk gesagt hat – nicht erfüllt, dass sie nun am Wohlstand teilhaben. Dann werden diese Gesellschaften sich radikalisieren, dann setzt eine ungeheure Migration ein.

Genscher: Wir müssen uns auf einen Einwand gefasst machen. Das auf Dialog aufbauende europäische Modell hat Ahmadinedschad in Teheran und Assad in Damaskus nicht wirklich beeinflusst. In Marokko, Tunesien und Ägypten muss man deshalb zunächst einmal Stabilität erreichen. Wir sollten unsere Erwartungen an den Fortschritt an das Mögliche anpassen. Völlig richtig ist, was Sie über Chancen und Risiken gesagt haben: Wenn diese Länder sich radikalisieren und die inneren Unruhen zunehmen, dann hat das unmittelbare Auswirkungen auf die gesamte Region und auf uns. Ein instabiles Libyen, das bedeutet Migration nach Europa. Und andererseits, wenn diese Staaten sich entwickeln – nicht nach europäischem Muster eins zu eins, aber wenn zivilisatorischer Fortschritt entsteht, wenn sich langsam eine Bürgergesellschaft herausbildet – dann gewinnen wir Partner, dann gehen von dort Signale in andere Weltregionen aus.

Lindner: Damit dort die Wünsche nach Verbesserung der Lebensbedingungen erfüllt werden können, müssen wir unsere Märkte öffnen. Wir müssen ihnen eine Chance geben, in einer arbeitsteiligen Weltwirtschaft ihren Beitrag zu leisten. Und wir müssen in Europa Unternehmen ermuntern, auch in diese Staaten zu investieren. In Ägypten ist die deutsche Automobil-Zulieferindustrie bereits engagiert.

Genscher: Auf eine Diskussion, »soll man mit denen kooperieren, ja oder nein« sollte man sich nicht einlassen. Diskussions- oder Kooperationsverweigerung bedeutet Stillstand und Rückschlag. Manches erinnert mich auch an die Kritik an der so erfolgreichen früheren Ostpolitik. Für das zentrale Gegenargument halte ich, dass eigene Ideen und eigene Aktivitäten immer Auswirkungen auf das Verhalten des anderen haben. Selbst wenn die andere Seite ablehnt, ist sie vorher gezwungen gewesen, sich gedanklich mit einem Vorschlag zu befassen. Davon bleibt auf lange Sicht niemand unbeeindruckt.

Die KSZE – ein Modell

Lindner: Ich möchte das aufnehmen und fragen, ob nicht der KSZE-Prozess ein Vorbild für den Nahen und Mittleren Osten sein könnte?

Genscher: Das ist schon wiederholt ins Spiel gebracht worden. Auch für den Mittelmeerraum. Auch von mir. Die europäischen Staaten sollten als Europa am Tisch sitzen, also mit einer Stimme sprechen. Denn für uns Europäer ist das Mittelmeer nichts Trennendes, sondern es verbindet uns. Im Grunde ist Deutschland als Mitglied der EU, wenn Sie so wollen, Mittelmeeranrainer. Deshalb ist es so bedeutsam, dass wir uns auch damit befassen, wie sich die dortigen Konflikte auflösen lassen. Damit meine ich nicht nur israelisch-palästinensische Streitfragen, sondern auch solche innerhalb des Islam oder der arabischen Länder. Was das angeht, bin ich vollkommen Ihrer Meinung. Es ist mehr Aktivität, mehr Ideenreichtum notwendig. Im Grunde brauchen wir eine Belebung auch der außenpolitischen Debatte bei uns; wenn ich denke, welche leidenschaftlichen Auseinandersetzungen wir geführt haben über die Westintegration, über den NATO-Doppelbeschluss, über die Ostpolitik, über die KSZE – und heute geht es um nicht minder hochpolitische Fragen. Nur finden darüber leider keine wirklichen Debatten statt.

Lindner: In diesem Zusammenhang sehe ich auch eine Debatte über die Entwicklung des Völkerrechts. Die Generalversammlung der Vereinten Nationen hat 2005 beschlossen, dass sie sich in einer Situation schwerer Menschenrechtsverletzungen verantwortlich fühlt, wenn der zuständige Staat die Menschen nicht schützen kann oder gar an Verbrechen beteiligt ist. Die Schutzverantwortung – *responsibility to protect* – halte ich für eine tiefgreifende und zu begrüßende Veränderung in der Menschenrechtspolitik. Hier wird der einzelne Mensch zum Schutzobjekt, es sind nicht mehr allein die Staaten. Was das bedeutet, auch für die deutsche Außenpolitik, ist noch nicht hinreichend diskutiert, finden Sie nicht? Dabei ist hier eine wichtige Frage der internationalen Politik unbeantwortet. Anders als übrigens in Frankreich, wo es eine solche Debatte gibt. Mir scheint, viele fürchten in Deutschland die Konsequenzen. Ich jedenfalls würde unterstützen, wenn Deutschland aktiv für die Norm der Schutzverantwortung der Weltgemeinschaft für Menschenrechte werben würde.

»Nicht abfinden und nicht abwenden!« Wann intervenieren?

Genscher: Wie kann man den Unterdrückten helfen, wie stehen wir zum Begriff der humanitären Intervention? Damit habe ich mich schon als junger Mann beschäftigt. Im Zusammenhang mit dem Nürnberger Prozess und der dann folgenden Diskussion, was hätten die Alliierten tun können, um das Menschheitsverbrechen des Holocaust aufzuhalten? Mit dem Versuch also, ein in der Menschheitsgeschichte einmaliges Gesamtverbrechen juristisch zu erfassen.

Auf der Anklagebank saßen besonders prominente Täter. Aber sie alle waren gleichzeitig besonders aktive Mittäter eines kollektiven Verbrechens. Was mich so sehr prägte in der Erkenntnis, dass über allem der Schutz der Menschenrechte stehen muss. So, wie es unser Grundgesetz in seiner unvergleichlich eindrucksvollen Sprache formuliert: Die Würde des Menschen ist unantastbar. Das bestimmt alles andere und es überragt alles andere. Des Menschen, das heißt, jedes Menschen. Wie viel Vorbehalte und Relativierungen es da gab, habe ich gespürt, als es darum ging, im Namen Deutschlands in den Vereinten Nationen gegen die Apartheid aufzutreten. Da gab es in unserem Lande nicht wenige, die den Grundsatz: *One man, one vote* ablehnten. Sie hielten das für töricht und für gefährlich. Wenn ich in den Vereinten Nationen für die Freilassung von Nelson Mandela eintrat, wurde ich als Unterstützer eines Terroristen und Mörders bezeichnet. Als ich Oliver Tambo, Nelson Mandelas Stellvertreter, der außerhalb Südafrikas lebte, empfangen wollte, kam es zu einer Koalitionskrise. Ich habe ihn trotzdem empfangen. Sie werden es nicht glauben. Als ich für die Antifolterkonvention eintrat, wurde das mit der Begründung kritisiert, das könne auch einmal gegen uns verwendet werden – unbegründet natürlich.

Auf der anderen Seite des politischen Spektrums gab es Stimmen, die Aktivitäten für die Einhaltung der Menschenrechte auch in den sozialistischen Staaten für eine Gefährdung der Entspannungspolitik hielten. Von Kaltem-Kriegs-Denken war die Rede. Natürlich wusste ich, dass meine Forderung nach einem Menschenrechtsgerichtshof der Vereinten Nationen in Moskau und Ostberlin für Unwillen sorgen musste. Aber in dieser Kernfrage unserer Politik nach innen und nach außen durfte es keine Unklarheit geben. Falsch wäre es gewesen, die Menschenrechtsprobleme in anderen Ländern nur zu beklagen, aber keine aktive Politik, zu ihrer Überwindung zu unternehmen. So wird es immer bleiben. Man darf sich nicht abfinden, aber auch nicht abwenden. Vielmehr gilt es, durch aktive Politik, durch Dialog und auch durch Zusammenarbeit auf Veränderungen zum Besseren zu wirken. Nicht jeder Gesprächspartner ist ein Wunschpartner. Aber einem für die Veränderung notwendigen Gesprächspartner darf das Gespräch nicht verweigert werden. Der Schutz der Menschenrechte ist die Moral unseres politischen Handelns nach innen und nach außen.

Über Regeln für die Wahrnehmung der Schutzverantwortung wird derzeit in den UN vor allem aufgrund lateinamerikanischer Initiativen ernsthaft diskutiert. Leider ohne klare Positionen der Europäischen Union. Dabei wären solche Regeln dringend geboten, um Voraussetzungen genau zu definieren und auch den Missbrauch des Begriffs Schutzverantwortung für Machtbestrebungen zu verhindern.

Lindner: Die Kernfrage ist: Wann sollte die Völkergemeinschaft intervenieren, nach welchen Kriterien? Aus der deutschen Beteiligung in Afghanistan und der Enthaltung im Fall Libyen ergibt sich für mich kein konzeptionelles Bild. Die Haltung Deutschlands zur Libyen-Resolution des Sicherheitsrats war ja quer durch alle Parteien umstritten – nicht nur innerhalb der Regierungsfraktionen, sondern auch in der Opposition. Ich erinnere mich, dass der SPD-Fraktionsvorsitzende die Enthaltung der Bundesregierung nachvollziehbar fand, während andere aus seiner Partei Kritik geübt haben. Um es für mich persönlich klar zu sagen: Ich habe die Entscheidung für eine Enthaltung nicht gutgeheißen. Erstens gab es eine akute Bedrohung von Menschenleben. Diese massiven Menschenrechtsverletzungen mit folgender politischer Instabilität haben zweitens in unserer unmittelbaren Nachbarschaft stattgefunden – wir hatten also auch Interessen. Drittens gab es mit der sich formierenden Opposition einen Ansprechpartner für einen Regimewechsel. Das ist der Unterschied zu Afghanistan. Da musste die Opposition fast erfunden werden. Und viertens waren alle unsere traditionellen Partner und Freunde, die Vereinigten Staaten, Frankreich, Großbritannien, für die Wahrnehmung von Schutzverantwortung. Diese Entscheidung im Sicherheitsrat sollte kein Präzedenzfall für die Zukunft sein. Im Gegenteil habe ich ja Kriterien angedeutet, anhand derer man zukünftig diskutieren sollte.

Genscher: Was die Libyen-Entscheidung des Sicherheitsrats anging, so kann die deutsche Haltung sicher hinterfragt werden, oder, um es noch deutlicher auszudrücken, sie muss hinterfragt werden.

In diesem Zusammenhang erinnere ich mich allerdings auch einiger nassforscher Erklärungen bei Beginn des Irakkrieges 1991. Diejenigen, die damals eiferten, hatten übersehen, dass in diesem Zeitpunkt die Sowjetunion, die zu den Signatarstaaten des Zwei-plus-Vier-Vertrages gehörte, diesen Vertrag noch nicht ratifiziert hatte, das heißt ihre definitive Zustimmung zur deutschen Vereinigung war noch nicht rechtskräftig. Eine deutsche Teilnahme an der Intervention gegen den Irak, die über das damals beschlossene Maß hinausging, hätte Gefahren für diesen für uns lebenswichtigen Vertrag heraufbeschworen.

Lindner: Zu Deutschlands Verantwortung in Europa und der Welt gehören auch militärische Einsätze. Meine Generation hat mit dem Jugoslawienkrieg zum ersten Mal erlebt, dass sich deutsche Soldaten an einer militärischen Auseinandersetzung beteiligen.

Genscher: Die Jahre seit der Vereinigung, das heißt seit Ende des Kalten Krieges, sind bestimmt durch tastende Versuche, der neuen globalen Situation, aber auch der Verantwortung des vereinten Landes gerecht zu werden. Es geht also nicht um die verhängnisvolle These: Wir sind wieder wer, sondern es geht für uns wie für alle anderen Völker darum, dass wir unserer Rolle gerecht werden, die einer neuen Weltordnung entspricht, die gegründet ist auf Gleichberechtigung und Ebenbürtigkeit der Völker und Regionen. Das heißt, das Entstehen der neuen Weltordnung schafft einen neuen Handlungsrahmen nicht nur für die Deutschen, sondern für alle Staaten in der Welt. Insofern sind diejenigen auf einem Abweg gewesen, die nach der Vereinigung für unser Land verlangten, wir müssten »endlich Verantwortung übernehmen«. Wir müssten herunter von der Tribüne und zu Akteuren werden. So als hätte die Bundesrepublik Deutschland eine solche Verantwortung vorher nicht getragen und nicht erfüllt. Hatte Deutschland nicht eine große Verantwortung übernommen, indem es mit den anderen fünf die Europäische Gemeinschaft gründete? Hatte Deutschland nicht innerhalb der NATO unter den europäischen Partnern den größten Beitrag für die gemeinsame Sicherheit übernommen? Und hatte Deutschland nicht mit seiner Politik der Ostverträge und mit seiner entscheidenden Rolle im KSZE-Prozess den wichtigsten Beitrag für die Überwindung des Kalten Krieges geleistet?

Nicht die deutsche Vereinigung ist primär der Grund für ein Überdenken unserer Rolle, sondern die Veränderung der Weltlage durch das Ende des Kalten Krieges, also die Entstehung einer neuen globalen Ordnung, die es jetzt nach den gemeinsamen Grundwerten zu gestalten gilt. Die Herausforderung ist es also, der Rolle Deutschlands und Europas in einer neuen Weltordnung gerecht zu werden und nicht einer Sonderrolle des vereinten Deutschlands. Dieser Maßstab ist bei jeder einzelnen Entscheidung innerhalb der Europäischen Union und innerhalb des westlichen Bündnisses und innerhalb der globalen Staatengemeinschaft anzulegen. Dieser Maßstab muss auch bestimmend sein für die gemeinsame Sicherheitspolitik. Die Versuche zum Beispiel von Außenminister Westerwelle, der Abrüstungspolitik wieder den ihr gebührenden Rang zu verschaffen, sind deshalb so richtig und so sinnvoll. Zu den Grundelementen einer neuen, auf Kooperation angelegten Weltordnung gehört die Verhinderung und, falls notwendig, die friedliche Überwindung von Konflikten. Wenn wir über Abrüstung sprechen, so ist diese Sicherheitsphilosophie von dem Ziel geleitet, durch Reduzierung und durch vereinbarte Begrenzung der Rüstungsanstrengungen immer mehr Stabilität in den internationalen Beziehungen herbeizuführen. Es ist offenkundig, dass zu dieser Betrachtung auch gehört, durch eine Kontrolle und eine zunehmende Beschränkung von Rüstungsexporten eine weitere Militarisierung der internationalen Beziehungen zu vermeiden und die Stärkung von Unterdrückersystemen durch Förderung ihrer militärischen Fähigkeiten zu verhindern.

Lindner: In Deutschland sind die Forderungen der FDP, insbesondere auch die nukleare Rüstung zu reduzieren, verschiedentlich als naiv zurückgewiesen worden. Dann kam aber Obama mit seiner Vision von »Nuclear zero«. Dieses Ziel hat er ja unlängst wieder unterstrichen.

Genscher: Wir dürfen einen Harmel-Grundsatz nie vergessen: Rüstungskontrolle und Abrüstung sind integrale Bestandteile unserer Sicherheitspolitik. Das war und das bleibt eine Absage an die alte Theorie, mehr Rüstung schaffe mehr Sicherheit. Der Harmel-Bericht wies in die umgekehrte Richtung.

Das hat Bedeutung für die konventionelle Abrüstung, aber diese Bedeutung muss es auch für die nukleare Abrüstung bekommen. Deutschland hat auf Massenvernichtungswaffen völkerrechtlich verzichtet. Das gibt uns eine besondere Legitimation, die Betroffenen – also alle Atommächte – zu nuklearer Abrüstung aufzufordern. Es könnte der Tag kommen, da es durch eine weitere Ausbreitung der Atomwaffenbesitzer zu spät ist. Der neuerliche Vorschlag von Präsident Obama verdient deshalb unsere uneingeschränkte Unterstützung. Sein Vorschlag könnte der erste Schritt sein, andere müssen folgen.

Lindner: Sie waren schon in den frühen fünfziger Jahren für einen Verteidigungsbeitrag der Bundesrepublik Deutschland, also für die Aufstellung der Bundeswehr. Wie sehen Sie das heute?

Genscher: Der deutsche Beitrag zur westlichen Sicherheit war entscheidend für die Schaffung einer leistungsfähigen Allianz in Europa, also der NATO, und damit auch für die Stabilität in Europa. Ein neutralistisches Deutschland wäre zum Faktor der Unsicherheit und Unberechenbarkeit geworden und zum Spielball der Mächte. Angesichts der damals aggressiven sowjetischen Politik wäre Deutschland zu einem Gefahrenherd geworden. Mit dem Beitritt zur NATO hat Deutschland Berechenbarkeit geschaffen und damit auch Vertrauen – Letzteres im Grunde auch in Moskau. Inzwischen wissen wir, wie entscheidend die Aufstellung der Bundeswehr für die westliche Verteidigung war, ist und bleibt. Die Soldaten der Bundeswehr haben in jeder Hinsicht das in sie gesetzte Vertrauen gerechtfertigt. Die Bürger in Uniform – unsere Soldaten – wurden nicht zum Staat im Staate, sondern die Bundeswehr wurde zu einem integralen Bestandteil unserer demokratischen Gesellschaft.

Sie wird das auch in Zukunft als Freiwilligensarmee bleiben. Demokratischer Standort und Einsatz unserer Soldaten und die Belastung für ihre Familien schaffen eine Bringschuld der Gesellschaft in der Anerkennung ihrer Leistung. Die Bundeswehr ist eine Parlamentsarmee. Auch das ist Ausdruck unserer wehrhaften Demokratie. Das frei gewählte deutsche Parlament entscheidet über ihren Einsatz. Das überträgt dem Parlament eine große Verantwortung. Diese Verantwortung umfasst auch die Sicherstellung einer ausreichenden Ausbildung, Ausrüstung und Bewaffnung für die Erfüllung des vom Parlament erteilten Auftrages. Es ist offenkundig, dass hier noch mancher Nachholbedarf besteht.

Lieber Herr Lindner, ich muss hier einen Augenblick innehalten, wenn ich daran denke, dass ich noch als halbes Kind von einem verbrecherischen System in einen ebenso verbrecherischen Krieg geschickt wurde. Das war eine andere Welt, eine Welt, die sich nie wiederholen darf. Ja, es war eine andere Welt, als die Welt des Soldaten Christian Lindner, der es in der Bundeswehr zum Hauptmann der Reserve brachte.

»Eine Zeit neuer Selbstbesinnung der Deutschen«

Lindner: Sind Sie denn der Meinung, dass Deutschland nach der Wiedervereinigung seiner Rolle in Europa und der Welt bisher gerecht geworden ist?

Genscher: Wir sind mit unserem Gespräch an einem zentralen Punkt für die außenpolitische Debatte in Deutschland angekommen. Wenn Sie die Zeit vom Ende des Zweiten Weltkriegs bis zur Gegenwart betrachten, so ist es der Weg aus der totalen moralischen Selbsterniedrigung und der unumkehrbaren militärischen Niederlage im Jahr 1945. Der Weg seitdem ist gekennzeichnet von dem Bemühen um neues Vertrauen für Deutschland in Europa und in der Welt. Zugleich ist es eine Zeit neuer Selbstbesinnung der Deutschen. Sie, die über lange Zeit mit der Frage nach der friedlichen Vereinigung der Nation befasst waren, finden sich heute wieder in einer ihnen zugewachsenen Bedeutung für das Schicksal Gesamteuropas, wie sie sie vorher niemals gekannt haben. Man könnte sagen: Nach einem langen Irrweg haben die Deutschen zu sich selbst gefunden und damit auch ihren Platz in Europa eingenommen. Dort, wo die Deutschen von Anfang an nach dem Zweiten Weltkrieg ihre demokratischen Rechte ausüben konnten, haben sie drei fundamentale Grundsatzentscheidungen getroffen.

Erstens: Das unumkehrbare Bekenntnis zur freiheitlichen Demokratie und zu Menschenrecht und Menschenwürde. Die Deutschen in der DDR haben mit ihrer friedlichen Freiheitsrevolution von 1989 diese Entscheidung nicht nur nachvollzogen, sondern mit der ersten gelungenen Freiheitsrevolution der deutschen Geschichte auch historisch legitimiert.

Zweitens: Mit der Zugehörigkeit zur Gründergruppe des neuen Europa zunächst der Europäischen Gemeinschaft der Sechs und zur NATO hat Deutschland seine Hinwendung zur westlichen Wertegemeinschaft unumkehrbar vollzogen. Diese Entscheidung hat Bedeutung für den ganzen Kontinent. Es muss Deutschland deshalb immer bewusst sein, dass sich darin seine europäische Verantwortung ausdrückt und dass diese europäische Verantwortung auch in Zukunft, das heißt für immer, bestehen wird.

Drittens schließlich hat die Bundesrepublik Deutschland, und nun – 1990 – für alle Deutschen handelnd, mit der Anerkennung der Oder/Neiße-Grenze völkerrechtlich verbindlich und ohne jede Einschränkung und ohne jeden Vorbehalt die deutsche Geschichte angenommen. Der

Vertrag vollzog, was Willy Brandt mit seinem historischen Kniefall in Warschau bekundet hatte. Das und der Grenzvertrag von 1990 war weit mehr als die endgültige und völkerrechtlich verbindliche Akzeptanz der deutschen Ostgrenze. Es war natürlich ein deutsch-polnisches Ereignis, aber es war mit der Annahme der deutschen Geschichte auch die Annahme der Verantwortung und der Folgen aus dem Gesamtverbrechen Hitler-Deutschlands. Mit diesem Vertrag überwanden die Deutschen jegliche Selbstgerechtigkeit. Sie bekannten sich zu dem Wort, das Theodor Heuss am Tage seiner Wahl zum ersten Bundespräsidenten ausgesprochen hatte: Gerechtigkeit erhöht ein Volk.

Herr Lindner, hier haben wir das moralische Fundament für das künftige Bemühen Deutschlands, in der Europäischen Union für Europa und mit Europa eine Weltordnung zu schaffen, die überall in der Welt als gerecht empfunden werden kann. Von dieser Grundlage aus haben wir unsere Verantwortung anzunehmen. Von dieser Grundlage aus haben wir die Konsequenzen für unsere Politik in einer sich grundlegend verändernden Welt ständig neu zu bestimmen. Hier ist wichtig zu erkennen: Diese Herausforderung ist keine besondere Deutschlands, denn alle Völker stehen vor der gleichen Herausforderung.

Lindner: Sämtliche außenpolitischen Fragen, über die wir hier sprechen, stehen im Zusammenhang mit Entscheidungen des Weltsicherheitsrates. Sind Sie der Meinung, dass Deutschland sich um einen Ständigen Sitz im Weltsicherheitsrat bemühen sollte? Ich bin in dieser Frage skeptisch.

Genscher: Ich rate von einem solchen Bemühen ab. Natürlich bedarf die Zusammensetzung des Weltsicherheitsrates einer grundlegenden Reform. Er spiegelt in der Zusammensetzung der Ständigen Mitglieder die Welt von 1945 wider, aber nicht die Welt am Anfang des 21. Jahrhunderts. Es fehlt die größte Demokratie der Welt: Indien. Es fehlen Staaten wie Brasilien, Argentinien oder Mexiko. Es fehlt Afrika. Es fehlt die arabische Welt. Es fehlen die ASEAN-Staaten. Kurzum, die Reform muss die neue Gewichtung der Weltregionen widerspiegeln, das heißt, die Vertretung großer Staaten aus allen Weltregionen und regionale Zusammenschlüsse aus allen Weltregionen müssen ihren Platz im Sicherheitsrat finden. Deutschland sollte sich zum Sprecher einer solchen Reform des Weltsicherheitsrates machen, und es sollte sich ausreichend vertreten fühlen durch die Europäische Union mit einem Ständigen Sitz.

Natürlich müssen davon die Sitze von Frankreich und Großbritannien unberührt bleiben. Sie sind als Ständige Mitglieder seit Begründung der Weltorganisation eine Art geborene Mitglieder des Weltsicherheitsrates. Dabei muss es bleiben. Erwartet werden muss von ihnen, dass sie sich in ihrem Abstimmungsverhalten entsprechend der Europäischen Union gerieren, was ohnehin eine Konsequenz einer gemeinsamen Außenpolitik ist. Ein deutsches Begehren nach einem Ständigen Sitz würde zudem neue Probleme in die Europäische Union hineintragen. Rom, Madrid und Warschau würden sich melden. Und wie würde der Rest der Welt reagieren, wenn aus Europa weitere Einzelstaaten, beginnend mit Deutschland, Ansprüche anmelden? Ein Anspruch der Europäischen Union dagegen würde genauso selbstverständlich akzeptiert werden wie ein Anspruch von ASEAN oder dem Golf-Kooperationsrat oder anderer regionaler Organisationen.

Lindner: Im Zusammenhang mit dem Irakkrieg sind Sie auf die damalige Sowjetunion zu sprechen gekommen. Ich denke, es ist wichtig, dass wir über die Rolle eines so wichtigen Akteurs wie Russland sprechen sollten.

Genscher: Russland unerwähnt zu lassen, das wäre in der Tat ein schweres Versäumnis. Man muss hinsichtlich der Bedeutung der europäisch-russischen Beziehungen erkennen: Wir leben auf derselben Erdscholle und gehören zum selben Kontinent. Auch wenn der größere Teil Russlands jenseits des Urals liegt, schlägt das Herz des Riesenreiches und des großen russischen Volkes doch in Europa. Die Völker der EU und Russlands sind schicksalhaft miteinander verbunden. Die Russen sind ein europäisches Volk. Auch sie leben im gemeinsamen Haus Europa. An der Ostgrenze Polens beginnt Osteuropa und nicht Westasien.

Lindner: Wie beurteilen Sie die Lage in Russland?

Genscher: Ich denke, dass der einst von Gorbatschow eingeleitete Demokratisierungsprozess der russischen Gesellschaft inzwischen unumkehrbar ist. Das gilt selbst dann und dort, wo es Rückschläge gibt. Wladimir Putin geht es offenbar darum, Zustimmung zu seiner Politik durch die Stärkung russischen Selbstbewusstseins, durch den Hinweis auf die tausendjährige russische Geschichte und auf die nationale Identität und Würde des russischen Volkes zu gewinnen. Die größte Priorität, die eine russische Führung aber sehen muss, ist die Modernisierung des Landes, seiner Institutionen und seiner Wirtschaft und zentral eine mutige Öffnung und Demokratisierung der russischen Gesellschaft. Für all das ist die EU der ideale Partner – das weiß auch Putin, und in Europa muss sich auch jeder seiner Verantwortung dafür bewusst sein.

Lindner: Steckt hinter seiner Rhetorik nicht auch ein Stück Kompensation? Nach dem Ende des Ost-West-Konflikts ist die Bedeutung Russlands auf der Weltbühne deutlich zurückgegangen. Etwas verkürzt basiert sie heute auf Rohstoffen und Kernwaffen. Diesen Prestigeverlust spüren die Russen. Umso mehr muss man daran arbeiten, dass sich die Beziehungen nicht verschlechtern. Die russische Syrien-Politik und die innenpolitische Entwicklung mit ihren stark autoritären Zügen erschwert das aber. Die Art, wie die russische Diplomatie die jüngste Resolution des Bundestags hat abtropfen lassen, war nicht eben Ausdruck von Dialogbereitschaft.

Genscher: Wir sollten bei unseren völlig berechtigten Mahnungen zur Menschenrechtssituation im Blick behalten, dass eine strategische Partnerschaft zwischen Deutschland und Russland, der EU und Russland und den USA und Russland nicht ernst genug genommen werden kann. Sie ist von zentraler Bedeutung für die Stabilität der neu entstehenden multipolaren Weltordnung. Die gemeinsamen Interessen sind größer, als gemeinhin von den Vertretern alten Denkens diesseits und jenseits des Atlantiks angenommen wird. Da steht mancher noch mit einem Bein in den Schützengräben des Kalten Krieges. Es gibt genug Probleme, die wir nur gemeinsam mit Russland lösen können: Die Verhinderung neuer Atomwaffenbesitzer, die Verhinderung eines Krieges im Nahen und im Mittleren Osten. Die Überwindung des israelisch-palästinischen Konfliktes durch eine für alle Seiten akzeptable Friedenslösung. Bei der Behandlung der Iran-Frage zeigt Russland ja auch wachsende Bereitschaft, die gemeinsame Verantwortung auch gemeinsam wahrzunehmen. In Syrien zeichnet sich eine neue Einschätzung der Lage durch Moskau ab. Die Nichterwähnung der Raketenabwehrfrage in der Putin-Erklärung nach seiner Amtsübernahme heißt nicht, dass dieses Thema an Bedeutung verloren hat. Aber sie kann verstanden werden als die Absicht, eine breitere Kooperation nicht von einem Thema allein abhängig zu machen. Das sollte der Westen erkennen.

Zu dieser Erkenntnis gehört auch, bei der Gestaltung der neuen Weltordnung unseren großen östlichen Nachbarn Russland nicht nur als »Partner wenn notwendig« anzusehen, sondern als eines der großen Kraftzentren dieser neuen Weltordnung, als unseren Nachbarn eben, mit dem es möglichst viele gemeinsame Interessen zu definieren gilt.

Lindner: Das bleibt abzuwarten. Auch hier spielt wiederum China eine Rolle. Für die Zukunft sind Grenzkonflikte nicht ausgeschlossen. Da wäre eine stärkere Einbindung Russlands und Chinas in den Dialog mit Europa gleichermaßen wichtig.

Genscher: Umso mehr sind wir aufgefordert, initiativ gegenüber Russland zu werden. Der Bundesaußenminister hat dankenswerterweise dazu Impulse gegeben. Ich bin überzeugt: Die EU braucht eine neue Ostpolitik, politisch und ökonomisch, und die NATO braucht neue Initiativen zur Rüstungskontrolle und Abrüstung. Westliche Alleingänge wie die Pläne für die Stationierung von Raketenabwehrsystemen erschweren diese Bemühungen. Hier zeigt sich, wie wichtig ein westliches Gesamtkonzept à la Harmel für Europa unter Einschluss Russlands wäre. Ich wiederhole: Wir brauchen ein Harmel II.

Lindner: Dennoch ist es bemerkenswert, dass ein Land wie Russland mit seinen Rohstoffreserven technologisch keinen Anschluss findet. Ich sehe auch mit Sorge, dass Gas-Lieferungen und Preisgestaltung an politische Zugeständnisse geknüpft werden, wie das im Verhältnis zwischen Russland und der Ukraine passiert.

Genscher: Sie sollten Russland aber nicht nur als Rohstoff- und Energielieferanten betrachten. Im übrigen ist für beide Seiten wichtig: Versorgungs- und Abnahmesicherheit. Das Ziel, die russische Wirtschaft zu modernisieren, ist auch in unserem Interesse. Das Verhältnis zwischen EU und Russland wird auch nicht getrübt durch die Besorgnis einer machtpolitischen Rivalität. Eine fortschreitende gegenseitige Öffnung ist deshalb eine ebenso nützliche wie realistische Option. Es ist lange her, dass in Brüssel das Projekt einer gesamteuropäischen Freihandelszone, die Russland einschließt, als eine ebenso machbare wie naheliegende Option betrachtet wurde. Was hindert uns daran, diesem Aspekt wieder größere Aufmerksamkeit zu widmen? Dadurch können auch neue Entwicklungen innerhalb Russlands angestoßen werden.

Lindner: Unser ganzes Gespräch kreist bei allen Fragen um Dialog, Kooperation, Vertrauen, Netzwerke. Ganz oft haben Sie heute Intensivierung, Vertiefung, die Neuaufnahme von Gesprächsfäden gefordert. Offensichtlich sehen Sie da gegenwärtig einen Mangel.

Genscher: Hier kann gar nicht genug geschehen. Ich glaube, ein entscheidendes Element jeder erfolgreichen Außenpolitik ist Vertrauensbildung. Sie können Meinungsunterschiede haben und sich widersprechen, aber Sie müssen absolut berechenbar sein. Das ist ganz wichtig. Und Sie können Gegensätze haben, die müssen Sie dann gemeinsam definieren. Aber sie müssen untereinander einig sein, dass Sie um solche Differenzen herum weiter kooperieren wollen. Manchmal frage ich mich, ob nicht ein Zuviel an Gipfelbegegnungen, sei es bilateral, sei es multilateral, Probleme schaffen kann für die Entwicklung kooperativer permanenter Strukturen.

Lindner: Sie meinen, die permanente Gipfeldiplomatie ist keine geeignete Form für echten Austausch?

Genscher: Nicht nur das. Ich will ein Beispiel geben: Ich habe ein enges Verhältnis zu Roland Dumas gepflegt, meinem Außenminister-Kollegen in Paris. Wir haben jeden Sonntag am Spätnachmittag telefoniert – mal hat er angerufen, mal ich. Und ohne Agenda: Was liegt denn bei euch an in der nächsten Woche, was bei uns? Ich konnte aus dem Gespräch entnehmen, wie die Lage ist, und er umgekehrt auch. Wenn es kompliziert wurde, habe ich mich abends ins Flugzeug gesetzt und bin zu ihm nach Paris geflogen, oder er kam zu mir nach Bonn. Das blieb sogar noch in der Zeit der Cohabitation so, als der Außenminister ein Mann von Ministerpräsident Jacques Chirac war. Roland Dumas reiste in der Präsidentenmaschine an – so etwas geht auch nur in Frankreich. Zu der Zeit war er ja noch nicht mal mehr Abgeordneter und machte trotzdem Außenpolitik für den Präsidenten Mitterrand. Vielleicht gibt es ja auch heute hinter den Kulissen noch solche Beziehungen. Mir geht es um die Intimität der Beziehungen und darum, dass Begegnungen freigemacht werden von dem öffentlichen Druck, Ergebnisse vorweisen zu können, oder besser noch: Erfolge. Was immer das heißen mag.

Lindner: Herr Genscher, in der öffentlichen Wahrnehmung herrscht der Eindruck vor, die auswärtige Politik, das Außenamt, sei in seiner Bedeutung weniger wichtig geworden. Wie beurteilen Sie das?

Genscher: Das wird wohl vor allem so gesehen, weil die Treffen des Europäischen Rats mittlerweile allein Sache der Regierungschefs sind. Das war früher anders, da kamen die Regierungschefs und die Außenminister zusammen, und dann kamen die Finanzminister hinzu. Was jetzt geschieht, ist in Nizza verspielt worden. Grundsätzlich hat die Bedeutung des Außenministers viel mit dem Verhältnis zum Regierungschef zu tun. Ich habe zwei große Ressorts geleitet. In dem einen, damals sehr großen Ressort, dem Innenministerium, habe ich mit Bundeskanzler Willy Brandt im Jahr, wenn es hoch kam, drei Mal geredet. Weil das Innenministerium vornehmlich ein Gesetzgebungsministerium ist, und in der Gesetzgebung gibt es keine Richtlinienkompetenz. Einige wenige Mal habe ich also mit Brandt als Innenminister das Notwendige besprochen. Der Außenminister muss sich dagegen eigentlich täglich mit dem Bundeskanzler austauschen, weil permanent Entscheidungen anstehen.

Das Zwischenmenschlich-Klimatische spielt dabei natürlich eine Rolle – es muss einfach funktionieren. Das hat es hundertprozentig bei Helmut Schmidt und Helmut Kohl, den Bundeskanzlern, mit denen ich als Außenminister gearbeitet habe. Und das, obwohl die beiden ja höchst unterschiedlich in ihrer Arbeitsweise waren, aber es keinem von ihnen an hohem Selbstbewusstsein mangelte. Natürlich ist die Reputation des Außenministers auch eine Frage seiner Selbstbehauptung. Es gibt einen Rat der Europa-Minister und der Europa-Staatssekretäre, die für Europa-Angelegenheiten in Wirtschaft, Finanzen und allen relevanten Themen zuständig sind. Für mich war selbstverständlich, dass der Staatssekretär im Auswärtigen Amt den Vorsitz bei den Europa-Staatssekretären führte – und damit hatten wir dann auch die Federführung für die Europapolitik. Vor Treffen des Europäischen Rats oder anderen wichtigen Entscheidungen fand eine Besprechung beim Bundeskanzler statt. An der nahmen der Außenminister und die involvierten Minister teil, der Wirtschafts- und der Finanzminister waren in der Regel immer dabei. Diese Gespräche begannen mit der Frage des Bundeskanzlers: »Wer trägt vor?« Und dann antwortete ich: »Der Vorsitzende des Rates der Europa-Staatssekretäre« – und dann trug mein Staatssekretär vor.

Lindner: Das hat sich in den letzten 20 Jahren verändert. Die Europapolitik ist heute in vielen Fragen Innen- und nicht mehr Außenpolitik. Ist das rückholbar?

Genscher: Es ist entwicklungsfähig. Das Verhältnis zu einem anderen Land umfasst alle politischen Bereiche. Es braucht einen konzeptionellen Ansatz und ein konzeptionelles Verständnis. Also weit mehr als die Addition von Fach- oder Ressortbeziehungen. Außenpolitische Beziehungen waren schon immer komplex. Wenn Sie allein bedenken, welche brutalen Auswirkungen auf alle Lebensverhältnisse unsere Beziehungen zu Moskau hatten. Unser Verhältnis zu jedem afrikanischen Staat beispielsweise wurde mit der Hallstein-Doktrin erschwert, mit der Bonn die Anerkennung der DDR strikt zu verhindern suchte. Das bedeutete, jede bilaterale Beziehung wurde im Lichte des jeweiligen Verhältnisses im anderen Staat zu Moskau gesehen. Wer die DDR anerkannte, zu dem brach Bonn die Beziehungen ab, bis Walter Scheel 1969 das Außenamt übernahm. Sie können erahnen, welch kompliziertes Geflecht das war. Unter diesem Aspekt zumindest ist die Welt heute einfacher geworden. Natürlich gibt es heute andere Herausforderungen, aber einen Rollenverlust der klassischen Außenpolitik erkenne ich nicht. Wie gesagt, meiner Ansicht nach hängt letztlich viel vom persönlichen Verhältnis der Akteure untereinander und deren jeweiliger Durchsetzungsfähigkeit ab.

Im übrigen: Unser Grundgesetz räumt den Mitgliedern der Bundesregierung eine außerordentlich starke Stellung ein. Jeder Minister leitet sein Ressort in eigener Verantwortung. Es gibt kein Weisungsrecht des Bundeskanzlers gegenüber einem Minister. Jeder von ihnen hat eine starke Stellung, auch im Verhältnis zum Regierungschef.

Aber der Bundeskanzler hat die Richtlinienkompetenz, wird man einwenden. Lieber Herr Lindner, ich habe in 23 Jahren Zugehörigkeit zur Bundesregierung niemals erlebt, dass einer der drei hoch angesehenen starken Bundeskanzler, mit denen ich zu tun hatte, sich auf seine Richtlinienkompetenz berufen hätte. Für die Gesetzgebungsarbeit hätte sie ohnehin nicht bestanden. Realität ist, und das gilt besonders für Koalitionsregierungen, die Richtlinienkompetenz endet, soweit sie überhaupt besteht, an der Tür des Kabinettssaals. Im Plenarsaal des Bundestages entscheiden allein die Mehrheiten. Ich will noch etwas hinzufügen: Zusammengearbeitet habe ich mit den Bundeskanzlern Willy Brandt, Helmut Schmidt und Helmut Kohl. Mit den beiden letzten als Außenminister. Mit ihnen verbanden mich breite Überzeugungen in der Außenpolitik. Sie aber hatten gerade in diesem Bereich Probleme im eigenen Lager. Helmut Schmidt hauptsächlich mit den Gegnern des NATO-Doppelbeschlusses und Helmut Kohl vornehmlich mit Franz Josef Strauß. Da war es für mich eine Erleichterung, dass meine Außenpolitik in der eigenen Partei breite Unterstützung fand.

Lindner: Ich will noch etwas anderes anmerken zur Bedeutung des Außenamtes, ganz unabhängig von der deutschen Innenpolitik, sondern mit Blick auf andere Staaten auch in Europa: Der Außenminister ist nach dem Regierungschef heute nicht mehr das wichtigste Kabinettsmitglied – in den allermeisten unserer Partnerländer. Und das ist schon ein Statusverlust. Da die europäische Politik heute zunehmend innenpolitische Bedeutung hat, verändert sich der Charakter. Selbst im Landtag spüre ich die Auswirkungen europäischer Politik, weil beispielsweise Emissions-Richtlinien für Kraftwerke regionalpolitischen Einfluss haben – das ist reine Innenpolitik. Innenpolitische Fragen werden über den Europäischen Rat zurückgespielt. Ich glaube, dass es auch deswegen einen Bedeutungsverlust des Außenministeriums in vielen Hauptstädten Europas gibt. Deshalb ist es nicht allein ein deutsches Problem der Verteilung von Zuständigkeiten, ein Problem fehlender Persönlichkeiten, sondern strukturell ist etwas neu. Zur Gipfeldiplomatie gesellt sich Fachpolitik, und zwar europäische Fachpolitik. Der Gestaltungsbereich europäischer Außenpolitik ist damit schmaler geworden als zu Ihrer Zeit.

Genscher: Das glaube ich nicht. Wenn sich die Außenbeziehungen zu einem anderen Land verschlechtern, also der konzeptionelle Ansatz sich verändert, würden Sie das unter Umständen auch im Landtag von Nordrhein-Westfalen verspüren. Das Gleiche gilt bei einer konzeptionellen Verbesserung auch. Außenpolitik ist leicht in der Gefahr, unterschätzt zu werden, besonders wenn sie problemlos zu verlaufen scheint. Auch nach den ersten Ost-Verträgen schien außenpolitisch alles erledigt zu sein. Die Verträge waren unterzeichnet, und Walter Scheel beschloss nunmehr, das Amt des Bundespräsidenten anzustreben. In der FDP löste das prompt die Frage aus: »Muss der Genscher denn überhaupt Außenminister werden? Das Wichtige ist doch erledigt, die großen Fragen sind beantwortet und man kann nicht zweimal einen Moskauer Vertrag schließen.«

Meine Antwort darauf war eindeutig: »Jetzt geht's erst richtig los!« Rasch kam die Debatte über die KSZE in Gang, die anfangs keinen Menschen wirklich interessierte. In Wahrheit hatten die meisten Parlamente darüber nicht einmal einen Beschluss gefasst! Henry Kissinger war der Meinung, das Vorhaben sei unschädlich, aber bringe auch nichts, ein Hobby der Deutschen. Und doch konnten wir allmählich Europa dahinter versammeln. Solche Initiativen meine ich, wenn es darum geht, der Außenpolitik neue Spielräume und Wege zu eröffnen. Das gilt heute wie damals. Natürlich, je mehr wir miteinander verwoben sind – nicht zuletzt dank einer gemeinsamen Währung –, desto mehr sind bei diesem Prozess auch andere involviert, die Finanzminister insbesondere.

Lindner: Vor allem die Finanzminister. Herr Genscher, ich erinnere an den Fortschrittsbericht – der Außenminister, Guido Westerwelle, hat diesen mit einigen seiner europäischen Kollegen angestoßen, vor allem, um die institutionelle Weiterentwicklung Europas voranzubringen. Das interessiert aber in der deutschen und europäischen Öffentlichkeit wenige. Obwohl das ein äußerst substanzielles Papier ist.

Genscher: Nicht immer erkennt die öffentliche Meinung mit ihrem Interesse die gebotenen Prioritäten in der Gestaltung der auswärtigen Beziehungen. Ich will Ihnen ein Beispiel nennen. Europa war in einer himmelschreiend schlechten Verfassung Anfang der achtziger Jahre. Mein Eindruck war, es müsse etwas dagegen unternommen werden, also hielt ich 1981 eine Rede beim Dreikönigstreffen der FDP in Stuttgart und verlangte nunmehr einen entschlossenen Schritt in Richtung auf die Europäische Union. Diese Europa-Rede wurde, das darf ich sagen, überall beachtet. Im Anschluss wollten die EG-Botschafter wissen, was daraus abgeleitet werden könne. Ich habe sie alle eingeladen und erklärt, was mich umtreibt. Daraus erwuchs die Überlegung, einen konkreten Vorschlag zur weiteren Integration Europas auszuarbeiten. Mit dem Gedanken wandte ich mich an Paris, wo damals eine Cohabitations-Regierung amtierte. Sie war nicht handlungsfähig. Frankreich fiel also aus. Dafür meldete sich Emilio Colombo, mein italienischer Kollege, und daraus entwickelte sich die Genscher-Colombo-Initiative für die Einheitliche Europäische Akte mit dem klar herausgestellten Ziel der Europäischen Union. So entsteht Wirklichkeit in der Außenpolitik, aus kleinen Ideen und Initiativen heraus. Also: Es geht. Immer noch.

Lindner: Es erscheint dennoch als große Paradoxie, dass die Welt grenzenlos geworden ist, aber die Gesellschaften eher nach innen blicken.

Genscher: Das allerdings müssen wir selbstkritisch feststellen. Wir müssen unsere Gesellschaften drängen, dass sie sich mit den Problemen der Welt befassen und nicht provinziell denken! Das haben wir doch bei der amerikanischen Hypothekenkrise erlebt. Das betone ich auch in meinen Reden immer wieder: Wir haben eine Weltnachbarschaftsordnung. Früher war ein Nachbar der, mit dem man eine gemeinsame Grenze hatte. Heute ist jeder ein Nachbar, weil eine Währungskrise in einem entfernten Land sich auch auf uns auswirkt. Deshalb kann uns nicht mehr gleichgültig sein, was in Lateinamerika, in Nahost oder in Südostasien passiert. Gerade darum sollten wir in die neue Weltordnung die Ideen einbringen, die uns geholfen haben, den Westen zu einer Einheit zu entwickeln und den Kalten Krieg zu beenden, das heißt die uns geholfen haben, eine Verständigung mit einem politisch und gesellschaftlich völlig antagonistischem System zu erreichen. Nur so konnte die Spaltung Europas überwunden werden.

Lieber Herr Linder, ich sage Ihnen, allen Unkenrufen zum Trotz, die Fähigkeit der Europäer, aus der Geschichte zu lernen, vor allem aus den Irrwegen unserer Geschichte, hat uns nicht zu vollkommenen Menschen gemacht – die wird es nie geben –, aber eines wurde erreicht: Die Schicksalsgemeinschaft der Europäer, die nach dem Zweiten Weltkrieg entstanden ist, ist einmalig in der Menschheitsgeschichte. Deshalb ist unser Europa heute die Zukunftswerkstatt für die ganze Welt. Die Frage, was wir aus den Erfahrungen der Europäer nach dem Zweiten Weltkrieg für die Schaffung einer neuen Weltordnung lernen können, wird zu einer faszinierenden Diskussion weltweit führen und sie wird auch Ihre Generation faszinieren. Was wir heute gestalten, Herr Lindner, ist Ihre Zukunft. Sie werden in dieser Welt noch über 50 Jahre zu leben haben, wahrscheinlich weit mehr. Dann kriegen Sie vielleicht zwei Herzklappen … und noch mal 20 Jahre oben drauf.

»Brücken bauen, statt Gräben festigen« – die FDP

Genscher: Jetzt haben wir über Geschichte und über liberale Antworten auf die Probleme von Gegenwart und Zukunft gesprochen. Wir konnten uns beide vergewissern, dass einer liberalen Partei die Arbeit nicht ausgeht. Umso mehr müssen wir uns dann am Ende unserer Gespräche fragen, warum die FDP in den vergangenen Jahren den großen Zuspruch verloren hat, den sie bei der letzten Bundestagswahl erfahren hat. Und auch, wie das Vertrauen wieder wachsen kann, denn dass unsere Partei unverändert über Chancen verfügt, hat ja unter anderem die von Ihnen gewonnene Landtagswahl eindrücklich bewiesen.

Lindner: Ich will damit beginnen zu sagen, was in meinen Augen *nicht* der Grund für den Vertrauensverlust ist. Die Menschen, die uns 2009 unterstützt haben, haben immer noch die gleiche Lebenseinstellung. Sie haben nach wie vor das Gefühl, dass die Mitte unseres Landes in den politischen Debatten oft zu kurz kommt. Sie suchen ihr Glück im tätigen Miteinander von Wirtschaft und Gesellschaft, ohne den Blick für das Ganze zu verlieren und anderen nicht ebenfalls Erfolg zu gönnen. Sie wollen in einer von allen als fair empfundenen Gesellschaft leben, ohne dass soziale Gerechtigkeit auf materielle Gleichheit verkürzt wird. Sie haben ein ökologisches und soziales Verantwortungsgefühl, von dem sie sich nicht entlasten wollen, indem sie alles auf den Staat delegieren. Sie erwarten von der Zukunft nicht nur Risiken, sondern sie sehen die Chancen des technologischen und sozialen Fortschritts für die Zivilisation. Und in der FDP haben sie die Partei gesehen, die diese Ideen neu in die Politik einbringt, um für die Mittelschicht Leistungsgerechtigkeit zu verwirklichen, den demographischen Wandel zu gestalten und die internationale Wettbewerbsfähigkeit Deutschlands zu erhalten.

Genscher: Die Liberalen wurden immer vor allem von denen gewählt, die sich von der Zukunft etwas erhoffen, und nicht von denen, die sich vor der Zukunft fürchten. Allein, diese Erwartungen haben wir offensichtlich enttäuscht, Herr Lindner.

Lindner: Ja – obwohl die von der FDP mitgetragene Bundesregierung große Fortschritte bei der Entschuldung der Haushalte und der Stabilisierung unserer Währung gemacht hat; obwohl Millionen Familien beispielsweise vom robusten Arbeitsmarkt, von der Erhöhung des Kindergelds, der Aussetzung der Wehrpflicht oder auch einem Bürokratieabbau profitiert haben, der vom Aus für die »elektronischen Entgeltnachweisverfahren« bis zur Abschaffung der Praxisgebühr den Alltag ein Stück einfacher gemacht hat.

Genscher: Die große Erwartung hatte sich insbesondere mit der Steuerpolitik verbunden. Die Forderung nach einer Vereinfachung des nach wie vor an Ausnahmen und Detailregelungen reichen Steuerrechts ist unverändert richtig. Nur hat die FDP sehr lange auch dem an sich verständlichen Wunsch nach Steuersenkungen nachgehangen. Ich sage: zu lange.

Lindner: Weil es das zentrale Anliegen während des Wahlkampfs war. Daran hat sich unsere Partei auch noch gebunden gefühlt, als sich das makroökonomische Umfeld im Zuge der Staatsschuldenkrise völlig verändert hatte –

wir sprachen bereits kurz darüber. Die Entlastungszusage und die Wiederherstellung solider Staatsfinanzen schlossen sich aber zumindest kurzfristig aus. Auf mittlere Sicht muss sich die Lage wieder ändern. Dann wird es seriös möglich sein, die Bürgerinnen und Bürger an erzielten Konsolidierungserfolgen durch eine »Spardividende« zu beteiligen. So weit sind wir aber noch nicht. Weil wir nicht früh diese Prioritäten neu geordnet haben, sind Zweifel an der finanzpolitischen Kompetenz der FDP geweckt worden. Eine Zäsur war erst die nordrhein-westfälische Landtagswahl, die nach innen und außen gezeigt hat, dass die FDP auch mit dem expliziten Verzicht auf kurzfristig angestrebte Steuerentlastungen Profil gewinnen kann.

Genscher: Dieses Dilemma hätte man vermeiden müssen.

Lindner: Es gibt aber einen Aspekt im Zusammenhang mit der Steuerpolitik, der schwer wiegt, weil er den Charakter der FDP betrifft. Wir beide haben über eine gerechte Wirtschaftsordnung, über die Verantwortungswirtschaft gesprochen. Wer dafür eintritt, muss mitunter auch zunächst unpopuläre Wahrheiten aussprechen. Das kann aber nur derjenige tun, dessen Motive über jeden Zweifel erhaben sind. Das wird uns mitunter abgesprochen. Wogegen ich ankämpfe ist, dass die FDP oft genug gebrandmarkt wird als Interessenvertreterin nur einer Schicht, einer Klasse, einer Branche, einer Berufsgruppe, sprich: einer Klientel.

Genscher: Das ist auch der schlimmste Vorwurf, den man einer liberalen Partei machen kann: Sie sei nur Vertretung eines Teils der Gesellschaft und arbeite nicht für das Gemeinwohl.

Lindner: Nicht jedem gefällt, was wir vertreten, nicht jeder teilt unsere Werte, aber unser Anspruch ist doch: Wir übernehmen Verantwortung für alle. Es ist ärgerlich, dass wir selbst gleich zu Beginn der Legislaturperiode Anlass für eine andere Unterstellung gegeben haben: mit dem reduzierten Mehrwertsteuersatz für Hotelübernachtungen.

Im Zuge einer grundlegenden Reform der Mehrwertsteuer wäre das diskussionswürdig gewesen, weil es Argumente in der Sache dafür gibt. Sonst hätten nicht, wie man immer wieder unterstreichen muss, alle im Deutschen Bundestag vertretenen Parteien diese Forderung in ihren Papieren gehabt. Zu Beginn der Legislaturperiode wurde das aber zum Symbol unseres Regierungshandelns erklärt. Über die zeitgleich erfolgte Erhöhung des Kindergelds, die fiskalisch viel bedeutsamer war, hat niemand gesprochen. Zur eigentlich für kurz danach geplanten grundlegenden Steuerreform mit breitflächigen Entlastungen und Vereinfachungen kam es nicht mehr. So blieb es dauerhaft bei dieser isolierten steuerpolitischen Entscheidung.

Genscher: Herr Lindner, Sie haben ein klassisches Beispiel genannt, das eigentlich für alle anderen steht – es gibt sicher auch noch ein paar andere erwähnenswerte Kritikpunkte. Die Hotelsteuer war besonders bedauerlich, weil sie sozusagen als die erste Leistung der FDP in der neuen Regierung mit Angela Merkel betrachtet wurde. Das muss man einfach nüchtern so sehen, wie es wirkte, und daraus seine Konsequenzen ziehen.

Lindner: Es ist ja leider genauso, wie Sie sagen. Im Umgang mit solchen Lageanalysen gibt es in der Politik zwei Schulen, wie ich gelernt habe. Die eine sieht im Eingeständnis von Irrtümern und Fehlern eine Schwäche. Diese Stimmen gab es teilweise auch in der FDP-Führung, die dann zum besonders harten Angriff auf den politischen Gegner geraten haben, um uns selbst zu entlasten. Für eine Regierungspartei hielt und halte ich das für wenig souverän – die sollte durch die Ergebnisse ihrer Arbeit überzeugen und der Opposition gar keinen Raum für Tiefschläge lassen. Die andere Schule sieht in der Fähigkeit zur Selbstkorrektur hingegen einen Ausdruck von Führungsstärke. Deshalb meine ich, dass wir gut daran tun, bestimmte Probleme offen anzusprechen.

Genscher: Für die Menschen, die es im Prinzip gut mit der FDP meinen, sollte erkennbar sein, dass alle, die in dieser Partei Verantwortung tragen, die Lage klar analysieren und aus ihr Konsequenzen ziehen. So kann wieder Vertrauen wachsen.

Lindner: Der Vorwurf des Klientelismus selbst ist allerdings bisweilen bizarr, das will ich in aller gebotenen Demut sagen. Gerade wenn man sich ansieht, wer ihn erhebt. Die liberalen Gesundheitsminister Philipp Rösler und Daniel Bahr haben beispielsweise ein historisch sicherlich einmaliges Rabattpaket gegen die Pharmaindustrie durchgesetzt, mit dem sie sich nicht viele Freunde in der Branche gemacht haben. Als die sozialdemokratische Vorgängerin früher einmal Vergleichbares versucht hat, wurden die Konzernchefs auf einen guten Rotwein ins Bundeskanzleramt eingeladen – und am nächsten Tag war das Vorhaben entschärft. Die Grünen verteidigen heute unverhohlen die Interessen der Solarlobby auch gegen die schmalen Brieftaschen der Rentnerin und des Studenten, die über ihre Stromrechnung hohe Renditen garantieren müssen. Gleichzeitig versucht Sigmar Gabriel unseren Einsatz für den Mittelstand als Klientelpolitik für »reiche Erben« zu diskreditieren. Man muss in Erinnerung rufen, dass dort zwei Drittel der Arbeitnehmerinnen und Arbeitnehmer beschäftigt sind und über 80 Prozent der Ausbildungsplätze geschaffen werden. Das sind die Familienunternehmen, deren Inhaber nicht auf die Maximierung des Quartalsgewinns setzen, sondern auf die nachhaltige Steigerung des Unternehmenswerts für die nächste Generation. Das sind die Betriebe, die in der Konjunkturkrise nicht die Belegschaften auf die Straße geschickt, sondern ihre Beschäftigten gehalten haben. Der Mittelstand macht unsere soziale Stabilität aus, weshalb andere uns zu Recht um diese Wirtschaftsstruktur beneiden. Wenn das die sogenannte Klientelpolitik sein soll – dann sollte man den Vorwurf mit Blick auf die Arbeitsplätze von Millionen Menschen vielleicht sogar als Bestätigung betrachten.

Genscher: Oft genug sind es ja Stilfragen. Ein grundlegendes Problem ist, dass die FDP den Begriff der sozialen Gerechtigkeit für ihre Politik nicht aufgeben darf. Schließlich definiert das Grundgesetz unseren Staat als einen sozialen Rechtsstaat. Wir haben wiederholt davon gesprochen, dass Ludwig Erhard unsere Wirtschaftsordnung bewusst »soziale Marktwirtschaft« genannt hat. Der Eindruck sollte nicht unwidersprochen bleiben, die FDP pflege eine Klientel, statt sich um Gerechtigkeit zu kümmern.

Lindner: Darin stimmen wir überein. In diese Debatten kann und muss die FDP sich einschalten und Partei ergreifen – im Zweifel für die Einsteiger, Wiedereinsteiger und Aufstiegswilligen und nicht für die Privilegien der Etablierten und Mächtigen, weil die gut auf sich selbst achten können. Ich verstehe unter Gerechtigkeit aber ausdrücklich nicht Gleichheit. Freie Entscheidungen verschiedener Menschen müssen auch zu sozialer und ökonomischer Vielfalt führen. Mehr noch: Erst das Recht, sich unterscheiden zu dürfen, ist doch die Quelle von Hoffnung und Antrieb. Wenn die eigene Anstrengung im Ergebnis keinen Unterschied macht – wozu dann? Also verstehen wir Bildung als Bürgerrecht, das heißt als Bildungsgerechtigkeit. Ralf Dahrendorf hat Bildung als »Fußboden« der Gesellschaft gesehen, auf dem alle stehen. Damit verbunden sei aber keine Deckenbegrenzung. Wir haben weiter für Beteiligungsgerechtigkeit zu sorgen, indem wir Menschen einen Zugang zum Arbeitsmarkt eröffnen und die Einstiegshürden nicht zu hoch werden lassen. Wir sorgen für Leistungsgerechtigkeit, indem wir den Menschen ihren Anteil am Wohlstandszuwachs sichern wollen – gerade diejenigen, die keine staatlichen Transfers bekommen, aber auch nicht Spitzenverdiener sind, haben das Gefühl, dass sie feststecken. Und wir müssen für Generationengerechtigkeit stehen, indem wir auf die nachhaltige Finanzierung der Sozialversicherungen und der öffentlichen Haushalte auch am Vorabend des demographischen Wandels achten. Man kann das in einem klugen Satz des britischen Vizepremiers Nick Clegg zusammenfassen, den er kürzlich in einer Rede geäußert hat. Er hat sinngemäß ausgeführt, Liberale müssten sich gegenwärtig bei jedem politischen Vorhaben fragen, ob es die Wirtschaft stärker und zugleich die Gesellschaft fairer mache. Zugleich – nicht danach oder irgendwann.

Genscher: Theodor Heuss, der erste Bundespräsident und ein großer Liberaler, hat nach seiner erstmaligen Wahl einen Satz aus den Sprüchen Salomons zitiert: »Gerechtigkeit erhöht ein Volk.«

Zu dieser Gerechtigkeit gehören gleiche Chancen, aber nicht das unwahrhaftige Versprechen gleicher Ergebnisse. Das schläfert auch den Leistungswillen ein. Wer seine Chancen aber nicht wahrnehmen kann, aus gesundheitlichen Gründen oder sonstigen nicht zu vertretenden Gründen, der bedarf der Hilfe der Gesellschaft.

Lindner: Mir scheint, dass unter dem Begriff der »sozialen Gerechtigkeit« bedauerlicherweise jeder versteht, was er will oder fühlt. Friedrich August von Hayek sprach von einem »Wieselwort«, weil das Wiesel angeblich Eier so geschickt aussaugen kann, dass die inhaltsleere Schale unversehrt bleibt. Mit dem Schlagwort »sozialer Gerechtigkeit« kann heute fast jeder staatliche Eingriff in Wirtschaft und Gesellschaft rhetorisch gerechtfertigt werden, ohne dass nach konkreten Ergebnissen gefragt wird. Umso mehr müssen wir eine eigene, liberale Vorstellung von Gerechtigkeit zur Diskussion stellen. Für mich ist das die Vorstellung von Fairness, die wir aus dem Sport kennen. Echte Sportsleute haben unabhängig von der jeweiligen individuellen Leistung Respekt voreinander – und sie sind vor den Regeln ohnehin alle gleich.

Beim Sprintrennen haben alle Läufer die gleiche Chance – wir würden protestieren, wenn einer ohne Schuhe antreten müsste oder ein anderer bereits am Start fünf Meter Vorsprung erhielte. Andererseits würden wir uns genauso dagegen wehren, wenn kurz vor dem Ziel die Schnellsten warten müssten, damit alle zeitgleich einlaufen können. Fairness ist für mich also die Verbindung einer grundlegenden Gleichheit vor dem Gesetz mit Chancen- und Leistungsgerechtigkeit im Prozess. Was das im Einzelfall für die Gesellschaft bedeutet, darum muss natürlich stets und immer wieder neu gerungen werden.

Genscher: Die FDP hat diesen Fairnessbegriff, wie Sie ihn verwenden, immer vor Augen gehabt. Es kam aber in der Vergangenheit auch zu Fehleinschätzungen. Zu einer Verengung auf allein wirtschaftliche Themen. Wir haben das miteinander am Beispiel der Umweltpolitik besprochen.

Lindner: Ja, mindestens in der Wahrnehmung hat es eine thematische Engführung gegeben. Wir haben uns immer stärker auf das Thema Steuerpolitik konzentriert. Dahinter stand ursprünglich die gesellschaftspolitische Absicht, eine neue Balance von Staat und Privat zu erreichen. Es war die Sorge um die Entwicklungsmöglichkeiten der Mittelschicht und all derer, die zu ihr aufschließen wollen. Es ging um die Menschen in der Mitte der Gesellschaft – also letztlich das Streben nach mehr Leistungsgerechtigkeit. Am Ende wurde das zur genial verdichteten Formel des »Mehr Netto vom Brutto«. Ein Versäumnis war, dass wir nach dem neuerlichen Regierungseintritt die Bandbreite nicht schneller wieder geöffnet haben. Andere Vorhaben der FDP standen im Schatten der Diskussion um die Steuerpolitik.

Genscher: Diese Verengung auf wirtschaftliche Themen wurde verschärft durch die Hinnahme, dass bestimmte ökonomische Theorien aus den USA, genauer gesagt aus Chicago, fälschlich als »neoliberal« bezeichnet wurden.

Dort wurden eine radikale Marktorientierung und eine Geringschätzung der Rolle des Staates fast religiös gepredigt. Dabei waren es gerade die Neoliberalen in Deutschland vor und nach dem Zweiten Weltkrieg, die den Begriff der Sozialen Marktwirtschaft geprägt hatten. In ihm hat der Staat eine zentrale Funktion: die Freiheitssicherung aller Menschen, die Schaffung eines Ordnungsrahmens für gesellschaftliches und wirtschaftliches Handeln sowie die Sicherung der Grundbedürfnisse. Dazu zählt Infrastruktur genauso wie etwa die Kulturförderung. Die Hinnahme der Begriffsverbiegung des Neoliberalismus hat uns dann in den Ruch gebracht, die ungehemmte Deregulierung zum Beispiel der Finanzmärkte zu befürworten. Ich empfinde die Zahlung von Boni in Höhe von Dutzenden Millionen Euro an einen einzelnen Händler, der Positionen am Computer hin und her schiebt, skandalös. Das ist niemandem mehr begreiflich zu machen. Auch mir nicht.

Lindner: Das, was Sie über den Neoliberalismus gesagt haben, gehört zu den Stereotypen, die über die FDP im Umlauf sind. Wir wollten alles privatisieren und marktgängig machen, was nicht schnell genug auf den Bäumen ist – und den Staat am besten ganz abschaffen. Dass unser Leitbild nicht mehr der Nachtwächterstaat ist, haben wir in unseren vorherigen Gesprächen ja herausgearbeitet. In Deutschland wirkt andererseits aber noch das Denken Hegels nach, der im Staat die »Verwirklichung des objektiven Geistes« gesehen hat. Als moderne Liberale kennen wir die Grenzen der Wirksamkeit des Staates genauso wie seine Notwendigkeit. Wir pflegen so etwas wie eine skeptische Staatsfreundschaft, die uns von der großen Zahl der Staatsgläubigen hierzulande und der Gruppe der orthodoxen Marktradikalen in den USA gleichermaßen unterscheidet. Ich sage es einmal so: Der Staat kann einerseits eine Gefahr für die Freiheit sein, als Polizeistaat oder wenn er private Initiative verdrängt und das Leben bürokratisiert; der Staat kann aber auch Garant für die Freiheit sein, wenn er uns als Rechtsstaat vor dem Recht des Stärkeren schützt und Bildungschancen eröffnet. Nicht der Staat an sich ist das Problem, sondern was die Politik aus ihm macht oder nicht macht.

Was die Boni-Zahlungen und auch die Gehälter angestellter Manager angeht: Ich sehe keine verhältnismäßige Möglichkeit, solche von freien Menschen geschlossenen Verträge gesetzlich zu unterbinden. Als Liberaler verteidige ich die Vertragsfreiheit, aber andererseits muss ich nicht verschweigen, dass ich diese Verträge für scham- und verantwortungslos halte. Kann man für diese Geldzahlungen gute Gründe angeben, die auch die Gesellschaft insgesamt akzeptieren kann? Das sehe ich nicht. Also ist das ein Thema für die öffentliche Diskussion, die Aktionäre als Eigentümer und die Aufsichtsräte.

Genscher: Noch einmal zurück zu der von mir bemerkten Überbetonung der ökonomischen Themen in unserer Partei. Ich bin da vielleicht empfindsam, aber im Zuge dessen ist im öffentlichen Bild der FDP die Abteilung Außenpolitik zurückgenommen worden. Wenn Sie mal die Streitthemen ansehen, die Kontroversen oder auch die Parteitagsreden der Parteivorsitzenden – jahrelang führte die Außenpolitik nur eher ein Schattendasein, woraus wiederum gefolgert wurde, in der Außenpolitik sei alles erledigt –, obwohl im Ausland alles neu war! Die liberale Partei muss jetzt und zukünftig das Phänomen der Globalisierung und seine Auswirkungen sehr viel stärker aufnehmen.

Lindner: War das in anderen Parteien nicht auch so? Seit längerer Zeit gab es in Deutschland einen stärkeren Blick nach innen. Ökonomische Probleme beherrschten die neunziger Jahre: Es ging um deutsche Arbeitslosenzahlen, um den Aufbau Ost – und das schob alles andere in den Hintergrund.

Genscher: Ja, aber ich meine, diese Innensicht Deutschlands aufzubrechen, ist gerade eine Aufgabe der liberalen Partei. Was hier in unserem Gespräch als außenpolitisch progressiv – in der Vergangenheit – auftaucht, war noch nicht im Themenkatalog aller anderen Parteien. Die FDP hat das immer wieder neu auf den Tisch gebracht, mit unzähligen Deutschland-Plänen bereits in den sechziger Jahren, oder sie hat es in den siebziger Jahren als Partei der KSZE gemacht. Die CDU lehnte eine solche Initiative ab. Sie erkannte nicht die Chance, die deutsche Teilung zu einem zentralen Thema gesamteuropäischer Politik zu machen. In der Umweltpolitik haben später die Grünen den Faden aufgenommen.

Dass solche Dinge auch personenabhängig sind, können Sie klassisch in der SPD erkennen an der Person Helmut Schmidt. Schmidt sah sich in einer globalen Rolle – Augstein hat ihn als »den Weltökonomen« bezeichnet –, und sein Verdienst bleibt es, seine Partei auf die ökonomischen Probleme der nördlichen Halbkugel hingewiesen zu haben. Das nannte man damals »global«. Es ist Schmidts Verdienst, dass er die SPD dort hingeführt hat. Er hat sie in anderen Bereichen, in Sachen innerer Reformen vor allem, nicht mitnehmen können, wie sich im Frühjahr 1982 beim Bundesparteitag der SPD in München zeigte. In dem Jahr endete seine Kanzlerschaft, und wir entschieden uns für eine Koalition mit der CDU/CSU und wählten Helmut Kohl zum Bundeskanzler.

Was ich sagen will: Ich glaube, dass unsere Partei sich dort, wo sie eine Zeit lang zu zurückhaltend war, auch programmatisch neu darstellen kann. Die FDP wird ihre Chance nutzen, wenn sie sich um neue Antworten bemüht und nicht glaubt, es gebe ewige Antworten auf neue Fragen. Das ist nicht der Fall.

Lindner: Wir müssen unsere Chance nutzen – und ich glaube, nicht nur im eigenen Interesse. Es geht darum, dass die Republik liberal bleibt. Und dafür braucht es eine liberale Partei, die etwas anders ist als die anderen Parteien.

Genscher: Wenn es einen organisierten Liberalismus nicht mehr geben würde, würde sich die Republik verändern. Das hat man immer wieder erkennen können in der Geschichte der Bundesrepublik, das wurde auch während der sieben Jahre mit Rot-Grün erkennbar, beispielsweise in Fragen der Rechtsstaatspolitik; in Zeiten der absoluten Herrschaft der CDU hat man das erlebt, aber auch während der zwei Großen Koalitionen, 1966 und 2005: Wenn eine liberale Partei als Wettbewerbsfaktor, als Konkurrent um Wählerstimmen fehlt, würde das die innere Liberalität aufs Spiel setzen.

Lindner: Lassen Sie uns dann noch über diese Konkurrenz um Wählerstimmen, also den anstehenden Wahlkampf sprechen.

Koalitionen und Regierungen

Genscher: Die Bundeskanzlerin hat bewiesen, dass sie auch in schwerer See als Kapitänin auf der Brücke steht und das Schiff steuert. Wir machen es uns dagegen oft selbst sehr schwer, das haben die Ereignisse der letzten Monate gezeigt. Es ist gut, dass sich Rainer Brüderle und Philipp Rösler nun in ihren Rollen für den Wahlkampf gefunden haben. Zwei Vertreter der Sozialen Marktwirtschaft an der Spitze, das zeigt die Bedeutung dieser Idee für die FDP.

Lindner: Und jetzt sollte sich die gesamte FDP auf die Auseinandersetzung mit Sachproblemen konzentrieren. Die neue Spitze hat Anspruch auf die Unterstützung der gesamten Partei.

Genscher: Sehr wahr, jeder in der Partei muss sich im klaren sein, welche Bedeutung die vor uns liegende Bundestagswahl hat. Dies erfordert die loyale Unterstützung der

Parteiführung durch alle Mitglieder. Ich habe auch sehr begrüßt, dass die Bundeskanzlerin festgestellt hat, die amtierende Koalition sei die erfolgreichste Bundesregierung seit der deutschen Einheit. Ich lese in ihrem Wort nicht nur eine positive Bilanz, sondern auch ein klares Bekenntnis zur Fortsetzung der gemeinsamen Arbeit. Eine erfolgreiche Koalition hat alles Recht und sogar die Pflicht, gemeinsam für ein neues Mandat bei den Wählerinnen und Wählern zu werben.

Lindner: Weil Deutschland weiter aus der Mitte heraus regiert werden muss. Die Opposition orientiert sich dagegen an der Politik des französischen Staatspräsidenten, durch die in unserem Nachbarland die Arbeitslosigkeit und das Staatsdefizit besorgniserregend steigen. Bei meinem letzten Besuch in China bin ich weniger auf Griechenland als auf Frankreich angesprochen worden. Inzwischen schreiben Leitartikler in Paris an die Adresse von Herrn Hollande gerichtet: »Mach's wie Schröder«. Und in Deutschland wollen SPD und Grüne es machen wie Hollande. Dieses Experiment sollte unserem Land erspart bleiben.

Genscher: In dieser Betrachtung stimmen wir überein. Bei Schwarz-Gelb sind die Grundlagen für die Zusammenarbeit da. Das ist ein Gut an sich, mit dem die Regierungsparteien im Wahlkampf mit Sorgfalt umgehen müssen.

Lindner: Zumal ein Problem der Koalition der Eindruck ist, die drei Koalitionsparteien hätten von Beginn an nicht mit-, sondern eher gegeneinander gearbeitet. Ein Ideenwettbewerb in einer Koalition befördert die Arbeit – eine Koalition ist ja keine Fusion von Parteien. In unserem Fall haben die Störgeräusche jedoch zu oft gemeinsame Ergebnisse überlagert.

Genscher: Den Eindruck hat mancher gewonnen. Wenn wir über Koalitionen sprechen, erinnere ich mich zuerst an den Beginn der sozialliberalen Koalition. Damals hat Willy Brandt in einem nächtlichen Telefonat Walter Scheel noch am Wahlabend versichert: »Ich will, dass mein Koalitionspartner« – wir hatten 1969 mit 5,8 Prozent miserabel abgeschnitten – »reüssiert in der Regierung.« Und dann hat Brandt fortgesetzt: »Sie bekommen drei Ressorts Ihrer Wahl« – »Ihrer Wahl«, stellen Sie sich das vor! Und Walter Scheel solle als Außenminister natürlich Stellvertreter des Bundeskanzlers werden. Am selben Abend erklärte der amtierende Bundeskanzler Kiesinger, Walter Scheel könne wieder Entwicklungsminister werden, das Außenministerium käme für die FDP nicht infrage.

Lindner: Ich erinnere mich an einen CDU-Spitzenpolitiker, der Anfang 2010 in laufende Fernsehkameras gesagt hat, man wolle die FDP nach ihrem Rekordergebnis bei der Bundestagswahl 2009 nun wieder auf »Normalmaß« reduzieren. Solche Bemerkungen führen zu atmosphärischen Belastungen.

Genscher: Meine Überzeugung und auch politische Erfahrung ist, dass die Koalitionsphilosophie sein muss: Leben und leben lassen. Die geistig-politische Basis darf nicht durch Eitelkeiten oder Augenblicksvorteile zerstört werden. Der Wähler hat ein feines Gespür für taktische Finessen und Winkelzüge. Davon wendet er sich ab.

Lindner: Da haben die drei Koalitionsparteien CDU, CSU und FDP jeweils Vorgänge der letzten Jahre aufzuarbeiten. Ich sage das auch selbstkritisch mit Blick auf uns, ohne dass ich die alleinige Verantwortung bei der FDP sähe.

Ich habe die Bildung von zwei Koalitionsregierungen aus nächster Nähe verfolgt. 2005 sind wir in Nordrhein-Westfalen gemeinsam mit der CDU neu in die Regierung eingetreten – die Union nach 39 Jahren und die FDP nach 25 Jahren in der Opposition. Das war eine Aufbruchsstimmung. Natürlich wurde während der Koalitionsgespräche, an denen ich als Generalsekretär der Landespartei teilgenommen habe, auch gerungen. Jürgen Rüttgers hat uns nichts geschenkt, aber am Ende hatten beide Partner Kernanliegen durchgesetzt, die der jeweils andere loyal mitgetragen hat – wir beispielsweise unsere Forderungen nach einem Ende der Subventionen für den Steinkohlebergbau und für mehr Autonomie für die Hochschulen. Das gute Koalitionsklima blieb im Grunde bis auf die Zielgerade zur Landtagswahl erhalten, wenn ich einmal von den letzten Wochen absehe, als Jürgen Rüttgers die Union urplötzlich und wenig erfolgreich für eine Zusammenarbeit mit den Grünen öffnen wollte.

Nach der Bundestagswahl 2009 war meine Wahrnehmung eine andere. Ich war noch nicht Generalsekretär der Bundespartei, weshalb ich nicht an den Runden der Entscheider, sondern als einfacher Bundestagsabgeordneter nur an Arbeitsgruppen teilgenommen habe. Natürlich gab es auch hier viele Gemeinsamkeiten, aber unverkennbar war, dass die Union sich in der Großen Koalition gut arrangiert und manche Position der SPD regelrecht adoptiert hatte. Entscheidungen wie den Gesundheitsfonds wollte die CDU/CSU gar nicht zurücknehmen. Natürlich hatten die Kolleginnen und Kollegen der CDU/CSU uns Liberalen auch vier Jahre Regierungserfahrung voraus. Das hat manchen dazu verleitet, die Gespräche nicht wie ein Partner, sondern wie eine Art Erziehungsberechtigter zu führen.

Genscher: Das war bei meinem Beispiel von 1969 naturgemäß anders. Das große Wort hieß damals Erneuerung. Reformen. Wir hatten das Gefühl, alles sei durchprobiert, wir müssten etwas Neues beginnen. Seit Adenauers Zeiten bildeten CDU und FDP eine Koalition, nach dem Scheitern dieses Bündnisses regierte eine Große Koalition mit Kurt Georg Kiesinger als Regierungschef und Außenminister Willy Brandt als Vizekanzler. Sozusagen die letzte noch nicht ausprobierte Variante stand jetzt zur Debatte, eine Koalition von Sozialdemokraten und Freidemokraten, und das musste »Zukunftspolitik« machen.

Besonders auf einem Gebiet war die Lage überreif, und es war die FDP, die die anderen drängte – ich meine in der Außenpolitik, genauer, in der Deutschland- und Ostpolitik. Wir gingen inzwischen weiter, als die SPD gehen konnte – auf jeden Fall als die SPD, die in der Großen Koalition saß. Wenn man fragt, woher die dynamische Aufbruchsstimmung kam, darf man nicht vergessen: Die Entwicklung seit 1961 trug enorm dazu bei. Der Mauerbau hatte die Lage verändert und die Grenzen der bis dahin betriebenen Ostpolitik aufgezeigt. Die hilflose, ja teilnahmslose Reaktion Adenauers auf den Bau der Mauer vertiefte das Gefühl, ein neuer Anfang in neuer Besetzung sei notwendig. Ich fand, dass der größte Impuls für eine neue Mehrheit aus dem Ziel kam, eine offenere Politik gegenüber dem Osten zu machen und politisch in den Osten hineinzuwirken. Das schloss komplizierte Fragen wie die nach der Oder-Neiße-Grenze mit ein, die zunächst alle Parteien gleichermaßen beantworteten: Diese Westgrenze Polens wird nicht als endgültig anerkannt, jedenfalls nicht jetzt, lautete die übereinstimmende Haltung, und auch in der Frage nach dem Verhältnis zur DDR, nach ihrer Anerkennung als Staat verhielt es sich lange ähnlich.

Hinzu kam das Gefühl, wir müssten eine Antwort geben auf das, was die junge Generation erwartet. Die Außerparlamentarische Opposition meldete ja seit 1967/68 an den Universitäten und auf den Straßen der Republik ihre Mitsprachewünsche an. Die Wahl Gustav Heinemanns zum Bundespräsidenten im März 1969, die er selbst »ein Stück Machtwechsel« nannte, war auch ein Signal für einen inhaltlichen Wechsel – denn auf viele Fragen passten die alten Antworten nicht mehr.

Lindner: Das sozialliberale Bündnis hat wirklich Bedeutendes erreicht, nicht nur in der Ostpolitik, sondern auch in der Gesellschaftspolitik: die Bildungsexpansion, die Gleichstellung von Männern und Frauen, neue Toleranz für Homosexualität – das war eine liberale Emanzipationsbewegung.

Mich interessiert, was zuerst da war – war es die Auseinandersetzung mit den Fragen der damaligen Zeit, ging es zuerst um notwendige Reformen, beispielsweise darum, die restaurativen Tendenzen der ersten Nachkriegsjahrzehnte zu überwinden? Oder handelte es sich insbesondere um eine machtpolitische Neuorientierung? Hier in Nordrhein-Westfalen gab es eine Gruppe in der FDP, die in Anlehnung an eine Gruppierung im türkischen Militär, die 1909 den Sultan gestürzt hatte, »Jungtürken« genannt wurde. Diese Leute um Willi Weyer, Wolfgang Döring und Walter Scheel haben 1956 den Machtwechsel von der CDU zur SPD erwirkt – nicht zuletzt auch, weil in der Union im Bund Pläne geschmiedet wurden, das Wahlrecht zu ändern und mit dem Mehrheitswahlrecht den kleinen Partner zu eliminieren.

Genscher: Zunächst ging es uns darum, die FDP aus der Alternative Opposition oder Regierungspartei mit der CDU zu befreien. Man darf nicht vergessen, auch zuvor arbeiteten Freie Demokraten und Sozialdemokraten schon zusammen. Reinhold Maier, über den wir schon sprachen, stand in Baden-Württemberg seit 1952 mit der SPD als Juniorpartner als Ministerpräsident an der Spitze. In Stadtstaaten wie Hamburg und Bremen gab es das auch. Dennoch hielten manche die Ehe mit den Christdemokraten auf Bundesebene für selbstverständlich, auch wenn sie vorübergehend noch mal ausgesetzt wurde; aber aus dieser Sicht stellten die einen immer den Bundeskanzler – das schien alles wohlgeordnet –, und daran sollte nicht gerührt werden.

Als ich nach Bonn kam, war diese Bindung sehr stark. 1956 hatten alle Bundesminister und 18 Bundestagsabgeordnete die Partei verlassen. In ihrem Selbstverständnis hatte die FDP die Rolle eines Mehrheitsbeschaffers der

Union, wenn es bei der allein nicht reichte. Das offenbarte sich auch mit der parteiinternen Zerreißprobe, in die wir mit der Regierungsbildung 1969 gerieten. Dass wir diese Zerreißprobe bestanden haben, war für die Partei eine inhaltliche Befreiung. Hinzu kam, dass neue Fragen auftauchten, wie bereits angedeutet in der Ost-Politik, auch in der Umweltschutzdiskussion und der Gesellschaftspolitik, wie Sie zu Recht hervorheben. Im Grunde ging es um die Suche nach neuen Ufern, auf allen Ebenen, in allen Bereichen. Das war kein taktischer oder machtpolitischer Zug – den Reformern ging es um ihre liberale Verantwortung.

Um eine machtpolitische Entscheidung handelte es sich beim Ende der Koalition zwischen CDU und FDP in Düsseldorf, als Adenauer das Mehrheitswahlrecht durchpauken wollte. Für Willi Weyer stand fest: »Jetzt ist Schluss, jetzt werden wir mal die Lage im Bundesrat verändern.« Prompt beendete er die Koalition mit der CDU in Nordrhein-Westfalen.

Lindner: Und die Wende 1982?

Genscher: Ich hatte es eben angeschnitten. Der Bundeskanzler Helmut Schmidt konnte seine Partei bei einer Reihe außen- und innenpolitischer Fragen nicht mehr mitnehmen. Das betraf zum einen den NATO-Beschluss zur Nachrüstung; zum anderen notwendige innere Reformen zur Reduzierung der Staatsverschuldung und zum Abbau der Arbeitslosigkeit. Einen dramatischen Höhepunkt hatte die Auseinandersetzung in der SPD am 30. Juni 1982, als Helmut Schmidt die SPD-Bundestagsfraktion in einer Rede beschwören musste, den Regierungskurs in der Wirtschafts- und Finanzpolitik nicht zu verlassen. Um in diesen Fragen die Handlungsfähigkeit der Bundesregierung zu erhalten, haben wir uns für den Koalitionswechsel entschieden.

Lindner: Sie hatten aber vorher bereits intensive Kontakte mit der CDU/CSU und Helmut Kohl?

Genscher: Helmut Kohl habe ich Anfang der sechziger Jahre beim Aufbau des ZDF kennengelernt. Er hatte die Fäden für die CDU in der Hand, ich für die FDP. Daraus wurde auch ein freundschaftliches und familiäres Verhältnis. Das hat manches erleichtert, aber natürlich dort, wo unterschiedliche Auffassungen aufeinandertrafen, Sachgegensätze nicht von vornherein auflösen können. Natürlich habe ich ihn auch getroffen, als er Oppositionsführer war. Das habe ich später genauso mit der SPD gehalten. Es gehört in einer Demokratie dazu, dass man miteinander und vertraulich sprechen kann. Für den Außenminister gilt das besonders. Mir ging es immer darum, die deutsche Außenpolitik dadurch berechenbarer zu machen, dass sie von einer Mehrheit getragen wurde, die über die jeweilige Regierungsmehrheit hinaus ging. Ich weiß von Ihnen, dass Sie ebenso solche Gesprächskontakte pflegen.

Lindner: Mit einer Reihe von führenden Sozialdemokraten – ja. Ich mache kein Geheimnis daraus: Ich habe in der SPD genauso viele Gesprächspartner wie in der Union. In jeder Partei gibt es kluge Köpfe, von deren Argumenten man etwas lernen kann. Ich bin ein großer Befürworter der »Agenda 2010«, vor der leider der größere Teil der SPD inzwischen auf der Flucht ist. Mit den Grünen tue ich mich allerdings schwerer. Viele haben dort ein festgefügtes Weltbild, durch das sie bis in das persönliche Gespräch hinein andere Sichtweisen kaum ertragen können. Ich bedaure das.

Wenn Sie Ihre Arbeit in Koalitionen bilanzieren, welche strategischen Schlussfolgerungen ziehen Sie für die FDP?

Genscher: Man muss sich und anderen klarmachen, was man in der Sache will. Auf dieser Grundlage kann man sagen, welche Koalition die beste Problemlösungsfähigkeit hat.

Lindner: Gegenwärtig ist das die Koalition aus CDU/CSU und FDP unter Führung von Angela Merkel.

Genscher: Das sehe ich ausdrücklich wie Sie. Auch vor einer

Wahl hat der Wähler Anspruch darauf zu erfahren, mit wem man nach einer Wahl regieren will. Für falsch halte ich aber, dass man mehr Aufmerksamkeit darauf verwendet zu sagen, mit wem man nicht koalieren will. Man muss ja bedenken, welche Handlungsmöglichkeiten dann noch verbleiben, wenn das angestrebte Modell nicht erreichbar ist. Also: Sagen, was man will und mit wem – aber nicht alles ausschließen. Das zwingt auch andere Parteien, ihre Karten auf den Tisch zu legen.

Lindner: Das Festhalten an eigenen Überzeugungen und das Bemühen, programmatische Avantgarde zu sein, sichert die Eigenständigkeit der FDP. Als liberale Partei haben wir Gemeinsamkeiten und Unterschiede mit allen Parteien. Die Differenzen mit dem Koalitionspartner muss man dabei nicht jeden Tag neu herausstellen, wie ich finde. Wie haben Sie diese Eigenständigkeit der FDP in den Koalitionsregierungen gepflegt? Von Ihnen kenne ich eine schöne Pointe. Wenn ein Koalitionspartner beklagt, dass der Schwanz mit dem Hund wedelt …

Genscher: … dann sucht sich der Schwanz einen neuen Hund. Natürlich gehört zur Funktionsfähigkeit einer Koalition absolute Seriosität in der Zusammenarbeit. Und Berechenbarkeit. Alle Koalitionsparteien müssen sich ihrer unterschiedlichen Größe bewusst sein, aber auch der Tatsache, dass sie eben nur zusammen eine Mehrheit haben. Um es noch deutlicher zu sagen: Beide Koalitionsparteien haben gemeinsam, dass sie allein keine Mehrheit besitzen. Dass der eine dabei größer ist als der andere, wird bei der Wahl des Bundeskanzlers und der Zahl der Ressorts berücksichtigt.

Lindner: Abschließend möchte ich noch sagen: Für mich ist immer das Spannende an der FDP gewesen, dass sie ganz unterschiedliche Persönlichkeiten ausgehalten hat. Otto Graf Lambsdorff und Sie, zum Beispiel, sind sehr verschieden gewesen und haben trotzdem gemeinsam etwas bewirkt.

Genscher: In der Tat. Das war ein Verhältnis von Mann zu Mann, von Respekt zu Respekt, von Vertrauen zu Vertrauen. Natürlich hat es in der Geschichte unserer Partei schwerwiegende Auseinandersetzungen gegeben. Die vielleicht schwierigste war der Bundesparteitag in Hannover 1967, der über die Oder-Neiße-Linie gestritten hat. Die Auseinandersetzung um die Ostgrenze hat die Partei innerlich fast zerrissen, aber am Ende hat sie gestanden, zusammengestanden.

Lindner: Das macht für mich auch die historische Stärke der FDP aus. Liberale Individualisten, die miteinander etwas erarbeitet haben, sich aneinander gerieben haben. Gerade dadurch waren die Argumente der FDP, die sie öffentlich vorgetragen hat, besser als die der anderen.

Später gab es mitunter eine Art Glaubenskongregation, die auch mal den Bannstrahl auf den Einzelnen richten konnte, wenn er von den hergebrachten, als Wahrheit erkannten Positionen abrückte. Nehmen Sie das Thema Lohnuntergrenzen, über das wir gesprochen haben: In der FDP kam es bei diesen Fragen oft zum Gegenschlag: Um Gottes willen, das sei nicht liberal. Eine bestimmte Position wird also nicht damit erklärt, dass sie richtig oder falsch sei, sondern »nicht liberal«. Dabei muss doch darum gerungen werden, was das denn in einer konkreten Frage bedeutet: »liberal«.

Genscher: Das ist auch wieder so ein Totschlagargument. Ich möchte noch hinzufügen, Herr Lindner, dass die FDP sich dadurch natürlich auch in ihren Handlungsräumen eingemauert hat. Nach dem Motto: Mit uns nicht zu machen! Kommt gar nicht infrage! Auf gar keinen Fall! Oft hat sich dann gezeigt, dass es doch zu machen war – und auch mit uns.

Lindner: Die FDP muss den Mut entdecken, kontrovers, aber respektvoll über große Fragen und Werte zu streiten. Gewinnt eine Partei nicht dann Vertrauen, wenn die Bürgerinnen und Bürger das Gefühl haben, dass sie ihre Argumente erst nach einem inneren Ringen um die richtige Position vorbringt?

Genscher: Ich will Ihnen sagen, dass für mich der Charme der liberalen Idee genau darin besteht, dass sie von sich nicht behauptet, über letzte Antworten zu verfügen. Das gilt für alle Bereiche. Liberalität beinhaltet für mich auch die Fähigkeit, ständig neu infrage zu stellen, was wir als gesicherte Erkenntnis betrachtet haben. Das unterscheidet sie von Ideologien, die schon genau wissen, wie es alles kommen wird. Das wissen wir nicht. Aufgabe der jungen Generation liberaler Politikerinnen und Politiker ist es nun, treibende Kraft für neue Ideen zu sein – um das Prä der FDP, nämlich das Weiterdenken, zu erhalten. Die FDP ist nicht die Partei der revolutionären Forderungen, sondern die der evolutionären Veränderung. Es ist Aufgabe einer liberalen Partei, diesen Gedanken Raum zu geben.

Lindner: Um es frei nach Richard von Weizsäcker zu sagen: Unsere Partei sollte Brücken bauen, statt Gräben zu festigen.

Genscher: Ja, schlagen Sie Brücken, Herr Lindner. Sie können das.